Endre Kiss

Der Tod der k. u. k. Weltordnung in Wien

FORSCHUNGEN ZUR GESCHICHTE
DES DONAURAUMES

Band 8

Endre Kiss

DER TOD DER K. U. K. WELTORDNUNG IN WIEN

Ideengeschichte Österreichs um die Jahrhundertwende

1986
HERMANN BÖHLAUS NACHF. WIEN · KÖLN · GRAZ

Gedruckt mit Unterstützung durch das Bundesministerium
für Wissenschaft und Forschung

CIP-Kurztitelaufnahme der Deutschen Bibliothek

Kiss, Endre: Der Tod der k. u. k. Weltordnung in Wien : Ideengeschichte Österreichs um d. Jh.-Wende / Endre Kiss. – Wien ; Köln ; Graz : Böhlau, 1986.
(Forschungen zur Geschichte des Donauraumes ; Bd. 8)
ISBN 3-205-00539-2
NE: GT

ISBN 3-205-00539-2

Satz: »werbegrafik« Wien 12
Druck: Novographic Wien

Inhalt

„Zu den unheimlichsten Phänomenen menschlicher Geistesgeschichte gehört das Ausweichen vor dem Konkreten. Es besteht eine auffallende Tendenz, erst auf das Fernste loszugehen und alles zu übersehen, woran man sich in nächster Nähe unaufhörlich stößt. Der Schwung der ausfahrenden Gesten, das Abenteuerlich-Kühne der Expeditionen ins Ferne täuscht über die Motive zu ihnen hinweg. Nicht selten handelt es sich darum, das Nächste zu vermeiden, weil wir ihm nicht gewachsen sind. Wir spüren seine Gefährlichkeit und ziehen andere Gefahren unbekannter Konstistenz vor. Selbst wenn diese gefunden sind, und sie finden sich immer, haben sie dann erst noch den Glanz des Plötzlichen und Einmaligen für sich. Es würde viel Beschränktheit dazu gehören, diese Abenteuerlichkeit des Geistes zu verdammen, obwohl sie zuweilen offenkundiger Schwäche entspringt. Sie hat zu einer Erweiterung unseres Horizonts geführt, auf die wir stolz sind. Aber die Situation der Menschheit heute, wie wir alle wissen, ist so ernst, daß wir uns dem Allernächsten und Konkretesten zuwenden müssen. Wir ahnen nicht einmal, wie viel Zeit uns geblieben ist, das Peinlichste ins Auge zu fassen, und doch könnte es sehr wohl sein, daß unser Schicksal von bestimmten harten Erkenntnissen, die wir noch nicht haben, abhängig ist."

(Canetti, *Das Gewissen der Worte,* 23.)

Vorwort

Als Student der Germanistik wählte ich das Lebenswerk Hermann Brochs zum Gegenstand meiner speziellen Forschungen. Hierdurch hat sich mein Interesse an einer bestimmten Epoche Österreich-Ungarns definitiv entschieden. In Brochs Werk fand ich alle wesentlichen Inhalte, die mich damals angezogen haben: Die fast in Vergessenheit geratene historische Wirklichkeit Österreich-Ungarns, die Möglichkeiten des modernen Denkens, der Philosophie sowie einen „Einstieg" in die Problematik der modernen Literatur, vor allem des modernen Romans. Diese drei Grundrichtungen meiner Interessen, aus denen ich erst ziemlich spät die endgültige auswählen konnte, hatten in der Arbeit an Hermann Broch ihre Befriedigung gefunden und leiteten in die Problematik einer immer umfassender werdenden, hypertrophisch wachsenden österreichischen Ideengeschichte über.

Mitte der siebziger Jahre, genau 1975, erhielt ich die Möglichkeit, über die Ideengeschichte Österreich-Ungarns zu schreiben. Das war jene Zeit in Ungarn, da die Wiederentdeckung der gemeinsamen Vergangenheit des Dualismus (1867—1918) das Stadium intellektueller Sensationen bereits überschritten hatte. Während der Vorarbeiten zur ersten Fassung kam William M. Johnstons bahnbrechender Titel *The Austrian Mind* in meine Hand. Im Gegensatz zur so mächtig angeschwollenen Literatur späterer Jahre kam mir in der ersten Zeit praktisch nur das Angebot der Budapester Antiquariate zu Hilfe. Ich übertreibe kaum, wenn ich mich richtig erinnere, daß ich die erste Rekonstruktion, das Gerüst der Geistesgeschichte Österreich-Ungarns, vornehmlich aufgrund dieser

Unterlagen entworfen habe. Ich fand immer etwas. Einmal einen Baedeker über Wien aus dem Jahre 1900, einmal einen Band von Hermann Bahr. Weiningers *Geschlecht und Charakter* war einige Monate lang sogar „im Überfluß" vorhanden und kam in die Schaufenster. Hofmannsthals Dramen in Einzelausgaben gab es in Fülle, Rilke desgleichen. Auch Stefan Zweigs *Welt von gestern* geriet mir bald in die Hände. Die rätselhafte Logik des Wechsels von Generationen und — mit ihnen — auch der Kulturen, die Auflösung oft jahrhundertealter Familienbibliotheken kam mir sehr gelegen.

Mein Buch *A „k. u. k. általános világrend" halála Bécsben* (Der Tod der „k. u. k. allgemeinen Weltordnung" in Wien) kam Anfang 1979 heraus (obwohl es das Erscheinungsjahr 1978 trug). Seither ist die Literatur über Österreich-Ungarn enorm angewachsen, ganz zu schweigen von den neuen Ausgaben zahlreicher Biographien. Ein Freund brachte mir Janik/Toulmins *Wittgensteins Vienna*. In alten, nicht verkauften Familienbibliotheken sah ich Josef Popper-Lynkeus und Houston Stewart Chamberlain, beide als deutsche Autoren, in der Kartei.

Seit 1979 hegte ich den Plan, die für Nicht-Ungarn aus sprachlichen Gründen praktisch nicht greifbare ungarische Fassung meines Buches ins Deutsche zu übertragen. Eine getreue Übersetzung allein wäre aber nicht ausreichend gewesen. Es schien von Anfang an klar, daß die deutsche Ausgabe eine radikale Umarbeitung zur Folge haben mußte. Vor meinem geistigen Auge schwebte eine endgültige (anmaßend gesagt: *die* endgültige) Fassung einer österreichischen Ideengeschichte, welche jene günstigen Chancen verwirklichen konnte, die u. a. auch den ungarischen Blickwinkel der zum Teil gemeinsamen Phänomene miteinbezog. Meine Frau bestärkte mich in der Absicht, die deutsche Fassung so rasch wie möglich in Angriff zu nehmen. Während ich zwischen meinen „Idealvorstellungen" und den damit verbundenen Schwierigkeiten der Realisierung unschlüssig blieb, verlieh Dénes Vajta dem Schicksal dieses Buches eine entscheidende Wendung: Er übersetzte den ungarischen Text ins Deutsche. Der Böhlau-Verlag zeigte sich bereit, diesen deutschen Text mit gewissen Modifikationen zu publizieren. Erst jetzt begann mein voller Einsatz: Ich mußte die neu entstandene deutsche Fassung zum einen für die deutschsprachigen Leser umarbeiten und zum anderen auf den neuesten Stand der Forschung bringen. Mein Dank gilt dem Böhlau-Verlag besonders dafür, daß er diese allerletzte Phase der Umarbeitung, in der schon ein deutscher Text fertig vorlag und die Herausgabe praktisch nur des Verfassers wegen verschoben werden mußte, mit freundlicher, vertrauensvoller Geduld abwartete.

Budapest, im Frühjahr 1986 Endre Kiss

Einleitung

An der Wende vom neunzehnten zum zwanzigsten Jahrhundert war der Zustand des Staatengefüges Österreich-Ungarn kritisch geworden. Sein Tod — als unmittelbare Folge des Ersten Weltkrieges — kam 1918, im fünften Jahr des Krieges, bei Berlin, an der Piave, in Budapest, Prag und Wien.

Seine historischen Aufgaben, die ihm von der Geschichte übertragene Sendung, hat Österreich-Ungarn erfüllt. Aber diese gehörten schon zur Zeit der Doppelmonarchie größtenteils der Vergangenheit an. Die Gegenreformation, der Kampf gegen die Türken ruhten schon damals auf dem Schreibtisch der erledigten Staatsaffären, und die Verbreitung westlicher Zivilisation und Kultur auf emanzipatorische, demokratische Art war nicht immer ohne Widersprüche gewesen.

Sicherlich spät — und gewiß verspätet — schreibt Hugo von Hofmannsthal 1918: „Österreich ist gegen Osten und Süden ein gebendes, gegen Westen und Norden ein empfangendes Land.“[1] Die Aufgaben, welche sich Österreich später stellte, vor allem die von Metternich zusammengehaltene Heilige Allianz und Österreichs Rolle in ihr, sind noch weniger in demokratisch-emanzipativem Sinn zu werten. Kein Zufall, daß diese Rolle nur recht selten *expressis verbis* unter den „Sendungen“ Österreichs aufscheint. Damit wollen wir jedoch den Topos „reaktionäres Österreich“ nicht undifferenziert strapazieren. Kein Zweifel, daß sich Österreich schon in den letzten Jahrzehnten auf politischem Gebiet durchaus emanzipatorisch und demokratisierend auch in Richtung der anderen Reichsteile zeigte. Wir wollen an dieser Stelle unsere Vorstellung nur andeuten: Das Wesentliche ist der Kontrast zwischen der jahrhundertealten, ungebrochen dynastisch-konservativen Politik der Habsburger, die aus der europäischen Entwicklung nur die restaurativen Ansätze voll verwirklichen konnte, und der energischen Aktivität der letzten Jahrzehnte, da bereits entscheidende Anzeichen eines Erneuerungswillens ins Auge fallen. Damit in engem Zusammenhang steht auch eine neue Mobilität in geistigen und sozialen Belangen, ganz abgesehen davon, daß es historisch falsch wäre, den einen oder anderen Fehler zu betonen und den dritten unter den Tisch fallen zu lassen.[2)]

Eine Frage muß hier aber gleich gestellt werden: Warum ist das historische, soziologische und theoretische Interesse an der österreichischen Monarchie im letzten Vierteljahrhundert so deutlich angestiegen? Unter anderem deshalb, weil viele prinzipielle und praktische Fragen, denen die Monarchie als Staatengefüge nicht hatte ausweichen können, in diesen Jahren vielfach wieder aktuell geworden sind. Der frühere amerikanische Außenminister Henry Kissinger hat etwa, als er sich auf seine Laufbahn vorbereitete, Leben und Wirken Metternichs studiert, denn die Pragmatik, ein geschichtlich unterschiedlich entwickeltes, aus verschiedenen Nationen bzw. Nationalitäten bestehendes und in seinen Teilen immer stärker auseinanderstrebendes Reich zu regieren, ist im Lebenswerk Metternichs tatsächlich als Lehre enthalten.

Mit der Zeit wurde immer klarer, daß ein Großteil dessen, was wir heute als die „Moderne" bezeichnen, sowohl geistig als auch geographisch auf dem Gebiet der Habsburgermonarchie entstanden ist. Denn hier stand die Wiege einer eigenen modernen Kultur, mit den Zentren Wien, Budapest, Prag, Agram, Klausenburg.

Wir wollen keineswegs den Schein eines intellektuellen Monarchiechauvinismus erwecken, um so weniger, als deren damalige Bewohner dieses Gefühl selbst nicht gekannt haben. Einen ausgeprägten „Monarchiepatriotismus" der breiten Massen hat es nie gegeben, auch wenn die Einstellung der einzelnen Nationalitaten und insbesondere der einzelnen sozialen Gruppen der Monarchie gegenüber eine durchaus differenzierte war.[3)] Der Ausdruck „Wiege der modernen Kultur" besagt nicht, daß die hier geprägten literarischen, kulturellen und wissenschaftlichen Errungenschaften jene des zeitgenössischen Europa unbedingt übertroffen haben, doch die Neigung und Freude, mit der hier experimentiert wurde, das unvergleichliche „Gespür" für die Probleme des neuen Jahrhunderts berechtigen uns, diesen Terminus anzuwenden. Das Neue ist nicht dem Bedeutenden gleichzusetzen, aber dieses „Gefühl" dafür ist zweifelsohne eine der Voraussetzungen für das Neue selbst.

Diese Beziehung Wiens zu dem Neuen können wir gleich zu Beginn in zwei Zusammenhängen verdeutlichen: Es genügt erstens, an die zahlreichen neuen Phänomene zu denken, die in Wien ihre endgültige Gestalt oder eine ihrer endgültigen Formen erhalten haben, wie die „Wiener" Secession, der „Wiener" Impressionismus, der „Wiener" Kreis des Neopositivismus, die „Wiener" Schule der neuen Musik oder die Psychoanalyse, bei der die Nennung Wiens schon vollkommen überflüssig ist. Die andere Möglichkeit ist, an jenes Neue zu denken, das in den zwanziger und dreißiger Jahren überhaupt erst erkämpft wurde und dessen Wurzeln in die Vorkriegszeit zurückreichen. Gerade diese Phänomene sind mit ein Grund dafür, daß die geistige Individualität Österreich-Ungarns gleichsam neu entdeckt wurde.

Wieder ein anderer Aspekt tritt zutage, geht man nicht von Österreich, sondern von der europäischen Geschichte des zwanzigsten Jahrhunderts aus. Diese Wende kann verdeutlichen, daß die spätere Entwicklung in vielem unter denselben Koordinaten abgelaufen ist wie in der ausgehenden Monarchie.[4)]

Die „geistige Renaissance" der Monarchie setzte in erster Linie mit der Wiederentdeckung einiger Schriftsteller, allen voran Franz Kafkas, ein. Die Interpretation seiner Werke, vor allem von den fünfziger Jahren an, hat die Aufmerksamkeit notwendigerweise auf jenes Milieu gerichtet, in dem sie entstanden waren. Eine andere Frage lautet, ob eben ausschließlich aufgrund des Kafkaschen Werkes ein zutreffendes Bild der Monarchie zu entwerfen sei oder umgekehrt das Werk selbst ausschließlich auf dieser Grundlage interpretiert zu werden hat. Dem Welterfolg Kafkas folgte jener Robert Musils und

Hermann Brochs, obwohl deren Lebenswerk noch immer nicht restlos aufgearbeitet wurde. Diese drei österreichischen, von der Atmosphäre der Monarchie geprägten Schriftsteller lenkten dann ihrerseits die Aufmerksamkeit auf Rilke, Hofmannsthal oder Karl Kraus. In dieser Phase der literarischen Neubewertung wurde auch die Forschung in den Nachfolgestaaten durch neue Gesichtspunkte bereichert.

Im wesentlichen ging hier ein doppelter Prozeß vor sich: Einmal wurde das Verwandte, manchmal Parallele verschiedener Phänomene entdeckt bzw. untersucht — zwischen Rilke und Kosztolányi, Kraus, Karinthy und György Bálint, dem Wiener Impressionismus und der ungarischen *Nyugat*-Bewegung, um hier nur auf ungarische Beispiele zurückzugreifen. Dadurch gerieten — zum anderen — bisher als wesensfremd betrachtete Werke in den Umkreis der heimischen Traditionssphäre, aber auch bis dahin ausschließlich für „national" gehaltene Werke erhielten neue, überregionale Akzente.

Die Reihe jener Dichter, welche erst nach ihrem Tod Weltruhm erlangten, endet nicht bei Kafka, Musil oder Broch. Gleiches widerfuhr im letzten Jahrzehnt auch Ödön von Horváth, der nun zu den modernen Klassikern der dramatischen Dichtung unseres Jahrhunderts zählt. Auch Elias Canetti, Joseph Roth und Franz Theodor Csokor gehören hierher (oder werden wahrscheinlich hierher gehören). Canettis Nobelpreis spricht für diese Entwicklung. Aber auch eine weitere interessante Linie zeichnet sich ab: Wiens geistiges Leben erhielt Heimatrecht in fast allen Kunstwissenschaften. Dies bedeutet, daß nicht nur das Aufspüren von Spitzenleistungen fortgesetzt, sondern daß auch das (soziologisch jedenfalls sehr wertvolle) Mittelmaß erforscht wird. All dies läßt sich auf eine einfache Formel bringen: „Alles, was von Wien kommt, ist interessant."

Was hier über Kafka gesagt wurde, gilt genauso auf der Ebene nicht literaturhistorischer Forschung für Ludwig Wittgenstein: Hatten erst die Interpretationsprobleme des Kafkaschen Werks das Interesse vieler Forscher und Leser geweckt, in den „Kosmos" der Monarchie vorzudringen, so wiesen die Wittgenstein-Interpretationen in die gleiche Richtung. Wenn auch die Feststellung, daß Wittgenstein von Karl Kraus beeinflußt war, an sich nicht unbedingt von primärer Bedeutung ist, so stellt sie doch den Wiener Publizisten und Kulturkritiker mit einem Schlag in den Mittelpunkt eines regen Interesses — gemeinsam mit anderen österreichischen Sprachphilosophen der Epoche, vor allem Fritz Mauthner.

Heute braucht kein Forscher mehr besonders darauf hinzuweisen, daß die österreichische Kultur der zu besprechenden Epoche in vielen Belangen grundlegend und antizipierend gewesen sei. Dennoch ist es keineswegs überflüssig, die Argumente jener anzuhören, welche diese Bedeutung strikte leugneten. Hierbei ist besonderes Augenmerk auf Robert Musil zu legen, und dies nicht nur, weil er einer der besten Diagnostiker seiner Zeit war, dessen methodische Finesse wir in diesem Buch mit der Wissenssoziologie Karl Mannheims in Verbindung setzen.

Musils erstes Argument lautet folgendermaßen: „Erstens haben weder die Slawen, noch die Romanen, noch die Madjaren der Monarchie eine österreiche Kultur anerkannt, sie kannten nur ihre eigene und eine deutsche, die sie nicht mochten; die österreichische Kultur war eine Spezialität der Deutschösterreicher, welche gleichfalls eine deutsche nicht haben wollten.“[5]

Wie auch im Falle der beiden weiteren Argumente Musils muß die Antwort damit beginnen, daß eine mangelnde Kenntnis der effektiven Prozesse festzustellen ist. Die „österreichische“ Kultur wurde in der Tat nicht gleich und nicht immer als *österreichische* Kultur identifiziert. Dies erklärt sich vor allem aus dem einmaligen Verhältnis zwischen deutscher und österreichischer Kultur. Viele der maßgebenden Persönlichkeiten der deutschsprachigen Kultur wurden demgemäß lange nicht als Österreicher identifiziert.[6] Die Angelegenheit war aber nicht nur wegen der problematischen deutsch-österreichischen Identifizierung sehr verwickelt. Viele deutsche, aber auch viele österreichische Autoren bzw. deren Werke gerieten mit den Kulturen der anderen Völker Österreich-Ungarns als Phänomene einer damals gerade national nicht allzu differenzierten Einheit neuer kultureller Bewegungen in Berührung.[7] Schnitzler wurde nicht selten in der Nachbarschaft von Ibsen und Zola, Rilke in einem Komplex mit Mallarmé oder Wilde angesiedelt. So wurden nicht nur Werke der verschiedenen Wellen der europäischen Moderne *gleichzeitig* von den einzelnen Kulturen aufgenommen, es kam auch — wie gesagt — vor, daß man bereits bekanntes österreichisches (vor allem Wiener) Kulturgut und andere Initiativen nicht als spezifisch österreichisch zur Kenntnis nahm.[8] Bedenkt man darüber hinaus, daß sich zumeist auch die Größen der österreichischen Vorkriegsliteratur eher als *deutsche* Autoren präsentierten und von der deutschen literarischen Presse, den deutschen Literaturgeschichten zur deutschen Literatur gezählt wurden, so kann es nicht mehr so überraschen, warum die bei Musil erwähnten nationalen Kulturen die „österreichische" Kultur nicht „anerkannten".

Der eigentliche Inhalt der Aussage über die nicht wahrgenommene Bedeutung der österreichischen Kultur kann somit stark relativiert werden. Das erste erstaunliche Fazit davon ist: Die „vorderste Linie" der Wiener Kultur, zumindest ein Teil derselben, war sich ihrer tatsächlichen Bedeutung nicht bewußt. Und diese wahrscheinlich überraschende These kann auch direkt auf Musil bezogen werden: sein *Törleß* beispielsweise wurde in Ungarn gleich durchaus positiv aufgenommen.[9] Man muß jedenfalls zugeben, daß er nicht hundertprozentig als „österreichischer" Dichter aufgenommen, sondern *als ein in Wien lebender junger deutscher Dichter betrachtet und gepriesen wurde.*

Musils zweites Argument ist folgendes: „Es gab viel Provinz in Österreich, wo sie (Kultur) aber aufhellte, dort wurde einfach wie überall auf der Erde Anschluß an die Welt des Geistes gesucht und das Mittel, durch das dies geschah, war weder reichsdeutsche, noch österreichische, sondern einfach deutsche Kultur... Die österreichische Kultur war ein perspektivistischer Fehler des Wiener Standpunkts; sie war eine reichhaltige Sammlung von Eigenarten, durch die man den Geist mit Gewinn reisen lassen konnte, das durfte einen aber nicht darüber täuschen, daß sie keine Synthese war."[10]

Es scheint, daß ein Hauptteil dieses Arguments schon durch die perspektivistischen Verschiebungen des ersten beantwortet werden kann. Was von der Antwort auf das erste Argument nicht abgedeckt wird, kann so aufgelöst werden: Das Problem des Verhältnisses von Zentrum und Peripherie ist gerade in kulturhistorischer oder -soziologischer Hinsicht bis heute ungeklärt.[11] Daß die Provinzen eine andere Kultur als die Hauptstadt hatten, ist kein österreichisches Spezifikum. Entscheidend ist, wie man die Kultur der Hauptstadt einschätzt. Die österreichische Kultur steht oder fällt mit der Ausstrahlung der Hauptstadt. Und weil diese Ausstrahlung unserer Auffassung nach eine enorme war, kann die Bedeutung dieser Kultur selbst nach Musilschen Begriffen positiv interpretiert werden.

Das dritte Argument, welches ins Treffen geführt wird, um den Begriff einer maßgebenden österreichischen Kultur in Frage zu stellen, lautet folgendermaßen: „... wird jeder von der Gnade der Selbstbesinnung nicht ganz verlassene Altösterreicher eingestehn, daß er, von österreichischen Werten sprechend, nichts anderes meint als das alte Österreich *vor* 1867".[12]

Diese Betonung der österreichischen Identität bzw. des österreichischen Selbstbewußtseins *vor* 1867 bringt es mit sich, daß man sich beider Werte *nach* 1867 nicht bewußt war. Das Symptom bleibt das gleiche: mangelnde Kenntnis der eigenen Bedeutung, die ebenso mangelnde Fähigkeit, seinen Platz unter den anderen realitätsgetreu zu behaupten. Sipulusz (Viktor Rákosi), der scharfsinnige Budapester Humorist, in vielem seinen österreichischen Kollegen nicht unähnlich, schrieb ein „Crocquis" über eine Klapperschlange namens Guttmann, die nicht wußte, daß sie eine Klapperschlange ist, und zwar deshalb nicht, weil ihr Schwanz sechs Meter lang war, sie aber nur fünf Meter weit hören konnte...[13]

Daß Wien eine homogene, moderne Kultur entwickelte, die der Stadt selbst innerhalb der glänzenden Reihe europäischer Metropolen eine Sonderstellung einräumte, lag darin begründet, daß Wiens Kultur mit einer selbständigen Phase der europäischen Moderne beinahe restlos zusammenfiel.

Will man die nacheinander einsetzenden Wellen der europäischen Moderne in ein übersichtliches System bringen, so lassen sich drei mehr oder weniger zusammenhängende große Gruppen unterscheiden: Bei der ersten handelt es sich um die individualistisch-antiphiliströse, moralisch und sozial bedingte

Auflehnung Ibsens, Strindbergs, Nietzsches, Zolas, Tolstojs und anderer. Abgesehen von einzelnen sehr wichtigen früheren Modernen innerhalb der verschiedenen Kunstgattungen verbreiten sie vor allem in den europäischen Ländern das Bewußtsein einer umwälzenden neuen Kultur von übernationalem Charakter.[14] Diese erste Welle drückt vor allem den Willen des emanzipationshungrigen Individuums aus, im Gegensatz zu seiner Umgebung seine Selbstverwirklichung zu erkämpfen, die Lebenslügen zu entlarven und statt aus der bereits überholten traditionellen Religion nicht selten aus seiner eigenen Persönlichkeit heraus neue Ideale und Werte zu setzen. Die dritte große Welle der europäischen Moderne läßt sich mit dem Avantgardismus identifizieren. Wiens Bedeutung liegt in der Tatsache, daß seine Moderne fast vollständig mit der *zweiten* Welle zusammenfällt.

In diesem Sinn ist Wien geradezu die Hauptstadt dieser Phase. Die Gründe dafür sind historisch. Wien blieb von der ersten Welle beinahe völlig unberührt, es nahm diese Strömungen verspätet oder überhaupt nicht (!) zur Kenntnis. Symptomatisch dafür ist, daß beispielsweise der in Frankreich und Deutschland für die Soziologie äußerst wichtige Naturalismus von Wien praktisch fernblieb — Hermann Bahr forderte Anfang der neunziger Jahre sogar die Überwindung des Naturalismus![15] (Dies wirft ein bezeichnendes Licht auf die zwiespältige Identität Hermann Bahrs innerhalb der deutschen und österreichischen Literatur. Als ,,deutscher'' Literat setzte er einen Punkt an das Ende einer entscheidenden künstlerischen Strömung des deutschen Kulturlebens; als ,,in Wien lebender deutscher'' [oder schon österreichischer?] Literat verdammte er jedoch eine Richtung, die in Österreich nicht Fuß fassen konnte.)

Wien tritt also in die europäische Erneuerung ein, als die zweite Welle gerade im Begriff war, die erste abzulösen. Nur sehr kurz sollen hier die wichtigsten Phänomene genannt werden, deren Summe die zweite Welle ausmacht: Neuromantik, Impressionismus, Jugendstil/Sezession, Symbolismus usw.; die Unterscheidungsmerkmale sind oft nur äußerst gering. Jedermann kann wohl beurteilen, wie sehr die erwähnten Richtungen fast ausnahmslos als „österreichisch *par excellence*" im europäischen Bewußtsein erhalten geblieben sind.

In dieser Arbeit wollen wir eingehend unter Beweis stellen, daß Wiens Bedeutung mit dieser zweiten Welle nicht „nur" zusammenhing, sondern damit auch zusammenfiel.[16)]

Stellt man nun die Frage, ob Musils vorhin zitierte ablehnende Haltung der Wiener Kultur gegenüber überhaupt etwas mit unserer Periodisierung der europäischen Moderne zu tun hatte, so kann man sie mit ja beantworten. Musils Situation ist mit jener des jungen Lukács, aber auch anderer Zeitgenossen im wesentlichen identisch.[17)] Diese Generation hat kein „historisches" Bewußtsein mehr hinsichtlich der ersten Welle der Moderne, deren „Größe und Leiden". Sie betrachtet sich im problemlosen Besitz jener intellektuellen Errungenschaften, für die die Generation Ibsens hatte kämpfen müssen; sie sieht sich in einen enorm breiten, praktisch unendlichen Bewegungsspielraum versetzt, den sie aber bei weitem nicht als eine historische Situation, sondern als ewig menschliche „condition" ansieht. Sie kann die Bedeutung der ersten großen Welle auch deshalb nicht wirklich einschätzen, weil deren Triumphe für sie reine Selbstverständlichkeit, nicht selten sogar Trivialitäten sind.[18)] Die Bedeutung ihrer eigenen Generation ist ihr ebenfalls nicht klar genug; im Vergleich zu Problemen, die es zu lösen gilt, werden die erreichten Ergebnisse als nebensächlich angesehen. Wiens Kultur erlebte sich nicht als ein Stadium einer raschen, gewaltigen Umwälzung, sondern vielmehr als etwas merkwürdig „Zeitloses", wobei die geistige Ambition sich ohne Nebenabsichten auf das Ganze richtete. Diese eigentümliche Statik auch der Wiener Moderne muß der Dynamik auf anderen Gebieten gegenübergestellt werden.[19)]

Unsere Betrachtungsweise ist eine ideengeschichtliche und zum Teil wissenssoziologische, und zwar in einem verhältnismäßig breiten Sinne gemeint. Von relevanten philosophiehistorischen Komplexen ausgehend, richtet sich unser Interesse im Prinzip auf alle Phänomene, die aus der spezifischen sozialen Grundlage Österreich-Ungarns entstanden sind. Somit ist *eine auf Ideengeschichte aufgebaute Kulturgeschichte* unser Ziel. Dazu ist jedoch eine kurze Darstellung der österreichischen Geschichte erforderlich, dies um so mehr, als österreichische Geschichte in vielem immer noch eine Frage der Interpretation bzw. Rekonstruktion ist und nicht ohne weiteres als Basis der Ideen- bzw. Kulturgeschichte hingenommen werden kann. Die Entwicklung Österreichs zählt auch zu den sogenannten nicht-klassischen historischen Entwicklungen. Ihre Erklärung erfordert daher geschichtstheoretische Überlegungen. Wir wollen erst am Ende dieses Versuchs auf einige Probleme der eigenartigen österreichischen Entwicklung eingehen. Bis dahin bleibt uns nur die Möglichkeit, einige kurze Bemerkungen anzuführen, wie unser Versuch die österreichische Geschichte in den wichtigsten Zügen interpretiert.

Das Spezifische der österreichischen Geschichte (in einer nichtexistenten Typologie der europäischen Sozialgeschichte) ist untrennbar mit den Habsburgern verbunden. Analog könnte man dem Sachverhalt recht nahe kommen: Jene Rolle, die die Hohenzollern in Preußen/Deutschland spielten, fiel in Österreich den Habsburgern zu. Die Dynastie beschirmte ein großes Reich, während das Kernland relativ klein und die „österreichische Gesellschaft" in ihrem bürgerlichen Entfaltungsdrang gegenüber der Dynastie chancenlos war. Das Schicksal der österreichischen Gesellschaft war von einer Dynastie abhängig. Im ideengeschichtlichen Längsschnitt kam diese Überlegenheit in einer dreifachen Ablehnung von Erneuerungswellen (Reformation, die ursprüngliche Aufklärung sowie die romantischen Geschichtsphilosophien der vierziger Jahre des 19. Jahrhunderts) zum Ausdruck. Die geistige Modernisierung, über die wir hier sprechen wollen, erfolgte also in einem Land, in dem ein universalistisches Denken im Rahmen der „allgemeinen Weltordnung" vorherrschte.[20)]

Nicht unmittelbar mit diesem Dualismus von Modernisation und Universalismus hängt das augenscheinlichste politische Problem des ausgehenden Österreich-Ungarn zusammen: das sogenannte „Nationalitätenproblem".

Zur Nationalitätenfrage zitieren wir wieder Musil: „Die Bewohner dieser kaiserlich und königlichen kaiserlich-königlichen Doppelmonarchie fanden sich vor eine schwere Aufgabe gestellt; sie hatten sich als kaiserlich und königlich österreichisch-ungarische Patrioten zu fühlen, zugleich aber auch als königlich ungarische oder als kaiserlich-königlich österreichische. Ihr begreiflicher Wahlspruch angesichts solcher Schwierigkeiten war ‚Mit vereinten Kräften'. Das hieß viribus unitis. Die Österreicher brauchten aber dazu weit größere Kräfte als die Ungarn. Denn die Ungarn waren zuerst und zuletzt nur Ungarn, und bloß nebenbei galten sie bei anderen Leuten, die ihre Sprache nicht verstanden, auch für Österreich-Ungarn; die Österreicher dagegen waren zuerst und ursprünglich nichts und sollten sich nach Ansicht ihrer Oberen gleich als Österreich-Ungarn oder Österreicher-Ungarn fühlen — es gab nicht einmal ein richtiges Wort dafür. Es gab auch Österreich nicht. Die beiden Teile Ungarn und Österreich paßten zu einander wie eine rot-weiß-grüne Jacke zu einer schwarz-gelben Hose; die Jacke war ein Stück für sich, die Hose aber war der Rest eines nicht mehr bestehenden schwarz-gelben Anzugs, der im Jahre achtzehnhundertsiebenundsechzig zertrennt worden war. Die Hose Österreich hieß seither in der amtlichen Sprache ‚Die im Reichsrate vertretenen Königreiche und Länder', was natürlich gar nichts bedeutete und ein Name aus Namen war... Fragte man darum einen Österreicher, was er sei, so konnte er natürlich nicht antworten: Ich bin einer aus den im Reichsrate vertretenen Königreichen und Ländern, die es nicht gibt — und er zog es schon aus diesem Grunde vor, zu sagen: Ich bin ein Pole, Tscheche, Italiener, Friauler, Ladiner, Slowene, Kroate, Serbe, Slowake, Ruthene oder Walache, und das war der sogenannte Nationalismus... Seit Bestehen der Erde ist noch kein Wesen an einem Sprachfehler gestorben, aber man muß hinzufügen, der österreichischen und ungarischen Österreichisch-Ungarischen Doppelmonarchie widerfuhr es trotzdem, daß sie an ihrer Unaussprechlichkeit zugrunde gegangen ist."[21)]

Nach alldem kann es uns nicht mehr überraschen, wenn wir im *Schwejk* die ironische Bemerkung lesen, daß die Aufschriften auf den Bahnhöfen auf „österreichisch-ungarisch" angebracht waren.[22)]

Die vielen ineinander verwobenen Aspekte deuten an, was bereits in unserer Einleitung ausgesprochen werden muß: In der letzten Periode Österreich-Ungarns zeichnete sich eine vielseitige politische Krise ab, welche mit der Zeit nicht selten Resignation hervorrief und die generellen politischen Lösungsversuche zum Scheitern verurteilte.

Es kann an dieser Stelle nicht unsere Aufgabe sein, auf die Ursachen dieser Krise einzugehen, auch wenn diese noch in einem anderen Zusammenhang untersucht werden muß. Der eine Grund für diese Krise liegt zweifelsohne in dem bereits erwähnten Gegensatz zwischen den defensiv-restaurativen Jahrhunderten und der stellenweise umwälzenden Mobilität der letzten Jahrzehnte in der Politik. Eine andere mögliche Annäherung (und den anderen Grund) zeigt die Frage, welche logistischen Probleme im Rahmen der Geschichte (und in der Forschung) die Multinationalität des Staates in seinen beiden Teilen mit sich brachte.

Welche Rolle spielte die Modernisierung Österreichs innerhalb der gesamten Monarchie? Zu der enormen Aufgabe der inneren Umgestaltung gesellten sich nicht nur die wachsende soziale Spannung, sondern auch die gewaltige Herausforderung der Rivalität unter den Großmächten. Das Nebeneinander dieser Probleme, deren Gleichzeitigkeit machte die vieldimensionale Grundlage der geistigen Bewegungen Österreich-Ungarns aus.[23)]

Die Geschichte der Monarchie ist auch ein Stück ungarischer Geschichte. Wir müssen hier erwähnen, daß manche Wertungen in der Literatur zu Unrecht nicht selten negativ ausfallen. Daß zum Beispiel Schmitt Jenő Henrik (Eugen Heinrich Schmitt), der sich für einen Ungarn hielt, aufgrund seines Geburtsortes oft für einen Mährer gehalten wird, zählt zu den unwesentlichen Fällen. Darauf aber, daß Kossuth von einem verdienstvollen Historiker, der mehrere vielgelesene Bücher über Österreich-Ungarn veröffentlichte, als Demagoge, als Vorläufer eines Hitler und Mussolini beschrieben wird, sollten wir doch eingehen. Überhaupt gilt Ungarn in nicht wenigen Publikationen zu diesem Thema als Prügelknabe des ehemaligen Habsburgerreiches. Unserer Beurteilung nach spielen dabei sehr unterschiedliche Motive eine Rolle. Eines darunter ist jedenfalls die unbewußt-bewußte Behauptung über Ungarns „Verantwortung" bei der Auflösung des Reiches, die auf diese

Weise abreagiert wird. Das Wichtigste ist, daß wenige Forscher ein Verständnis auch nur für die allertrivialsten Komponenten des ungarischen Standpunktes haben. Verständnis muß natürlich nicht unbedingt Einverständnis bedeuten. So liest man zum Beispiel nicht selten vom „Kossuth-Terror“ in den Jahren 1848 und 1849, aber auch Wertschätzungen wie die folgende, die beweisen, daß es einem Forscher, statt die Zusammenhänge objektiv zu analysieren, eher um ein spätes Ausleben von Ressentiments geht. Die Hinrichtung der Generäle des ungarischen Freiheitskampfes, die in ganz Europa zur leidenschaftlichen Empörung führte und derentwegen Haynau in London beinahe gelyncht wurde, scheint einem heutigen Forscher als „unkluge Tat“, die zwar „als Vergeltung (!) gegen den Terror der Magyaren freilich (!) rechtlich (!) und moralisch (!) nicht unbegründet (!)“ war.[24] Es mag vertretbar sein, daß jemand den Dualismus bzw. die dualistische Einrichtung guten Gewissens überhaupt ablehnt und darin den Keim der Auflösung erblickt (wobei sich nur merkwürdig ausnimmt, daß gerade diese Zeit jene umwälzende Dynamik hervorbrachte); man müßte dann die Entstehung des Dualismus analysieren und würde bald entdecken, daß Ungarn allein, nach seiner mit zaristischer Hilfe niedergeworfenen Revolution, keineswegs in der Lage gewesen wäre, diese Staatsform zustande zu bringen. Selbst der nicht unwesentliche, nach 1848/49 mit neuen Erlebnissen und Motiven angereicherte Egoismus der herrschenden Klasse Ungarns kann nicht verstanden werden, wenn deren Mißtrauen Österreich gegenüber nicht berücksichtigt wird.

Man muß sich vor Augen halten, daß sich die zweifellos sehr gut funktionierenden Kompromisse zwischen Österreich und Ungarn erst nach vielen Versuchen einstellten, deren klares Ziel es war, den Widerstand Ungarns restlos zu brechen. Jeder Ungar und Österreicher der Gegenwart kann ermessen, welche Identitätsprobleme sich für die heutige historische Bewußtseinsbildung aus der Tatsache ergeben, daß Perioden radikalster Konfrontation mit solchen äußerst fruchtbarer Zusammenarbeit abwechselten. Sicherlich müßte einmal die Geschichte der Beziehungen der verschiedenen Nationen zueinander unter diesem Aspekte geschrieben werden.[25]

Gewiß kann man das ausgehende Österreich-Ungarn als geistiges Phänomen von zahlreichen Gesichtspunkten aus fruchtbringend untersuchen. Einer der wichtigsten ist wohl der von uns gewählte geistesgeschichtlich-ideologiekritische Ansatz. Die Monarchie, von einem viele neue Ideen hervorbringenden Europa des *fin de siècle* umschlossen, bot — infolge der mannigfaltigen Herausforderungen, denen sie sich gegenübersah — einen außerordentlich fruchtbaren Nährboden für philosophische, moralische, sozialwissenschaftliche usw. Initiativen. Die intellektuelle Aktivität der späten Monarchie beschränkte sich jedoch nicht mehr „nur" darauf, diese Systeme zu schaffen, sondern änderte gleichsam alles, was in ihrem Bewußtsein keimte, direkt zur Weltanschauung hin, oft auch den „offiziellen" Positivismus. So wurden positiv-wissenschaftliche Untersuchungen, aber auch die Lehren Freuds zur Weltanschauung extrapoliert. Albert Fuchs, der Verfasser einer der ersten umfangreichen Kulturgeschichten „Kakaniens", sah die Monarchie durch folgende große „weltanschauliche" Strömungen charakterisiert: Liberalismus, Katholizismus, Arbeiterbewegung (d. h. Austromarxismus), Sozialreformismus, Deutschnationalismus, idealistische Philosophie, Psychoanalyse, Pazifismus.[26)] Es ist offensichtlich, daß hinter Fuchs' Einteilung der ideengeschichtliche Gesichtspunkt steht. Diese Sehnsucht nach einer Weltanschauung, welche die sozialwissenschaftlichen und philosophischen Arbeiten stark motiviert hat, war eine sehr bewußte und existentiell bedingte. In Schnitzlers Roman *Der Weg ins Freie* sagt ein wohl authentischer Typus aus der Zeit des Wiener Impressionismus: „Glauben Sie mir, es gibt Momente, in denen ich die Menschen mit der sogenannten Weltanschauung beneide. Ich, wenn ich eine wohlgeordnete Welt haben will, ich muß mir immer selber erst eine schaffen. Das ist anstrengend für jemanden, der nicht der liebe Gott ist."[27)] Freud schreibt darüber folgendes: „Die Quelle dieser Unlust aber ist der Anspruch, den das Neue an das Seelenleben stellt, der psychische Aufwand, den es fordert, die bis zur angstvollen Erwartung gesteigerte Unsicherheit, die es mit sich bringt. Es wäre reizvoll, die seelische Reaktion auf das Neue an sich zum Gegenstand einer Studie zu machen, denn unter gewissen, nicht mehr primären Bedingungen wird auch das gegenteilige Verhalten beobachtet, ein Reizhunger, der sich auf alles Neue stürzt, und darum, weil es neu ist."[28]

Nun hat sich die letzte Ära Österreich-Ungarns vom Gesichtspunkt des „Neuen" her als sehr eigenartig erwiesen. Die Ablehnung des „Neuen", der dagegen gerichtete Widerstand war nämlich etwa ebenso stark wie der vom großen Psychiater unterstrichene „Reizhunger". Musil beschäftigte sich nicht nur in seinem bedeutenden Roman, sondern auch an anderen Stellen seines Werkes mit dem Gedanken, daß vielleicht doch gerade Österreich-Ungarn das geeignete Terrain für eine „Versuchsstation der Zukunft" gewesen wäre.

Besondere Aufmerksamkeit verdient Musils vieldiskutierter „Möglichkeitssinn", der eine wissenssoziologisch ernstzunehmende Ausdrucksform der ständigen Sehnsucht nach dem Neuen bezeichnet. Hier wird die Möglichkeit nicht als Gegensatz oder Alternative der Wirklichkeit, sondern als eine Sphäre aufgefaßt, die qualitativ mehr ist als jene bis dahin bekannte Wirklichkeit. Möglichkeit korrigiert nicht unbedingt die Schattenseiten der hinlänglich bekannten Wirklichkeit, sondern schlägt ins Utopische um. Für das Verständnis der Kreativität Österreich-Ungarns ist diese Auffassung des Möglichen unvermeidlich: „Das Mögliche umfaßt jedoch nicht nur die Träume nervenschwacher Personen, sondern auch die noch nicht erwachten Absichten Gottes. Ein mögliches Erlebnis oder eine mögliche Wahrheit sind nicht gleich wirklichem Erlebnis und wirklicher Wahrheit weniger dem Werte des Wirklichseins, sondern sie haben, wenigstens nach Ansicht ihrer Anhänger, etwas sehr Göttliches in sich (!), ein Feuer, einen Flug, einen Bauwillen und bewußten Utopismus, der die Wirklichkeit nicht scheut, wohl aber als Aufgabe und Erfindung behandelt. Schließlich ist die Erde gar nicht alt und war scheinbar noch nie so recht in gesegneten Umständen."[29]

Die herrschenden Strömungen der Vergangenheit

Bevor wir an eine Interpretation der geistigen Problematik des Wiener *fin de siècle* herangehen, müssen wir drei jener bedeutenden ideengeschichtlichen Traditionen erwähnen, die — wenn auch nicht mit dem gleichen Gewicht — in der letzten Periode sehr wirksam waren, ja in gewisser Hinsicht bis zum Ende dieses Reiches ihre Kraft bewahren konnten. Die folgenden drei Kapitel erheben sinnvollerweise keinen Anspruch auf eine vollständige Darstellung der österreichischen Ideengeschichte. Die historischen Umstände können erklären, warum diese Ideen für die gesamte Entwicklung charakteristisch werden konnten, zum Teil sogar auch (was nicht minder wichtig ist), in welchem logisch-strukturellen Verhältnis sie zueinander stehen.

Barock und Gegenreformation

Als erste Strömung, als geistiger Grundstein der österreichisch-habsburgischen Kultur, ist die Weltanschauung der sich nach der Türkenzeit expansiv ausbreitenden Gegenreformation zu nennen. Sie zeigte große Auswirkungen auf die österreichischen Gebiete und war auch in gewissen Teilen Ungarns von großer Bedeutung. Bis ins 20. Jahrhundert blieb sie als vitale und realitätsformende Kraft erhalten. Der absolutistische Staat entstand damals neu, aber es ging um einen absolutistischen Staat mit vielen Nationalitäten.

Zur Klärung der Ausgangslage mögen auch jene Untersuchungen beitragen, die die Eigentümlichkeiten der historischen Entwicklung Osteuropas in einer Theorie mittleren Abstraktionsgrades zusammenfassen wollen.[30] Nicht nur die Zeit der osmanischen Herrschaft war demnach der Grund für die deutliche Schwäche des Bürgertums, den stärker feudalen Charakter des Landes. Die damalige Situation des zeitgenössischen Bürgertums der deutschen Kleinstaaten war ebenfalls nicht viel anders. Dieser Barockstaat der Gegenreformation war jedoch ein „Reich", das auch der Gesellschaft seinen Stempel in der besagt ungleichen Art und Weise aufdrückte. Belegt ist dies beispielhaft durch die charakteristisch barocke, noch in der jüngsten Vergangenheit fühlbare, leicht märchenhafte Verbindung der Dynastie mit dem „Volk". Barocke Weltanschauung und Denkart schlugen im Laufe der Jahrhunderte im Leben des Volkes kräftige Wurzeln.

Statt einer eingehenden Analyse dieses Phänomens sei nun Theodor W. Adorno zitiert, der den hier gemeinten Sinn dieses Motivs folgendermaßen beschreibt: „Das Ingenium von Wien, das bald 150 Jahre lang die musikalische Geschichte beherrschte, war ein Kosmos des Oberen und Unteren, den ein Dichter für Musik, Hofmannsthal, verklärte, das Einverständnis von Graf und Kutscher als soziales Modell künstlerischer Integration. Jenes retrospektive Phantasma war sozial auch im alten Österreich nicht realisiert. Aber die Konventionen des Lebens standen dafür ein, und davon hat die Musik gezehrt. Sie konnte sich, seit Haydn und am stärksten in Beethoven, als Einheit von Geist und Natur, von Artifiziellem und Volk fühlen, wie wenn ihr das nicht ganz mitgekommene Wien einen Schauplatz gerettet hätte, der von der Spaltung der bürgerlichen Gesellschaft verschont blieb."[31]) Die von Adorno dargestellten sozialen und kulturellen Grundhaltungen bildeten bis ins 20. Jahrhundert hinein einen integralen Teil der österreichischen Identität. Ihre Wurzeln liegen unmittelbar im Barock.

Das Spezifische des österreichischen Barock ist in nichts anderem zu suchen, als darin, daß es als Weltbild der Gegenreformation in seinen Ursprüngen die Weltanschauung einer gewaltigen, alles erschütternden politisch-sozialen Umwälzung gewesen ist, die ohne Übertreibung „Weltkrieg des 16. und 17.

Jahrhunderts" genannt werden könnte.[32] Diese Note fehlt beispielsweise im italienischen Barock ganz, so daß in Italien der Übergang zwischen Renaissance und Barock in vieler Hinsicht kaum merklich ist. Selbst in Frankreich sieht es anders aus: Zwar siegt auch hier im Bürgerkrieg der Katholizismus, das Bürgertum bleibt aber trotzdem so stark, daß es von den Prinzipien der bürgerlichen Rationalität manches herüberretten kann. Dem österreichischen Barock steht aus diesem Grunde das spanische am nächsten.

In seiner Logik strebt das gegenreformatorische Barock *par excellence* in aller Offenheit nicht etwa danach, zu überzeugen, sondern zu drohen, ja zum Teil sogar — wenn nötig — zu denunzieren. Seine Diktion bzw. Rhetorik enthält oft nur dem Anschein nach zusammenhängende Gedanken: Hier werden im wahrsten Sinne des Wortes Gedanken und Argumente als Waffen gebraucht. In seiner Kunst ist am auffallendsten, wie die Komposition die Gestalten aus dem konkret-historischen, perspektivischen Raum der Renaissance herauslöst und vor allem durch seine Lichteffekte in die Quasi-Räume der von der göttlichen Transzendenz durchdrungenen Existenz hineinstellt. Diese Modifizierung entspricht genau jenen Veränderungen, die sich sowohl im Schicksal als auch im Bewußtsein breiter Bevölkerungsschichten abspielten. Ein selten wahrgenommener Zug des gegenreformatorischen Barock ist ferner, daß es einen kaum wieder gutzumachenden Angriff auf die in Entfaltung begriffene Wissenschaftlichkeit bedeutete. Dies folgt zum einen schon aus der bereits erwähnten generellen Unwissenschaftlichkeit seiner Argumentationsweise. Nicht minder wichtig ist jedoch, daß dieser Gegenschlag auch weitreichende und indirekte Auswirkungen auf das wissenschaftliche Denken bzw. auf dessen sozialen Stellenwert hatte. Wir glauben, daß das folgende Beispiel genügt, um dieses Gewebe von einander durchdringenden Grenzproblemen deutlich zu machen: „In der Tat war die Abschaffung der Engelswesen aus der Regierung des Universums in der calvinistischen Theologie ein Angriff gegen die Idee, daß die Welt von einer Stufenfolge von Wesen bevölkert sei, bzw. also ein Angriff gegen die Hierarchie, die den Kern dieser Vorstellung ausmachte. Die Gottheit sollte das Universum nicht länger durch die Übertragung von Macht auf eine Hierarchie geistiger Wesen regieren, die jeweils einen ihrer Höhe auf der Stufenleiter der Geschöpfe entsprechenden Grad von Macht innehatten, sondern direkt als ein absoluter Herrscher kraft der Verordnungen, über die im Anfang entschieden worden war. Diese Verordnungen waren nichts anderes als die Naturgesetze, so daß auf diese Weise die theologische Lehre von der Prädestination den Weg für die Philosophie des mechanistischen Determinismus bereitete.“[33] Faßt man zusammen, welche Folgen diese Tatsache in Anbetracht des gegenreformatorischen Katholizismus für die Wissenschaft hatte, so fällt es nicht schwer, Stephen F. Mason zuzustimmen. Zum Allgemeinen wagt sich das Barock ausschließlich dort vor, wo es die menschliche Existenz in ihrer „Kreatürlichkeit“ erfaßt. Da jeder Zustand, in welchem gerade diese Darstellungsweise optimal ist, seinerseits wiederum durch politisch-soziale Entwicklungen bewirkt wird, liegt es auf der Hand, daß diese Velleität des österreichischen Barock bzw. die Wiederholbarkeit dieser Problematik ebenfalls an bestimmte historisch-soziale Umstände gebunden ist. Man geht kaum fehl, wenn man gerade darin die bis ins 20. Jahrhundert hineinreichende Lebenskraft des Barock erblickt.

Einen kaum mehr zu vergegenwärtigenden, trotzdem jedoch sehr bedeutenden Abschnitt der österreichischen Geschichte stellt, wie angedeutet, die Entstehung und in der Folge die Unterdrückung des Protestantismus dar. Die komplexen Aspekte dieser Problematik dürften nicht erst seit der Lektüre Max Webers bekannt sein. Lediglich am Rande sei erwähnt, daß es jedoch Argumentationen gibt, welche die Ursache mit der Wirkung verwechseln und schon den Sieg der Gegenreformation von Bedingungen abhängig machen, die sich erst nach dem Triumph derselben einstellten, und selbst dann nicht ohne starken äußeren Druck. Ein derartiger Gedankengang wird beispielsweise von Sassmann folgendermaßen formuliert: „Der österreichische Ästhetizismus, der für alle Lebenserscheinungen des Landes entscheidend ist, war überdies an den phantasiereichen Kult des Katholizismus fixiert...“[34]

In dem durch das Barock geprägten geistigen Rahmen ist

es kein Zufall, daß Hofmannsthal, als er sich mit dem Gedanken der Salzburger Festspiele beschäftigte und seine Bemühungen auf eine bevorstehende Erneuerung der volkstümlichen österreichischen Traditionen richtete, auf das barocke Welttheater zurückgriff.[35] Das Thema seines *Jedermann* steht eigentlich in einer Reihe mit den „vorbarocken", spätmittelalterlichen Allegoriestücken. Ihr barockes Wiederaufleben, überhaupt ihr Fortbestand — selbst noch im 20. Jahrhundert — ist dem Umstand zu verdanken, daß sich ihre Motive infolge der Zurückdrängung der Reformation in die nächste Synthese, in das Barock, hinüberretten konnten. Es ließe sich verallgemeinernd auch sagen, daß das Barock vor allem in seinen gegenreformatorischen Ausprägungen ein Tor geöffnet hat, durch welches viele Gehalte, Einstellungen, usw. des Hochmittelalters zur Kultur der späteren Jahrhunderte Anschluß gefunden hatten. Es handelt sich um ein Bühnenwerk über jene Epoche des ausgehenden Mittelalters, welche der Reformation voranging und welche bekanntlich dort an Aktualität verlor, wo diese sich durchsetzen konnte. Dem Willen des Herrn gehorchend, gewährt der den einzelnen auswählende und aufsuchende Tod Jedermann keinen Aufschub, er zwingt ihn zur letzten Rechenschaft. In einem anderen, in der Gegenwart spielenden Stück Hofmannsthals, in *Der Tor und der Tod,* steht bereits eine „impressionistische" Wiener Figur im Mittelpunkt dieser Schlüsselsituation, die mit dem erwarteten Besucher eigentlich auf genau dieselbe Weise konfrontiert wird wie ihr mittelalterlicher Vorgänger. Das Merkwürdige ist — und dies soll in aller Schärfe gezeigt werden —, daß die Austauschbarkeit des modernen Wiener Impressionisten mit dem im Mittelalter stehenden Barockhelden so „selbstverständlich" ist, daß seine Geschichte nicht einmal einer parabolischen Darstellung bedarf. Der Identifikationsmöglichkeit des Dichters und des Zuschauers bzw. des Lesers mit diesem Schicksal steht die zeitliche Distanz kaum im Wege. Dies kann in groben Zügen deutlich machen, in welch breitem Sinn auch noch in der letzten Epoche der österreichisch-ungarischen Monarchie von der Präsenz des Barock die Rede sein kann.

Nach Hermann Broch sind diese direkt vom Mittelalter

überlieferten dramaturgischen Züge für das gesamte theatralische Schaffen Hofmannsthals charakteristisch. In seinen aus östlichen Märchen schöpfenden Werken sind der Kalif, der Wesir oder der Wasserträger keine individuellen Charaktere, sie verkörpern ebenso zeitlose soziale Typen wie die Gestalten, die im *Jedermann* auftreten: „Freundschaft", „Eigentum", „Verwandtschaft" oder die „Fünf Sinne".[36]

Untersuchen wir die Motive dieser allgemeinen barocken Weltanschauung, so finden wir eine starke Neigung zum Apolitischen, zum Außerachtlassen von sozialen Konflikten, zur betonten Auffassung der entscheidenden Gegenwärtigkeit von Tod und Leben. Diesen Zug könnte man die „Demokratie der Kreatürlichkeit" nennen. Wir greifen hier auf eine frühere Stelle zurück, wo die künstlerische Authentizität der modernen Werke, die auf das Barock zurückgingen, gerade davon abhängig gemacht wurde, wie klar und tief sie die Problematik der Kreatürlichkeit in den Mittelpunkt stellen können.

Weil der Tod unvermeidlich ist, wird eine Art kirchlich und staatlich sanktionierter Lebensgenuß toleriert. Auch kulturgeschichtlich wäre es sehr interessant, lägen die Dokumente dieses Vorrechts auf Freude und Genuß gesammelt bzw. geordnet vor. So schreiben Janik und Toulmin mit gewisser Entrüstung: "The best-known of Strauss's waltzes, *The Blue Danube*, was written a few weeks after the military defeat of Austria-Hungary by Prussia at Sadova, which ended Habsburg claims to hegemony in the German speaking world."[37] Schon jetzt sei auf Karl Kraus' *Die letzten Tage der Menschheit* hingewiesen, wo derartige Anlässe zur Freude und Unterhaltung einen gespenstischen Kontrast zu der Kriegswirklichkeit bilden.

Nicht nur die Kirche wird zum effektreichen Theater, wo der Gläubige in einer zwar unverständlichen Sprache, visuell und akustisch aber um so wirksamer von dem Schauspiel gebannt wird. Selbst das Leben am kaiserlichen Hof, mit seinen Umzügen, Bällen und prachtvollen Kleidern, dient der Befriedigung der Schaulust des Volkes. Für Kaiser Joseph II., der diesen Schaucharakter des Hofes stark reduzierte, bedeutete es ein unerwartetes Hindernis, daß das Volk den Rückgang der Prachtentfaltung in Schönbrunn und die Verminderung des

Personals in der Burg nicht ohne weiteres akzeptieren wollte. Der zeitgenössische Volkshumor brachte eine Tafel an der Burg an: „Zimmer zu vermieten.“[38] Treffend sagt auch Robert A. Kann, daß die eigentliche „Funktion“ des österreichischen Barock eine intensive war, sie mußte die tiefen Abgründe zwischen all jenen Gegensätzen überbrücken, die sich zwischen der sozialen Entwicklung und der staatlichen Festigung der absoluten Macht auftaten.[39]

Als barocke Tradition gilt auch die patriarchalisch-theatralische Beziehung zwischen dem Hof und dem Wiener Volk. Sogar der stark absolutistisch regierende Kaiser Franz konnte es wagen, die unzufriedenen Kanalarbeiter in bürgerlicher Tracht und ohne Begleitung aufzusuchen. Nach dem Treffen brachen die Arbeiter in Hoch-Rufe auf den Kaiser aus.[40] Wenn wir die folgende Geschichte aufmerksam lesen, können wir im Verhalten beider Personen den angedeuteten intimen „barocken“ Charakter entdecken, obwohl die Geschichte, von der es mehrere aufgezeichnete Fassungen gibt, gerade eine Episode der Wiener Revolution von 1848 festhält: Das versammelte Volk beauftragte Eduard Bauernfeld, Erzherzog Franz Karl in der Hofburg aufzusuchen. Die lakonisch vorgetragenen Sätze Bauernfelds, mit denen er eine Verfassung verlangte, entlockten dem Erzherzog folgendes Kompliment: „Sie sind der Bauernfeld? Es freut mich, daß sich so ordentliche Leute der Sach' annehmen.“ Der Dichter antwortete: „Da haben S' recht! Sonst tun's die unordentlichen.“ Worauf der Erzherzog: „No ja! Also eine Konstitution? Sonst nix?“ Bauernfeld fuhr den Erzherzog an: „Schaun S' hinunter, jetzt ist keine Zeit zum Spaßen.“ Der Erzherzog ließ inzwischen ein Papier kommen, auf dem er nicht nur die Verfassung, sondern auch die Pressefreiheit genehmigte. Dieses Dokument war jedoch vollkommen wertlos, solange der Kaiser es nicht unterschrieb.[41]

Es erscheint vielleicht als Spiel mit Worten, wenn wir in Bauernfeld, einem so markanten Vertreter der Biedermeier-Mentalität, barocke Züge nachweisen wollen, zweifellos besteht jedoch in dieser Hinsicht sowohl historisch als auch logisch eine Kontinuität. Zur Abrundung des Bildes von Bauernfelds idealtypischer Begegnung mit dem Erzherzog im Jahre der Revolution muß sein Verhältnis zur Revolution in einen größeren Zusammenhang gestellt werden. Wilhelm Bietak schreibt (unter anderem auch in Anlehnung an eine beträchtliche Sekundärliteratur): „Dennoch war Bauernfeld doch noch zu sehr mit dem Biedermeier verklammert, um ganz in diesem Verwirklichungsstreben der neuen Zeit aufzugehen... wie ganz allgemein die Wirklichkeit der Revolution in keinem Verhältnis stand zu den Idealen, mit denen man für sie sich opferte, so stand auch das, was Bauernfeld persönlich verwirklicht sehen wollte, in keinem Verhältnis zu dem, was seine Kräfte tatsächlich geleistet hatten. Als echter Vertreter des Biedermeier kam er über die Schuld, ja nur über die Gefahr der Schuld, die der Tat etwa folgen konnte, nicht hinweg."[42]

War die lebenshungrige und vergnügungssüchtige Wiener Aristokratie in der zweiten Hälfte des 19. Jahrhunderts deswegen populär, weil die Ressentiments gegen die bürgerlich-kapitalistische Entwicklung auf diese Weise ein Ventil fanden? — fragt Hermann Broch.[43] Tatsache ist, daß eine derart unmittelbare Popularität am Ende des letzten Jahrhunderts vermutlich nur in Wien vorstellbar war. Der Blumenkorso der Fürstin Metternich, den jedes Mitglied des Hofes und der Aristokratie, das nur einigermaßen imstande war, eine Kalesche zu besteigen, besuchte, war so volkstümlich, daß er Zuschauermassen anzog, die der Zahl der sich an den Aufmärschen zum 1. Mai beteiligenden Arbeiter recht nahe kam.[44] Es wäre aber falsch, aus dieser patriarchalischen Beziehung zwischen dem Wiener Volk und dem Hof etwa auf den persönlichen Zauber der Habsburger oder auf die Kraft der Tradition und Erziehung Rückschlüsse zu ziehen. Diese unter durchaus vielen Aspekten bedeutungsvolle Tatsache ist auch ein Ergebnis der eigenständigen Entwicklung Österreichs unter der jahrhundertelangen Vorherrschaft der Dynastie, so daß bei einer eingehenden Analyse sämtliche historischen Faktoren berücksichtigt werden müßten. Dazu gehört auch der Komplex der Beziehungen zwischen Dynastie und Gesellschaft. Gyula Szekfű, der bedeutende und im Grunde habsburgfreundliche ungarische Historiker, begründet diesen Zustand des Aufeinanderangewiesenseins, der bis zur Jahrhundertwende bestand, beispielsweise folgendermaßen: „Der österreichische *tiers état* verdankte seinen Wohlstand ausschließlich der habsburgischen Zentralgewalt der absoluten Monarchie. Der Hof und die Ämter in Wien verschafften den wohlhabenden Gewerbetreibenden Wiens Arbeit. Auch die österreichischen und böhmischen Fabriken blühten unter dem Protektionismus der Habsburger auf; sie profitierten von den billigen Preisen der Rohstoffe aus dem Raum der Monarchie, vor allem Ungarns, und konnten, ungehindert vom ausländischen Wettbewerb, ihre Produkte den Agrargebieten verkaufen. Es gab zwar Vermögende, aber kein unabhängiges Vermögen, für die neue Bildung fehlte es an Offenheit, da jeder am unversehrten Weiterbestand der alten Ordnung interessiert war. Der Mangel an intellektuellen Bedürfnissen erklärt den Grad der geistigen Abhängigkeit, in der der Wiener Hof diese vermögende Mittelklasse durch Zensur und polizeiliche Bespitzelung unterdrückt halten konnte."[45)]

Diese „barocke Weltanschauung" Wiens erhielt im 16. und 17. Jahrhundert starke, ja sogar fundamentale Impulse durch die Kultur des spanischen Hofes. Grundlage dieser Verbindung war die bereits erwähnte Verwandtschaft zwischen den beiden gegenreformatorisch eingestellten Geisteshaltungen. Die barocke Kunst der Dramen Calderons wirkte beispielsweise bis ins 20. Jahrhundert belebend auf die Wiener Theaterkunst. Sein Stück *Das Leben ein Traum* wurde von keinem Geringeren als Grillparzer bearbeitet. Er hat es zwar stark modifiziert, behielt aber auch im 19. Jahrhundert wesentliche Ansätze des Originals bei. Der fünfhundertste Jahrestag der Geburt Calderons wurde mit einer Reihe von Festlichkeiten begangen.[46)]

Calderons (und des Barock) Schatten ist auch in dem vieldiskutierten Stil des Burgtheaters gegenwärtig geblieben. Die barocken Traditionen spielen darüber hinaus dahingehend eine Rolle, daß ein echter Wiener Dramatiker (mit der Ausnahme Ödön von Horváths) noch nie einen Welterfolg erringen konnte, während man an Wiener Bühnen oft ausländische Dichter spielte, wenn auch nicht mit dem gleichen Erfolg wie heimische Autoren — Shakespeare ausgenommen.[47)] Franz Mehring schreibt in einem Essay über Grillparzer, in dem er das zeitgenössische deutsche Theater mit dem Burgtheater vergleicht, über diese in jahrhundertelanger Tradition ausgereifte Intimität zwischen Dichter und Publikum: „Revolutionäre Titanen konnten in dem Österreich Metternichs nicht gedeihen... Dagegen fand er (Grillparzer) als dramatischer Dichter in seiner Vaterstadt sehr wichtiges, was er draußen im Reich entweder gar nicht oder ganz vereinzelt gefunden haben würde. Die Lust der lebensheiteren Wiener an theatralischen Darstellungen hatte hier schon viel früher als im übrigen Deutschland den Boden für eine deutsche Bühne vorbereitet und besaß, als Grillparzer auftrat, in dem Burgtheater längst ein bewährtes und vortrefflich geleitetes Kunstinstitut. Umgekehrt war diese Bühne wiederum nicht ohne erzieherischen Einfluß auf das Publikum geblieben, das ihr freilich auf mehr als halbem Wege durch den künstlerischen Zug im Charakter der Österreicher entgegenkam. Auf einer solchen Bühne, vor solchen Zuschauern durfte der Dichter gewiß sein, in seinen feinsten Absichten und leisesten Andeutungen verstanden und gewürdigt zu werden."[48]

Unter den vital weiterwirkenden Traditionen der Gegenreformation und des Barock erwähnt Hermann Broch den charakteristischen Jesuitismus im politischen Stil der Habsburger, den man im 19. Jahrhundert mit dem geflügelten Wort der „Undankbarkeit" des Hauses Habsburg kennzeichnete. Daß Jesuitismus und gegenreformatorisches Barock eng zusammenhängen, liegt auf der Hand. So gilt vieles, was über das Barock gesagt wurde, auch für den Jesuitismus. Die Argumentationsweise, die nicht überzeugen, vielmehr drohen oder abschrecken will, gehört zum Beispiel ebenfalls zu den Wesensmerkmalen des Jesuitismus. Eine weitere Eigenschaft desselben ist im Grunde genommen trivial: Es geht um jene offene und zum Prinzip erhobene Immoralität in der Politik, die jahrhundertelang mehrheitlich für die österreichische Politik charakteristisch war. Auch wenn wir zwischen Politik und Moral keineswegs eine zutiefst harmonische Beziehung voraussetzen, wäre es trotzdem falsch, würden wir den deutlich jesuitischen Zügen in der Pragmatik keine verheerende Wirkung zuschreiben. Sie waren mit ein Grund dafür, daß die Politik des Hauses Habsburg nur selten ein ausreichendes Maß an politischem Ethos aufweisen konnte. Das Fehlen dieses Ethos erwies sich verständlicherweise nicht in den Zeiten der eindeutigen Restauration als schwerste Last, sondern vielmehr in solchen Perioden, in denen die Dynastie sich an die Spitze einer umgreifenden Reform stellte. Ein Paradebeispiel ist in unseren Augen Joseph II., der wegen seines (auch jesuitisch gefärbten) Pragmatismus den anfangs vorhandenen Enthusiasmus breiter Schichten einbüßte. Das mangelnde Ethos des Habsburgerreiches spielte in Ansätzen auch noch in den letzten Jahrzehnten eine bedeutende Rolle. (Auf dieses Problem wird im nächsten Kapitel noch von einem anderen Gesichtspunkt aus eingegangen werden.)[49]

Licht und Schatten, Luxus und Elend, gleißende Farben und die Schwärze von Trauer, Tod und Leben umspannten wie ein undurchschaubares Spiel das Leben der Menschen.[50] In der wieder zur Einheit vergatterten Weltordnung herrschte über allem die göttliche Vorsehung, auch als blindes Schicksal — wenn die jeweiligen Interessen es gerade zweckmäßig erscheinen ließen. Unter der alles umfassenden Macht der „Weltordnung" existiert auch das einzelne. Diese „Weltordnung", die in vielen Ausprägungen zum Leitgedanken dieses Versuchs wird, manifestierte sich für das „Volk" in den vielfältigsten Formen. Von der Seelendiktatur der Jesuiten über die sogenannte Keuschheitspolizei der Königin Maria Theresia[51] bis zum Apparat Metternichs zieht sich jene Linie, die das eine Gesicht dieser Ordnung markiert. Mit der Zeit (und nicht weniger durch die heilenden Auswirkungen der letzten Jahrzehnte) sind nur noch die Grundzüge einer mehr innerlich gewordenen Ideologie des *Universalismus* geblieben. Das bewußt-unbewußte Bedürfnis nach einer solchen Weltsicht begründet jenes Substrat, dem die verschiedenen Strömungen entwachsen. Daß so viele den Untergang der Monarchie als „Ende der Welt", Katastrophe, als das Verschwinden eines lebenswerten Lebens ansahen, ist zum Teil auch durch die barocke Weltanschauung vorbereitet: das selbständige Individuum existiert weiter, während der schützende, alles umhüllende Mantel der Weltordnung nun verschwunden war. Die Beziehung des Konkreten zum Universalen ist eine andere geworden.

Das Barock als Philosophie, Kunst, soziales Modell oder

Integrationsmuster fällt in etwa mit der *Gründung* des neuzeitlichen Österreichs zusammen. Für ein tieferes Eingehen auf diesen Zusammenhang wären jedoch weitere Hinweise auf die sozialphilosophische Bedeutung des Phänomens „Gründung" erforderlich. Daß sich auch andere österreichische Denker mit diesem Phänomen beschäftigten, wird u. a. durch Hermann Brochs Pointierung desselben im Zusammenhang mit der deutschen Geschichte bestätigt.[52)]

Zahllos sind die Beschreibungen, die literarischen Werke, Romane und Dramen, die das barocke Wien nachträglich heraufbeschwören. Der charakteristischste Autor ist Hofmannsthal, der eigentlich seine gesamte Dramaturgie auf der in Wien damals noch lebendigen barocken Theatertradition aufbaut. Obwohl Hofmannsthal als Klassiker selbst nicht genügend anerkannt und oft gespielt worden ist, wurde sein Name als Textschreiber der Opern von Richard Strauss weltbekannt. In Wien kam ihm aber eine viel größere Bedeutung zu. Im Zusammenhang mit der Sprache des „Rosenkavalier" beruft sich Hofmannsthal übrigens darauf, daß sie „noch in der Luft schwebt", weil „die Gegenwart mehr von der Vergangenheit enthält, als wir dächten". Noch 1919 (!) empfiehlt er — wie vorhin kurz erwähnt — in seinem Aufsatz „Die Bedeutung unseres Kunstgewerbes für den Wiederaufbau" das Barock, das er mit den neuen Strömungen für problemlos vereinbar hält, als beispielgebend für die Künstler.[53)] Die extreme Schärfe der Diskussion der Ornamentik kann ebenfalls mit dem Barock bzw. dem Widerstand dagegen in Verbindung gebracht werden. Adolf Loos und andere bringen ihre funktionalistische Anschauung u. a. gegen das Barock und dessen Erneuerung zur Geltung. Die Eigenart der österreichischen Diskussion über die kunstphilosophische Bedeutung des Ornaments besteht demnach darin, daß hier *die* Ornamentik in weiten Gebieten mit der barocken bzw. post-barocken Ornamentik identisch war. Die Sachlichkeit löst hier also nicht eine neuere, die künstlerische Artikulation des industriellen Bürgertums zum Ausdruck bringende „Ornamentik" ab, sondern die tatsächlich-historische Ornamentik der barocken oder post-barocken Bildwelt. Die Kontroverse zwischen Barock und Ornamentlosigkeit können wir uns auch vergegenwärtigen, wenn Karl Kraus' Würdigung von Adolf Loos zitiert wird: „... dein Genius, zierhaftes Hindernis der Schönheit entfernend, war Befreier des Lebens aus der Sklaverei der Mittel, Ablenker vom Umweg, dem tödlichen der Seele, die nicht zu sich kommt, doch von sich weg."[54)]

Die Aspekte des Josephinismus

Die andere große, in der letzten Epoche auch geistig noch stark gegenwärtige Strömung in der künstlerischen und literarischen Szene war die josephinische Aufklärung. Diese war jedoch nicht in gleichem Maße ein ausschließlich österreichisch-habsburgisches Phänomen wie die bis ins Leben des Volkes hineinwirkende und dort Wurzeln schlagende barocke Weltanschauung. Sie war vielmehr eine der möglichen Realisierungen der Aufklärung, konkreter des aufgeklärten Absolutismus. Die Ideen der französischen Aufklärer hatten damals außer auf das emanzipationshungrige Bürgertum (und in immer steigendem Maße den dritten Stand) auch auf die gekrönten Häupter des Kontinents eine nicht zu unterschätzende Wirkung; denken wir nur an die Beziehung zwischen Voltaire und Friedrich dem Großen oder Diderot und Katharina der (ebenfalls) Großen. Die Radikalität Josephs II., die Vorgeschichte des Reiches sowie auch der Umstand, daß sich dieses Reich sowohl in nationaler als auch in sprachlicher Hinsicht einer mannigfachen Spaltung gegenübersah, waren die grundlegenden Faktoren für die Eigenart des Josephinismus. Kein anderer aufgeklärter Herrscher außer Joseph II. sah sich mit dem Problem konfrontiert, daß seine Politik der Umgestaltung der Gesellschaft gemäß einer neuen Staatsräson nicht nur den Widerstand der Stände, sondern auch der Nationen bzw. Nationalitäten hervorrief, die auf diese Herausforderung sogar mit merkwürdiger Homogenität reagierten.[55)] Das Bild Josephs II. ist vor allem in der ungarischen Geschichte widersprüchlich. Die Vertreter einer damals „modernen" Nationalidee fühlten sich in ihrer Existenz bedroht, und so trug Joseph II. — ungewollt — zur weiteren Entfaltung dieser Idee bei. Der Kaiser gab ferner den ungarischen Ständen die Möglichkeit, ihre Stellung in der Verteidigung des nationalen Interesses durch eine eigentümliche Deutung des aufklärerischen Gesellschaftsvertrages geradezu zu restaurieren und sich sogar neue Aufgabenbereiche zu schaffen. Ihre Argumentation klang einleuchtend, da beispielsweise auch die Vereinigung der böhmischen und österreichischen Länder 1749 als eine Folge der Forderung nach einer ,,Modernisierung" des Reiches vor sich ging. Die ungarischen Stände antworteten auf diese Herausforderung mit der vermutlich eigenartigsten, in jedem Fall aber einer originellen Interpretation der Aufklärung. Sie betrachteten sich dem Kaiser, d. h. König, gegenüber als der ,,dritte Stand", der von diesem seine offenkundigen Rechte verlangte, während der tatsächliche dritte Stand in dieser Interpretation infolge seiner ,,Minderjährigkeit" *ad calendas graecas* auf ihre Führung angewiesen war.[56] Der ungarische Dichter und Politiker Zsigmond Kemény, einer der erfahrensten politischen Publizisten dieses Raumes, faßt die Widersprüche in der Persönlichkeit Josephs II. und zwischen seinen beabsichtigten und verwirklichten Reformen nach 1748 folgendermaßen zusammen: ,,Auf dem Meer der staatlichen Institutionen glich er jenem großen Weltensegler, der immer nach Osten fuhr, und weil er es konsequent tat, endlich im Westen ankam. Ohne seinen Irrtum zu ahnen, bewies er eine große Wahrheit bezüglich der Gestalt der Erde, die den besseren Köpfen bis dahin zwar auch nicht unbekannt war, aber doch nicht in dem Maße, daß sie keiner weiteren Beweise bedurft hätte."[57] Abgesehen von dem Widerspruch zwischen Absicht und Ergebnis, war die Persönlichkeit Josephs durch eine kaum auszugleichende Ambivalenz gekennzeichnet, weshalb Egon Friedell ihn ,,Demokrat und Despot in einer Person"[58] nannte, oder wie Kemény seinen Gedankengang fortsetzt: ,,Er wollte nicht nur zentralisieren, sondern gemäß den Ideen des 18. Jahrhunderts auch gestalten. Diese zwei Bestrebungen waren in der Art ihrer politischen Durchsetzung völlig verschieden. Jene wollte langsam, diese verwegen handeln, jene mit Täuschung, diese aufrichtig, jene wollte die alten Vorurteile schonen, diese wollte sie schnell zum Verschwinden bringen.

Der geschichtliche Bündnispartner der ersten Richtung war ein Großteil der herrschenden Klasse, die zweite mußte erst Sympathisanten finden. Joseph II., der die Zentralisation nicht nur aus dynastischen Interessen, sondern auch den Ideen zuliebe wünschte, wählte die offene, destruktive Methode. Als er Ungarn mit Gewalt germanisieren und die ungarische Selbständigkeit erklärtermaßen brechen wollte, gleichzeitig aber mit der Leidenschaft der Enzyklopädisten gegen die feudalen Vorrechte der Aristokratie kämpfte, entfremdete er sich die alten Anhänger der Zentralisation, ohne daß er unter der Fahne der Illumination neue gefunden hätte, die für die ersten Knospen der Freiheit das Opfer des nationalen Eigenlebens zu wünschen schienen."[59]

Der in seiner Zeit vielleicht aufsehenerregendste Zug des Josephinismus war es, daß er im Interesse des staatlichen, omnipotenten Absolutismus die Kirche in einer Art und Weise aus dem sozialen Leben verdrängte, für die es nur noch, etwas später, im jakobinischen Frankreich ein weiteres Beispiel gibt.[60] Lediglich aus der Verschiedenartigkeit der konkreten historischen Situation heraus ist es zu erklären, daß, während Joseph II. in Österreich als der personifizierte Feind der Kirche überhaupt angesehen wurde, er in Ungarn — aus protestantischer Sicht — als Schutzpatron religiöser Toleranz verehrt wurde.[61] Obwohl er vor seinem Tod den größten Teil seiner Reformen widerrief, hinterließ er sein Erbe jener Bürokratie, die das gesellschaftlich kompliziert strukturierte multinationale Reich, das in seinen Einzelteilen als Apparat, Denk- und Integrationsmodell noch kaum nach modernen Maßstäben organisiert war, bis zu dessen Untergang zusammenhielt. Es wäre leicht, dieses Beamtentum ausschließlich als das Ziel von Spott und Ironie darzustellen oder nur den Haß zu erwähnen, der sein Wirken in den schwersten Zeiten der Gesamtmonarchie begleitete. Beschränkten wir uns darauf, bliebe es unverständlich, wie das Reich überhaupt so lange zusammengehalten werden konnte.

Das durchschnittliche Beamtentum durfte sich einer gewissen persönlichen Achtung erfreuen. Gründe hiefür waren die eher liberale Haltung und die Tatsache, daß die Beamten, da sie unmittelbar der Zentralgewalt unterstanden, in der

Mehrzahl nicht bestechlich waren. Es gab unter ihnen Persönlichkeiten wie Matthias Ráby, den Helden aus Jókais gleichnamigem Roman, der in dem Konflikt zwischen den örtlichen Interessen und der aufklärerischen Allgemeinheit geradezu zermalmt wurde. Eine ähnliche Problematik finden wir bei Adalbert Stifter und Joseph Roth. Niemand wird daran zweifeln, daß ein Thema wie ,,Die Gestalt des Beamten in der österreichischen Literatur'' monographische Dimensionen annehmen würde.

Das Ethos des Beamten und die gleichzeitige Ritualisierung seiner Person werden exemplarisch in Roths *Radetzkymarsch* aufgezeigt. In dieser Darstellung erscheint jedes Detail im Leben des alten Trotta als ein umfassender sozialer Ritus, demzufolge jede Pflicht und jede Tätigkeit ihren einzig möglichen Ort und Wert haben. Es stimmt auch, daß dieser Typus in den letzten dreißig Jahren der Monarchie immer rarer, immer ,,altösterreichischer'' wird, man könnte sogar behaupten, daß der Prozeß der Mythisierung (Claudio Magris) bereits vor 1914 starken Aufschwung nahm. Als neuer Typus kommen nun die Vertreter des ,,kaiserlich-königlichen Schwachsinns'' (Hašek), die Beamten bei Karl Kraus, Doderer und Ödön von Horváth. Diese senile und unmenschliche Bürokratie beschwor die Alpträume Kafkas herauf und ließ Musil die vielleicht genialste Satire Kakaniens niederschreiben.

Die Bürokratie wurde in den Kriegsjahren schließlich tatsächlich zum Ungeheuer-Leviathan der Monarchie. Diese Jahre müßten von der Geschichtswissenschaft eigentlich als selbständige historische Periode behandelt werden. Die mit Zeitgewinn und Vermittlung spekulierende Maschinerie verwandelte die letzten Tage der ,,fröhlichen Apokalypse'' in den ,,Jüngsten Tag''.

Der Josephinismus brachte, wie jede einschneidende Umwälzung der Staatsführung, für die einzelnen Schichten, Gruppen und Nationalitäten unterschiedliche Konsequenzen mit sich. Als eine der interessantesten Folgen gilt es zu untersuchen, was die josephinische Modernisierung des Reiches für die von der Türkenherrschaft kaum befreiten, den Faden ihrer historischen Existenz gerade wieder aufnehmenden Nationen bzw. Nationalitäten bedeutete. Uns erscheint die folgende Beschreibung Ivo Andrićs der Bedeutung der neuen Funktionen von Verwaltung und Kommunalpolitik — aus der Sicht der unmittelbar Betroffenen — als historisch relevant: „Gleichzeitig begannen Beamte einzutreffen, große und kleine Beamte mit Familien und Dienerschaft, nach ihnen Meister und Handwerker für die Arbeiten und Berufe, die es bis dahin bei uns nicht gegeben. Es kamen Tschechen, Polen, Kroaten, Ungarn und Deutsche. Im Anfang schien es, als kämen sie zufällig, wie vom Winde herangeweht, und nur zu vorübergehendem Aufenthalt, um unter uns mehr oder weniger das Leben zu leben, das man hier seit je lebte, als müßten die zivilen Behörden noch für einige Zeit die Besetzung fortführen, die das Heer begann. Mit jedem Monat, der verging, wurde indessen die Zahl der Fremden immer größer. Was aber das Volk in der Stadt am meisten überrascht und mit Staunen und Mißtrauen erfüllt, das ist nicht so sehr ihre Anzahl, als vielmehr ihre unverständlichen und undurchsichtigen Pläne, ihr unermüdlicher Arbeitseifer und die Ausdauer, mit der sie darangehen, diese Pläne auszuführen. Diese Fremden ruhen nicht und lassen auch niemanden in Ruhe: sie scheinen entschlossen zu sein, mit ihrem unsichtbaren, aber immer stärker fühlbaren Netz von Gesetzen, Verordnungen und Vorschriften das Leben selbst mit seinen Menschen, Tieren und toten Gegenständen zu erfassen und alles um sich herum zu ändern und zu verrücken; das äußere Bild der Stadt, die Gewohnheiten und die Natur des Menschen von der Wiege bis zum Grabe. Aber dies alles verrichten sie ruhig und ohne viele Worte, ohne Gewalt und Herausforderung, so daß man nichts hat, dem man sich widersetzen könnte. Stoßen sie auf Nichtverstehen oder Widerstand, dann halten sie sofort ein, besprechen sich irgendwo unsichtbar, ändern die Richtung ihrer Arbeiten und führen doch aus, was sie sich vorgenommen. Jedes Werk, das sie beginnen, erscheint harmlos, ja sogar sinnlos. Sie vermessen irgendein Brachland, kennzeichnen Holz im Wald, besichtigen die Aborte und Abflußkanäle, schauen Pferden und Kühen ins Maul, prüfen Maße und Gewichte, fragen nach Krankheiten im Volke, nach Zahl und Namen der Obstbäume, nach den Schaf- und Geflügelrassen. —

Es sieht aus, als spielten sie. So unverständlich, unwirklich und unernst erscheinen alle ihre Geschäfte in den Augen des Volkes. — Und dann versinkt das alles, was sie mit soviel Sorgfalt und Eifer ausführten, irgendwo, als sei es für immer sang- und klanglos verschwunden. Aber einige Monate, oft ein ganzes Jahr danach, wenn das Volk es schon längst vergessen, dann tritt mit einem Male der Sinn dieser auf den ersten Blick sinnlosen und längst vergessenen Maßnahmen zu Tage: die Ältesten der einzelnen Stadtviertel werden auf das Rathaus bestellt, und es wird ihnen die neue Verfügung über den Holzschlag, über die Typhusbekämpfung, über den Verkauf von Obst und Süßigkeiten oder über Viehpässe bekanntgegeben. So gibt es jeden Tag neue Verordnungen. Und mit jeder Verordnung wird der einzelne irgendwo begrenzt oder verpflichtet, während sich das gemeinsame Leben der Stadt oder des Dorfes und aller seiner Einwohner ausweitet, verflicht und verzweigt."[62]

Wie können wir also nun die Tradition des Josephinismus zusammenfassen? Freidenkertum, Rationalismus in der Lenkung der gesellschaftlichen Prozesse, eher administrative als wissenschaftliche Erforschung der gesellschaftlichen Probleme und die Bestrebung, sie zu lösen, eine gewisse amtlich-offizielle Menschenliebe und Toleranz, die den Untertanen (und im Falle Josephs II.: seinen Völkern) zwar keine demokratischen Freiheitsrechte einräumt, gewisse Ausprägungsformen desselben jedoch respektiert.

Die innere Ambivalenz, die Widersprüche des Josephinismus, führten einerseits zu dessen Degeneration, zum Metternichschen System der „Heiligen Allianz", andererseits zu dessen Weiterentwicklung in Richtung eines prinzipiellen Liberalismus und zur „zweiten" Aufklärung, Geisteshaltungen, die in der zweiten Hälfte des 19. Jahrhunderts in Österreich-Ungarn weitgehend die Oberhand gewannen. Auf jeden Fall bemerkenswert, sowohl in theoretischer als auch in historischer Hinsicht, war seine Strategie, die tiefe Kluft zwischen dem einheitlichen Reich auf der einen und den nationalen Bestrebungen und dem sozialen Fortschritt auf der anderen Seite in der Weise zu überbrücken, daß die Dynastie selbst mit Hilfe der Zentralisation an die Spitze der bürgerlichen Entwicklung gestellt wurde. Dieser Liberalismus ist nicht das unmittelbare Ergebnis des von den aufstrebenden Klassen ausgeübten Druckes, sondern nimmt diesen vorweg. Hermann Bahr schreibt darüber: „Der Liberalismus ist kein Bedarf, sondern Luxus, er entwächst nicht dem Land, sondern wird importiert."[63]

Diese kurze Darstellung des Josephinismus war für unsere Arbeit vor allem deshalb wichtig, weil dieses politische und geistige System etwas sehr Bedeutendes aus der verfallenden barocken Weltanschauung herüberrettete, nämlich eine intakte, überindividuelle „allgemeine Weltordnung".

Es war jedoch nicht nur die bewahrende, Traditionen erhaltende Funktion des Josephinismus, die einen so entscheidenden Beitrag zur österreichischen Identität leistete, daß seine Analyse im Rahmen einer ideengeschichtlichen Darstellung unumgänglich ist. Neben den barocken Universalismus, die Widersprüche des barocken Lebenskampfes stellte er ein weiteres durchaus gewichtiges Motiv: das Ethos (und den Mythos) des Staates als Behüter nicht nur der Gerechtigkeit überhaupt, sondern auch als Garant des Fortschritts. Zu den dunklen und tragischen Linien des Barock gesellen sich dadurch neue Züge: Die universale Weltordnung wird ins Praktische übersetzt, verliert aber nicht an ihrer Substanz und elastischen Vieldeutigkeit; der Josephinismus schuf die Möglichkeit der tätigen Identifizierung mit jenem Staat, der sich anschickte, das Schicksal der Millionen zum Besseren zu wenden.

Die Gesamtproblematik Österreichs im 19. Jahrhundert, aber auch der anderen Nationen bzw. Nationalitäten blieb untrennbar mit dem Josephinismus verbunden. Für uns ist diese Richtung vor allem als eine neue autochthon österreichische Ausprägungsform einer universalistischen Weltanschauung, die aus Elementen der früheren universalistischen Richtungen, aus der politischen Philosophie und vielen neuen Ansätzen der Aufklärung entstand, von Bedeutung. Der Josephinismus ist in seiner Totalität jedoch eine zusammenhängende, komplexe, wirtschaftliche, politische, verwaltungstechnische und andere Elemente vereinende Antwort auf die ebenso komplexen, oft heterogene Gehalte zusammenfassenden Herausforderungen. So ist es durchaus verständlich, warum so viel Gutes, aber auch so viel Schlimmes im Josephinismus seinen Ausgang nimmt. Schon einmal war, im Hinblick auf den Jesuitismus, in dieser Arbeit das Problem angeschnitten worden, wie schwierig es ist, die Stellung der politischen Moral innerhalb dieses Systems zu definieren. Es besteht kein Zweifel, daß Joseph von aufklärerisch-humanitären Ideen erfüllt war, jedoch immer nur bis zu dem Punkt, als diese Ideen seinem Reformprogramm nicht im Wege standen. Aufklärerische Emanzipationsideologie und zielorientierte Pragmatik verschmolzen bei ihm bis zur Unkenntlichkeit.

Es liegt auf der Hand, daß die Beziehung Josephinismus — politische Moral, in einem umfassenden historischen Zusammenhang gesehen, zwei relativ selbständige Komplexe enthält. Der eine bezieht sich auf das eigene Land bzw. das eigene „Volk" und bedeutet den moralischen Konflikt der josephinischen Haltung gegenüber Österreich. Der andere sittliche Bereich kommt dann ins Spiel, wenn josephinische Strategie und Taktik bei der Reform der Verhältnisse anderer Nationen des Reiches angewandt wurden. Das moralische Dilemma „Absolutismus versus Fortschritt" oder „für das Volk versus ohne das Volk" usw. erscheint in diesem Kontext schon unvergleichlich komplizierter. Es geht hier nicht nur darum, zum Beispiel die modernisierte staatliche Omnipotenz im Interesse des sozialen Fortschritts schmackhaft zu machen, sondern auch darum, das gewaltige Arsenal, ja sogar das gesamte Ethos und das utopische Potential fortschrittlichen Gedankengutes gelegentlich rein äußerlich-instrumental ins Feld zu führen. Es liegt uns fern, nationalen Bestrebungen des 18. und 19. Jahrhunderts kritiklos das Wort zu reden. Der Josephinismus (wie die ihm in vielen Zügen sehr ähnlichen Eroberungskriege Napoleons) trug zum Substanz- und Autoritätsverlust fortschrittlicher Ideen in den anderen Reichsteilen stark bei. Es wurde klar, daß die Unterstützung fortschrittlich-emanzipatorischer Gruppen nicht nur allgemein-pragmatischen Zwecken dient, sondern unvermittelt gegen positive nationale Rechte bzw. Bestrebungen in Anspruch genommen wird. Es würde zu weit führen, hier sämtliche sich aus dieser Ausgangslage ergebenden Konsequenzen durchleuchten zu wollen. Man denke nur an jene tiefsitzende, oft feststellbare sozialpsychologische Störung, wonach es einzig konkrete nationale Interessen gibt und alles Ideenhafte mehr oder weniger Oberfläche bleibt. Die historische Erfahrung, daß anregende und anziehende umwälzende neue Weltbilder oft nur Deckmantel kurzfristiger fremder Interessen sind, stammt nicht zuletzt aus der josephinischen Zeit. Solange beispielsweise noch eine offen jesuitisch-gegenreformatorische Ideologie auf der anderen Seite stand, war es ohne weiteres möglich, die Wahrung der eigenen Identität im Einklang mit fortschrittlichem Gedankengut zu artikulieren. Es ist unschwer einzusehen, welch verheerende Auswirkungen es haben mußte, als man erkannte, daß jene, die auf der anderen Seite standen, sich in gewissen Bereichen den aktuellen „Fortschritt" bereits angeeignet hatten. Ebenso leicht fällt es, einzusehen, welch weites Betätigungsfeld, ja sogar Legitimation dieser Tatbestand für das zweifellos gewaltige Ständewesen bedeutete und in welche Verzweiflung jene Intelligenz getrieben wurde, die zwischen der Wahrung der eigenen Identität und einem Fortschritt „wählen" mußte, dessen Notwendigkeit, stellenweise Unvermeidlichkeit, für sie ansonsten auf der Hand lag.

Der Josephinismus war auch dahingehend bahnbrechend, als er die Emanzipation und den Progressismus, die Erhöhung der sozialen Gerechtigkeit u. a. für staatlich-absolutistische und bereits expansive Zwecke als Waffe in Anspruch nahm. Wir heben dies deshalb hervor, damit klar wird, welche Faktoren dazu führten, daß es nicht einmal mehr möglich war, im Bereich „Fortschritt — nationale Identität" sinnvolle Fragen zu stellen.

Viele Historiker sind der Meinung, daß Joseph in diesen Gebieten gegen seinen Willen den Nationalismus wachgerufen hat. Wir würden es differenzierter sehen. Er rief einen Nationalismus ins Leben, der — im strikten Gegensatz zur Entwicklung der großen westeuropäischen Nationen — nicht mehr hoffte, seine Probleme mit Hilfe umfassender teleologischer, ideologisch-ideeller Systeme meistern zu können, sondern um seine perspektivischen Hoffnungen, um seine Harmonie gebracht war. Aus der Defensive heraus galt seine Sorge viel eher dem nackten Überleben.

Der österreichische Universalismus des 19. Jahrhunderts von Bolzano bis Brentano

Der dritte wesentliche ideengeschichtliche Faktor der Vergangenheit, der in der letzten Periode der Doppelmonarchie eine wichtige Rolle spielt, ist eine auch soziologisch interessante, „offiziell" idealistische, harmonistische Konzeption.

Die großen Repräsentanten dieses Denksystems sind Bernard Bolzano und Franz Brentano. Wir wollen hier nur das Allerwesentlichste, wodurch die Art und Weise des Denkens in Österreich-Ungarn weitgehend bestimmt wurde, untersuchen. Die Grundstruktur dieses Systems lieferte Leibniz.[64)] Die praktische Seite wurde in vielem von Herbart sehr effektiv ausgebaut.[65)] Das philosophisch Wertvollste wurde auf Gebieten geschaffen, die von deren Systematik relativ unabhängig werden konnten, vor allem — aber nicht ausschließlich — auf dem der Logik.

Dieses Denksystem war nicht nur darin entscheidend, was es vertrat, sondern auch darin, was es philosophisch ablehnte. Man kann nicht apodiktisch feststellen, welchem Umstand später eine größere Relevanz zukam: der versäumten Rezeption Kants oder jener Hegels.[66)] So versteht man zum Beispiel, warum Kant gerade im Austromarximus eine so wichtige Rolle spielt, warum österreichische Marxisten Kant für so wichtig hielten oder warum österreichische Soziologen bzw. Sozialphilosophen „bipolar" zu denken anfingen.[67)]

Brentano schrieb 1869: „Wir sehen, daß die positive Betrachtungs- und Forschungsweise nicht von vornherein sich gegen den Theismus abzuschließen berechtigt ist; weder darum, weil sie die Erkenntnis der Ursachen überhaupt für unmöglich hält — denn dies tut sie nicht in jedem Sinne, sondern nur insofern, als sie keine solche Einsicht in das Wesen der Ursache zu erlangen hofft, daß ihr daraus die Wirkung selbst begreiflich würde — noch darum, weil sich die Annahme eines göttlichen Verstandes auf die Analogie mit dem eigenen Wirken stützt; noch endlich darum, weil die theistische Anschauung die Entdeckung der Naturgesetze unmöglich macht, sei es, weil sie ihre Erforschung als unnütz verwirft, indem sie in Gott den Erklärungsgrund von allem gefunden habe."[68]

Der grundlegende Universalismus bzw. die ebenfalls umfassende Harmonistik in der österreichischen Philosophie des 19. Jahrhunderts haben ihren ersten hervorragenden Vertreter in Bernard Bolzano. Vor allem die Forschungen E. Winters machten jene verwickelten Zusammenhänge zugänglich, die den sogenannten böhmischen Reformkatholizismus überhaupt erst in die Ideengeschichte einführten.[69] Nicht so sehr der äußerst interessante soziale Hintergrund (d. h. der Umstand, daß sich dieser Reformkatholizismus als Integrationsideologie zwischen Deutschen und Tschechen profilierte,[70] auch nicht die Tatsache der Herausforderung durch die Aufklärung (d. h., daß der Reformkatholizismus entstand, um der umsichgreifenden spontanen Säkularisierung Einhalt zu gebieten[71]) unterstreichen die Bedeutung dieser Richtung. Für uns ist der eigentliche ideengeschichtliche Aspekt entscheidend. Der böhmische Reformkatholizismus ist wohl die einzige Richtung, in der aufklärerische Motive ohne Konflikte in die katholische Ideenwelt eindringen. Ohne Kenntnis dieses Sachverhalts wäre auch Bolzanos Verhalten vermutlich überhaupt unbegreiflich. Es wird dadurch nämlich klar, wie es möglich war, daß Bolzano (vor allem in seiner praktischen Philosophie) zeit seines Lebens einer Konzeption treu bleiben konnte, welche dem Katholizismus eine eindeutig aufklärerische Funktion zuschrieb. Es enthebt uns der Aufgabe, jene allgemeine Aussage im einzelnen zu beweisen, daß die Elemente des Barock und Josephinismus im Universalismus des 19. Jahrhunderts lebendig erhalten blieben.

Die wohl größte philosophische Herausforderung für Bolzano war Kant. Seine Alternative zur Kants Ethik wirft klares Licht auf die Problematik seiner praktischen Philosophie. Auf den ersten Blick erscheint Bolzanos oberste Maxime vielleicht sogar konkreter, materieller und „objektiver" als jene Kants. Bolzano verabsäumt es auch nicht, Kants Ethik u. a. unaufhörlich Subjektivismus vorzuwerden.[72] Sein Grundsatz lautet: „Wähle von allen möglichen Handlungen immer diejenige, die alle Folgen erwägt, das Wohl des Ganzen, gleichviel in welchem Teil, am meisten begründet."[73] Der Hinweis auf das „Ganze" ist dem Schein nach Bürgschaft für das Materielle, Objektive der sittlichen Entscheidungen. Versucht man jedoch, „das Wohl des Ganzen" in der gegebenen Zeit und in dem gegebenen Raum konkret zu situieren, so wird man erkennen, daß daraus sittliche Handlungen abgeleitet werden können, die (im Kantschen Sinne) kaum als Richtlinien bzw. Maßstäbe allgemeiner Gesetzgebung gelten könnten. Überhaupt bedeutet „das Wohl des Ganzen" in den verschiedenen historischen Zusammenhängen immer etwas anderes. Unter den Bedingungen des *ursprünglichen* böhmischen Reformkatholizismus der Anfänge war es aufgrund seiner sowohl katholisch-religiösen als auch josephinischen Motivation genügend konkreter Ausgangspunkt für die Gestaltung sittlicher Entscheidungen. Dasselbe wird in den Jahrzehnten des 19. Jahrhunderts immer schwieriger. Problematisch wird einmal das Ganze selbst, weil sich die maßgeblichen historischen Prozesse eben in der Richtung einer Dekomposition bzw. Neuorganisation ganzheitlicher Strukturen auswirken. Nicht weniger problematisch wird aber auch die Bejahung des Ganzen, bei gleichzeitiger Kritik vieler Einzelheiten desselben. Diese Differenz zwischen den beiden großen Perioden des böhmischen Reformkatholizismus qualifiziert auch der Begriff des Ganzen in Bolzanos praktischer Philosophie. Er beharrt bis zum Ende auf dem ursprünglichen, harmonistischen Begriff des Ganzen, auch wenn er durchaus kritisch gegen viele Mißstände auftritt.

Dieser Begriff des Ganzen begründet auch die Bolzanosche Ethnoethik. Die Tatsache, daß er die nationale Problematik in ihrer relativ frühen Phase schon in seine praktische Philosophie aufnimmt, spricht für die Einsicht Bolzanos. Er baut jedoch seine Ethnoethik in seine Vision des Ganzen ein. Zu einer wirklichen Harmonie in der Harmonistik gehört aber auch, daß die verschiedenen Ganzheitsstrukturen einander entsprechen, zumindest einander in ihrer Velleität nicht widersprechen. Bolzano tritt auch in der Ethnoethik für das Wohl des Ganzen ein, andere Vertreter der offiziellen Ganzheit hielten dies nicht für so unerläßlich. Es ist schwierig und paradox, das Undifferenziert-Ganze zu vertreten, wenn alle Instanzen, die das Ganze in irgendeiner Hinsicht verkörpern, dagegen arbeiten. Darüber hinaus war seine Anschauung auch nicht aufnahmefähig genug, um die vor dem Anbruch der neuen Periode ihre Kraft akkumulierende Dynamik der nationalen Bewegungen zu erfassen. Sein „Wohl des Ganzen" — übertragen auf die Dimensionen der nationalen Problematik seiner Zeit — erwies sich am Ende doch als eine Denkstruktur gemäß eines *status quo* und hielt mit der Entfaltung der tatsächlichen Verhältnisse nicht Schritt. Er dachte vielmehr noch statisch, wollte die Verhältnisse innerhalb ein und desselben Zustandes verbessern.[74]

Erst nach Einsicht in die praktische Philosophie Bolzanos gelangen wir zu dessen eigentlicher denkerischer Leistung, die (ähnlich jener Brentanos) in erster Linie im Hinblick auf seinen Beitrag zur Husserlschen Phänomenologie untersucht wurde. Aber auch Bolzanos Tätigkeit kann vor allem aus seiner Zeit heraus am besten verstanden und seine Philosophie als Antwort auf Kants zweigeteilte Wirklichkeit am besten interpretiert werden. Auch er sieht seine Hauptaufgabe darin, die unüberbrückbar scheinende Kluft zwischen den wissenschaftlich erkennbaren Sätzen bzw. Zusammenhängen und den sonstigen Gehalten unseres Bewußtseins zu beseitigen. Sein Ansatz, das Problem zu lösen, ist jenem Hegels im Prinzip nicht unähnlich: er schafft die logische Möglichkeit, gewisse Bewußtseinsgehalte zu „ontologisieren". Es muß betont werden, daß diese Ontologisierung gewisser Bewußtseinsgehalte, Gesetzmäßigkeiten usw. durch eine Reform der Logik ein anspruchsvoller Weg zur Meisterung vieler Probleme der nachkantischen Philosophie ist.[75] Der Kunstgriff, den er dabei anwendet, scheint eine Übernahme bzw. Umkehrung der Kantschen Unterscheidung zwischen „Erscheinung" und „Ding an sich" zu sein, da Bolzano stets „Vorstellungen an sich", „Sätze an sich" und „Wahrheiten an sich" unterscheidet und die Bestimmungen des „Dings an sich" und der „Wahrheit an sich" einander sehr ähnlich sind.[76]

Der universalistische Zug in Bolzanos Reform der Logik sticht am stärksten ins Auge, wenn er auch explizit darlegt, daß der Weg zur „Wahrheit an sich" ein Weg zu Gott ist, d. h.

„Gott, der Allwissende... nicht nur alle wahren, sondern auch alle falschen Gedanken kennt".[77] Die „Wahrheiten an sich" sind „Gottes Gedanken", unabhängig von jedem anderen möglichen Aspekt. So stattet Gott das gesamte Universum mit Rationalität aus.

Der andere große Kontrahent dieser Schule ist die „Hegelsche Geistesherrschaft". Seine Vertreter unternehmen alles, um an Hegel nur das Äußerlichste, die „Wundermaschinerie" wahrzunehmen: „Von einem völlig inhaltslosen Denken will Hegel ausgehen, die Negation zum Vehikel dialektischen Fortschritts machen, und nach einer Reihe von Tanzschritten, die er in dem Dreiachteltakt von Position, Negation und Einheit beider ausgeführt, glaubt er sich an dem hohen Ziel angelangt", schreibt zum Beispiel Brentano.[78] Die Folgen dieser mit Argumenten häufig erst später untermauerten „Hegellosigkeit" werden in dieser Arbeit noch oft genug angesprochen.

Es ist das Verdienst William M. Johnstons, auf die Bedeutung des Herbartianismus in diesem Raum hingewiesen zu haben.[79] Das Herbartsche System ist — wie auch die vorangehenden — in einem Ausmaß statisch, daß es sorgfältig beweist, warum der Begriff der Veränderung philosophisch unhaltbar ist. Herbart spricht in diesem Zusammenhang nicht von „Entwicklung" oder gar „Umwälzung", sondern von „Veränderung". Er trennt dabei vor allem die drei möglichen Prüfungsebenen des Begriffs der Veränderung. Er geht zuerst auf die „durch äußere Ursache", dann auf die durch „Selbstbestimmung" verursachte Veränderung und zuletzt auf die „absolute Veränderung", das „Werden", als mögliche dritte Ursache ein.[80]

Bei der Veränderung, die er der äußeren Ursache zuschreibt, geht er in seinem Gedankengang von der Betrachtung des „alltäglichen Erfahrungshorizonts" aus, wo eine Ursache durch eine andere zur Entfaltung ihrer Wirkung veranlaßt wird. Da keine Ursache denkbar ist, die von sich aus wirkt, folgert Herbart, daß die „ganze, obwohl unendliche Reihe... sich in Ruhe befindet". Auch dann, wenn wir anstelle der Ursache ein „tätiges Prinzip" voraussetzen, können wir nicht von Veränderung sprechen. Da das Tätige zugleich etwas für sich selbst Seiendes ist und damit eine selbständige Qualität besitzt, und da es zu dem wird, was es ist, sich selbst aber nicht genügen kann, enthält es eine nicht eigene, d. i. fremde Bedingung. Der gleiche Widerspruch besteht auch beim ,,passiven Prinzip''. Etwas kann nur als für sich selbst Seiendes existieren, aber durch die ,,Veränderung'' muß in ihm etwas Neues (eventuell mit sich selbst in Widerspruch Stehendes) entstehen, was nach Herbart wieder nur ein Widerspruch ist.[81]

Die zweite der oben erwähnten Ansatzmöglichkeiten ist die sogenannte ,,Selbstbestimmung''. Hier sind das ,,Bestimmte'' und das ,,Bestimmende'' identisch. Die ,,Selbstbestimmung'' ist aber die Wirkung einer anderen ,,Selbstbestimmung''. Damit hat Herbart den Unterschied zwischen ,,äußerer'' und ,,innerer'' Ursache aufgehoben; auch auf die Selbstbestimmung trifft zu, was er ursprünglich für die beiden Arten der ,,äußeren Ursache'' annahm.[82]

Bleibt also das ,,absolute Werden'', wodurch Herbart den Hegelschen Entwicklungsgedanken und die Dialektik überhaupt ,,vernichtet''. Sein erstes Gegenargument ist, daß ,,in der Natur der Dinge eine so strenge Identität der Veränderung'' nicht erfahrbar ist. Er führt noch zahlreiche Argumente ins Feld, worunter — was das Äußerliche des absoluten Idealismus Hegels betrifft — sogar richtige zu finden sind. Aber sein ,,erschütterndes'' Argument ist wiederum der Beweis des ,,Widerspruchs'' im ,,absoluten Werden''. Dies wäre folgendermaßen auszuführen: Im Grund des Werdens vereinigen sich die untereinander widersprüchlichen ,,Beschaffenheiten'', woraus sich dann die Vielfalt der widersprüchlichen Erscheinungen ergibt. So enthält auch der ,,Grund'' eine ihm fremde Bedingung, und darin liegt — aufgrund des vorher Gesagten — nach Herbart ein Widerspruch. Von Veränderung kann auch hier keine Rede sein.[83]

Die Grundidee Herbarts stimmt also mit jener der beiden vorangehenden Strömungen überein: Er inthronisiert erneut die göttliche Vorsehung als den letzten Grund der Weltordnung und somit auch der Philosophie und macht die sowohl im Barock als auch im Josephinismus fundamentale Rolle der voneinander unabhängig existierenden Realien durch das Auffrischen der Leibnizschen Monadologie ,,wissenschaftlicher''.[84] Man könnte gewiß meinen, diese ,,eleatischen'' Argumente Herbarts gegen die ,,Bewegung überhaupt'' seien eine bloße Erneuerung der alten philosophischen Diskussion, die gegen eine in eine Begriffsmaschinerie verwandelte, wirklichen Bewegungen entfremdete Art der Dialektik sogar ein warnendes Gegengewicht abgeben könnte. Es geht aber im Falle Herbarts im wesentlichen um neuere Motive, zunächst um seine Absicht, Hegels Versuch zu disqualifizieren, der darauf abzielt, die historische Existenzweise der Dinge zu erfassen. Noch wichtiger ist jedoch, daß durch die Beseitigung der Bewegung gleichzeitig auch die hier gegebene Verbindung des Konkreten mit dem Universalen eliminiert wird. Herbart löst also die Hegelsche Relation des Konkreten und des Universalen auf, um an deren Stelle einen bedeutend traditionelleren, auch schon von Leibniz geprägten Universalismus zu stellen.[85] Äußerst scharf setzt sich mit dieser Tatsache Trendelenburg bereits in den vierziger Jahren auseinander: ,,Das Seiende, das Herbart nach jenen Normen ersann, soll schlechthin positiv sein, einfach, ohne Verneinung und Relation, jede Größenbestimmung abweisend und auch die Bewegung ausschließend. Aber ein solches ist uns nirgends gegeben; ja alles Gegebene ist uns gerade auf die entgegengesetzte Weise gegeben. Wo die Bewegung, durch welche und in welcher uns allein etwas gegeben ist, objektiver Schein wird, wo in der Untersuchung der Metaphysik und daher in der *wissenschaftlichen* Anwendung der Zweck fehlt, der die Vielfalt zur Einheit begreift, und somit der eigentliche Halt für die Einheit, sowohl im einzelnen als im Ganzen: da ist der Realismus des Anfangs am Ende zur Negation geworden und hat sich in dem objektiven Schein zu einer Art Idealismus fortgebildet... *Was innerhalb der Bewegung und durch die Relation der Bewegungen möglich wird,* hat *keinen Sinn mehr, wenn es als Beispiel gegen die Bewegung überhaupt gewandt wird und nun die ganze Bewegung objektiver Schein sein soll*'' (Hervorhebung — E. K.)[86] Wir möchten also noch einmal jenes Vorgehen Herbarts hervorheben, demzufolge er bestrebt ist, nach der Zerstörung der Hegelschen Anordnung des Konkreten und des Universalen das Konkrete in seinem ,,Realismus" wieder im Universalen, und zwar auf die traditionellste Art, aufgehen zu lassen.

Sowohl das Barock als auch der Josephinismus, wie bereits darauf hingewiesen, waren ,,lebensnahe" Konstruktionen, d. h. sie rechneten sehr bewußt mit den tatsächlich gegebenen existentiellen Bedingungen des Konkreten innerhalb des umfassenden Rahmens des Universalen. Der in Österreich zu großer Bedeutung gelangte Herbart erzielte jedoch, vor allem in seiner praktischen Philosophie, geradezu ein Maximum an Lebensnähe. Es scheint geboten, zur diesbezüglichen Illustration Herbart selbst zu zitieren. Wie ein Vorläufer der Freizeit-Strategen unserer Tage beginnt er seinen Gedankengang beim ,,Menschen": ,,... das praktische Bedürfnis der Philosophie werde nicht einfach sein, sondern aus verschiedenen Bedürfnissen zusammengesetzt. Um es zergliedern zu können, müssen wir zuerst den praktischen Menschen (mehr) anschaulich vergegenwärtigen."[87] Wie sieht also der ,,praktische Mensch" aus, dessen ,,anschauliche Vergegenwärtigung" zur ,,Zergliederung" des praktischen Bedürfnisses leiten soll? Die Antwort findet man zunächst in einer einleitenden Feststellung: ,,Jeder Mensch in reifen Jahren hat zuvörderst eine gewisse Weise der täglichen Beschäftigung angenommen. Er findet sich ferner durch Andre, mit denen er lebt, teils angezogen, teils abgestoßen; daher entstehen für ihn mancherlei Verhältnisse der Gesinnungen. Dazu kommen noch Verhältnisse der Familie und des Dienstes."[88] Hier haben wir also den ,,anschaulich vergegenwärtigten praktischen Menschen". Man sieht gleich, wie vieles Herbart von den Voraussetzungen seiner Philosophie preisgibt, aber auch, daß er einen ,,praktischen Menschen" konzipiert, der sich mit den ihm im Modell zugeschriebenen Eigenschaften bzw. fiktiven sozialen Bindungen und Wünschen reibungslos in den Kosmos Österreich-Ungarns einfügen konnte. Die Lebensweise dieses ,,praktischen Menschen" in ihrer Totalität wird modellhaft folgendermaßen dargestellt:

„*Beschäftigungen:*

Arbeit,
erhebende Erholung,
abspannende Erholung (!).

Gesinnungen		*Familienverhältnis*
des Verkehrs,		der Ehegatten,
des Beyfalls (sic!)	sammt den	der Eltern,
der Liebe,	Gegenteilen	der Seitenverwandten.

Dienstverhältnis:

Zwangsdienst,
Lohndienst,
Ehrendienst.“[89)]

Diese Lebensnähe wird bei Herbart auch dadurch noch erhöht, daß er das Bedürfnis nach praktischer Philosophie nicht bei jedermann annimmt: Ein Mensch, dessen Leben „vollständig geordnet“ ist, würde die praktische Philosophie nicht nötig haben. Dadurch wird aber die „Demokratie der Kreatürlichkeit“ aufgehoben: „Wir denken uns zuvörderst einen Mann, der für seine Lebensweise die angegebenen vier Punkte (samt den dazu gehörigen Unterabteilungen) vollkommen an die rechte Stelle gesetzt hat. In den Arbeitsstunden steht ihm das Ganze der Arbeit und deren Zweck stets unverrückt vor Augen; während er von den Einzelheiten seines Geschäfts in jedem Augenblick gerade nur diejenige in Gedanken hat, welche so eben sein Tun und Denken erfordert. Dagegen vergißt er alle Arbeit zu der Zeit, welche der Erholung gewidmet ist; es ist ihm leicht, sich zum Höheren aufzuschwingen in dem edlern Teile der Erholung, welche der Sabbatfeier entspricht; es kostet ihn auch keine Überwindung, zum Geringfügigen sich herabzulassen; und er hütet sich wohl, in Gesellschaft etwa nur heiter zu *scheinen,* weil alsdann die Scherze eines munteren Gesprächs im Grunde nur eine neue Arbeit wären; viel weniger gestattet er den Sorgen, hinter dem Reiter zu sitzen. Überdies paßt sein Umgang, sofern nicht gerade eine hohe Achtung, eine innige

Liebe ihn beseelen, ganz zu denjenigen Erholungen, die ihm die liebsten und erquickendsten sind; und dabei ist das Glück so groß (denn wir wagen nicht, es ein Verdienst zu nennen), daß hiermit auch kein *solcher* Umgang, welchen einerseits der Dienst, andererseits die Familienlage vorschreibt, vernachlässigt wird. Sollen wir ihm nicht auch noch einige edle Freunde und eine würdige Geliebte zugesellen? Warum nicht? Er verdient sie; er lebt für sie; sie gehören zu seinem Hause. ... unsere ideale Person (!) trägt auf das genaueste den Stempel dieser Familie in deren würdevoller Art, und repräsentiert mithin die Ehre des Stammes... Endlich aber kommen noch Dienste hinzu, welche eben so viele *Verdienste* sind: um die Stadt, die Provinz, den Staat, die Menschheit; und diese Dienste... finden nicht bloß Anerkennung, sondern auch Lohn, und zwar solchen Lohn, daß für die Familie nicht weiter nötig ist, zu sorgen; daß also die Pflichten gegen das Haus und die gegen den Staat einander keinen Abbruch tun! *Dürften wir etwa diese Grundsätze zur ferneren Ausmalung einem — Romanschriftsteller empfehlen? Wohl schwerlich! Denn selbst die Dichtung sucht sich dem wirklichen Leben näher zu stellen.(!)*"[90] (Hervorhebung — E. K.)

Herbart unterstreicht also mit aller Entschiedenheit, daß eine solche Idealgestalt kein Bedürfnis nach Philosophie haben wird. Dadurch stellt er unter Beweis, daß seine rekonstruierbare Anthropologie gegenüber jener des Barock und des Josephinismus kaum neue Züge annahm. Er erklärt dadurch auch, daß die praktische Philosophie dazu da ist, aus jedem Menschen solch eine Idealgestalt zu machen. Solange aber nicht jeder diesem Ideal entspricht, bedarf er einer gewissen praktischen Philosophie: „Schon längst hatte man durch das Wort Philosophie eine Kunst bezeichnen wollen, mit Ruhe und Anstand zu *entbehren.* Eine gewisse Stärke des Geistes soll wie ein Gewicht in die Waagschale gelegt werden, um bei der Unstetigkeit des Lebens den Gleichmut zu erhalten."[91] (Hervorh. im Original.)

Wir müssen annehmen, daß dieses Leibniz-Herbartsche Gedankenmodell seine Wurzeln wohl in der administrativen und sozialen Struktur der Monarchie hatte. Das Merkwürdige ist nur, daß in den letzten Jahrzehnten der Monarchie auch noch viele wissenschaftliche und künstlerische Ergebnisse in Anwendung gerade dieses Modells erzielt wurden. Humanismus und Menschenliebe gehörten zum Herbartschen System, sofern ihre Praxis nicht den *status quo* der ,,Ganzheit" veränderte oder eben vorwärtsbrachte. Natürlich war die Herrschaft des Herbartschen Systems nicht das Resultat einer ,,unbefleckten Empfängnis". Seine Verbreitung ist größtenteils seiner Lehre über die ,,statische Harmonie" zu verdanken. Auch der bei Freud wichtige Begriff der ,,Verdrängung" kann auf ihn zurückgeführt werden.[92] Nahezu jedes Teilgebiet seines vielseitigen Wirkens hätte im einzelnen bereits ausgereicht, ihn zum führenden Denker der Monarchie ,,in absentia" zu machen. Sein Denken war explizit darauf ausgerichtet, die Widersprüche auszulöschen — dies betrachtete er als die eigentliche Aufgabe der Philosophie im engeren Sinne. Das scharfsinnige Denken stoße demnach in den Begriffen der Erfahrung auf Widersprüche. Diese können nicht geleugnet werden, da sie gegeben sind. Andererseits jedoch können wir nicht in diesen Widersprüchen verharren, weil sie dem Gesetz der Widerspruchslosigkeit (!) entgegenstehen. Der einzige Ausweg bestehe darin, daß der ,,Denker" diese Widersprüche aufarbeitet. Um einen alten, aber bewährten Vergleich zu ziehen: wir können in Herbart einen Arzt sehen, der die Symptome der Krankheit beseitigt, wobei der Patient aber nach der erfolgreichen Behandlung stirbt (was im Falle der Monarchie gar nicht so weit hergeholt ist). Wilhelm Windelband bemerkt treffend, daß die eigentliche Voraussetzung der Herbartschen ,,begrifflichen Aufarbeitung" jene sei, daß unter der Sonne nichts Neues geschehe.[93]

Da die Grundform des Widerspruchs darin bestehe, daß wir etwas Einfaches als Verschiedenes denken müssen, versucht Herbart diese Vielfalt in der Einheit so zum Verschwinden zu bringen, daß er eine Vielzahl von einfachen Wesen voraussetzt, in deren Beziehung zueinander der ,,Schein" entsteht, als ob Einheit Vielfalt enthielte. Die elementaren Wesen müssen wir uns als einfach und unveränderlich vorstellen, Herbart nennt diese ,,Realien". Obwohl diese ,,Realien" nicht in allen ihren Eigenschaften mit den Leibnizschen Monaden identisch sind, ist die Kontinuität des Modells unverkennbar.[94]

Mit Leibniz, dem anderen Namensgeber dieses Denksystems, können wir uns hier nicht eingehend befassen. Seine Metaphysik galt als „philosophisches Rückgrat" der besprochenen Konzeption. Wir wollen hier nur anhand einiger Beispiele aus der ungarischen Ideengeschichte deutlich machen, wie stark auch sein Denken im Geistesleben der letzten Periode der Monarchie als organischer Bestandteil des Universalismus gegenwärtig war. In seinem 1905 erschienenen Essay über Mór (Maurus) Jókai läßt der Sozialdemokrat Zsigmond Kunfi einen seiner Protagonisten über die Beziehung zwischen der Leibnizschen Weltordnung und den Werken Jókais folgendes sagen: „Weder im Dichter noch in seinen Gestalten findest du eine Spur jener edlen Unzufriedenheit, die die familiäre Ähnlichkeit großer Geister ausmacht, und die die stärkste Antriebskraft des menschlichen Fortschritts ist. Statt dessen erhältst du jenen flachen, langweiligen Optimismus, dessen ethischer Wert dadurch weitgehend erhellt wird, daß einer der glattesten Schmeichler und Höflinge ihn zur Weltanschauung machte: Leibniz."[95] Im Vorwort zur ungarischen Ausgabe der Schriften Leibniz' heißt es: „Die scheinbaren und die tatsächlichen Widersprüche aufzuheben und dadurch die Harmonie der Naturerscheinungen zu beweisen einerseits, ähnliches zustande zu bringen zwischen Völkern und Religionen andererseits — dies hielt er für die Berufung seines Lebens, für seine größte Aufgabe."[96] Der Philosoph Gerő Bárány beantwortet unter ausdrücklicher Zuhilfenahme des Leibnizschen Systems die für ihn entscheidende Frage: „Wir haben einen einzigen Punkt, mittels dessen wir in das Wesen der Welt, der Existenz blicken können. Dieser Punkt sind wir, das erkennende Subjekt. Denn was Leibniz über die Monaden feststellt, die nach seiner Lehre die letzte Wirklichkeit bilden, nämlich daß jede Monade ein ewig lebendiger Spiegel des Universums ist, können wir auch von uns, d. h. von jedem erkennenden Subjekt behaupten... Wenn wir aber auch die physische Welt mit ethischen Kategorien betrachten, d. h. wenn wir in der äußeren, physischen Welt nur einen äußeren Rahmen, ein Mittel der ethischen Weltordnung erblicken, wird jeder Gottesbeweis überflüssig, weil dann jedes Wesen und Geschehen stets die Existenz Gottes beweist."[97]

Das Konkrete und das Universale stehen auch weiterhin im Mittelpunkt unserer Untersuchung. Es gilt ohne Zweifel, daß das Leibnitz-Hebartsche System auf seine Art das Konkrete radikal im Universalen aufgehen ließ. Brentanos im folgenden zitierter Text deutet bereits an, daß zahlreiche Probleme innerhalb des universalistischen Rahmens nicht formuliert werden konnten: „Der große Erfolg, den ein Romanschriftsteller wie Tolstoj und ein Dramatiker wie Ibsen erringen, führt sich anerkanntermaßen besonders auch darauf zurück, daß bei ihnen neue philosophische Lebensanschauungen zu dialektischem Ausdruck gelangen."[98]

Damit kommen wir zu der letzten großen Persönlichkeit des österreichischen Universalismus des neunzehnten Jahrhunderts, und zwar zu Franz Brentano, dessen Lebenswerk sowohl ein gutes Beispiel dafür liefert, wie unter dem Deckmantel des Universalismus bedeutende Ansätze der modernen Fachphilosophie entstehen konnten, als auch dafür, welche Probleme in diesem Rahmen überhaupt nicht angeschnitten werden konnten. Während Bolzanos Werk eine in Österreich gerade noch mögliche Antwort auf die große Umwälzung der Philosophie und Ideologie an der Wende des 18. zum 19. Jahrhundert war, gilt Brentanos Opus auch als Antwort auf eine nicht minder gewaltige Umwälzung, den vollständigen „Paradigmenwechsel" der Philosophie nach 1848/49. Diese Umwälzung läßt sich mit Hilfe von vier gewaltigen, wohl epochalen Veränderungen beschreiben. Die erste betrifft die gänzlich veränderte geistige und praktische Einstellung breiter Schichten, die nach der Niederlage der Revolutionen 1848/49 in ganz Europa einsetzte. Emblematisch könnte man diese Verschiebung mit dem Schicksal der Schule Hegels charakterisieren, sie war jedoch viel umfassender, erschütterte sie doch die Autorität sowie das Vertrauen in jede geschichtsteleologische Konstruktion.[99] Das zweite bestimmende Ereignis war das Aufblühen und der Fall des sogenannten naturwissenschaftlichen Materialismus, wodurch das Verhältnis der Naturwissenschaften zur Philosophie sowohl „sachlich" als auch „soziologisch" stark verändert wurde.[100] Die dritte, nicht weniger folgenschwere Wendung in demselben Zeitraum war die rasche Verbreitung des französischen und englischen Positivismus, was eine grundlegende Modifizierung der Relation Wissenschaft—Philosophie zur Folge hatte.[101] Als viertes Phänomen muß in jedem Fall erwähnt werden, daß in diesen Jahrzehnten auch der Neukantianismus entstand, der sich letztlich als „Ausweg" aus dem philosophischen Chaos empfahl und auch tatsächlich als Kompromiß zwischen Wissenschaft und Religion angenommen wurde.[102] Brentanos anfängliche Überlegungen lassen sich unschwer in diesem Zusammenhang situieren. Dadurch wird es möglich, seine Philosophie auch als Antwort auf die große Herausforderung durch jene heikle Situation aufzufassen, in der die Lebensberechtigung der Philosophie einerseits aufgrund der Triebkraft der positiven Wissenschaften und andererseits aufgrund der Anforderungen der Religion stark in Frage gestellt wurde. Das Wesentliche des Brentanoschen Ansatzes unterscheidet sich in groben Zügen kaum von der Philosophie Bolzanos oder dem Leibniz-Herbartschen System. Entscheidend wird auch in seinem Denken die harmonistische Auffassung des Konkreten und des Universalen. Hinsichtlich des Konkreten zählt es zu seinen größten Verdiensten, daß er sich bald dem Vordringen des klassischen Positivismus anschloß und das Konkrete nur für positiv-wissenschaftlich erforschbar hielt.[103] Was das Universale betrifft, so griff er bis auf Aristoteles zurück. Er ist übrigens auch einer der ersten, die bei diesem Paradigmenwechsel der Philosophie den „Aristotelismus" als Alternative für die moderne Philosophie empfahlen. Trendelenburg spielte in Deutschland in diesem Zusammenhang eine ähnliche Rolle. Vor allem durch den Aristotelismus (und dementsprechend durch den logisch-wissenschaftlich bearbeiteten Scholastizismus) fand Brentano jederzeit zum Universalismus zurück.

Wie wir schon bei Bolzano und dem in der Tradition Leibniz' stehenden Herbart feststellen konnten, löste diese Erkenntnistheorie ontologische Antworten aus. Der Begriff des „Seienden" steht auch bei Brentano (in seiner Analyse des Aristoteles) an erster Stelle: „Würden wir so wie Gott alle Wahrheit von vornherein erkennen, so ist es klar, daß das erste Prinzip aller Dinge selbst das Objekt auch der menschlichen Weisheit sein würde. Nun aber ist das nicht mehr der Fall. Und so werden wir denn etwas anderes als Objekt der Weisheit zu bezeichnen haben, und, da der Umkreis dessen, was von dem ersten Prinzip abhängt, allumfassend ist, so werden wir keinen anderen Begriff als den des Seienden im allgemeinen als den Begriff des Objektes der menschlichen Weisheit anzusehen haben.“[104]

Das Seiende des Aristoteles liefert für Brentano ein Muster. Wie einst für Bolzano, stellt Kant auch für Brentano eine echte Herausforderung dar. Grund dafür ist jene jeden Universalismus vereitelnde Kluft zwischen Erscheinung und Ding an sich. Das Seiende bei Brentano suspendiert diese Differenz. Stärker als zuvor bei Bolzano wird seine Ablehnung der deutschen spekulativen Philosophie artikuliert. Brentanos Verfahren ist vielleicht in diesem Punkte am fragwürdigsten. Er verdammt die „Spekulation“ förmlich mit dem Hinweis auf Wissenschaftlichkeit und insbesondere unter Berufung auf das Konkrete bzw. Seiende.[105] Im Interesse dieser Entscheidung greift er auf Aristoteles zurück und versucht dann, sich den Comteschen Positivismus anzueignen. Das Bedenkliche dieses Schrittes liegt gerade in dieser Gleichzeitigkeit: *Im gleichen Zuge mit der Verdammung der klassischen deutschen Philosophie versöhnt er den szientistischen Positivismus mit der Religion* (wozu Comtes ursprüngliche Gedanken auch Anlaß geben könnten): „Comte selbst ist auch nicht so töricht, aus einem solchen Grunde die Annahme einer göttlichen Macht als mit der Wissenschaft unvereinbar anzusehen. In einem späteren Werke, seinem ‚Système de politique positive‘, tritt dies namentlich deutlich hervor. Daß ein Gott sei, gilt ihm zwar auch hier für nicht erkennbar. Aber, weit entfernt, ihn zu leugnen, zögert er nicht, sein Dasein sogar für das Wahrscheinlichere zu erklären, indem dann die Ordnung der Welt uns besser begreiflich werde als unter der Annahme eines planlosen, blinden Mechanismus. Ja, obwohl er sich weigert, Gott als etwas nicht wissenschaftlich Erweisbares zur Basis seiner Moral und Politik zu machen, so argumentiert er doch da, wo er die ersten Prinzipien des Handelns bespricht, nicht ohne Rücksicht auf ihn, indem er zeigt, wie auch unter der Annahme einer göttlichen Providenz, wer der von ihm gegebenen Richtschnur des Handels folge, am vernünftigsten handle, indem er vor andern ihres Wohlgefallens sicher sein könne... Genug, daß wir gesehen haben, wie der Glaube an einen Gott nicht unverträglich mit der Erforschung der Naturgesetze ist und wie darum Comte selbst nicht das Dasein Gottes, sondern nur seine Erkennbarkeit leugnet."[106] Man könnte wohl meinen, daß es Brentano schwerer fallen mochte als Bolzano, den universalistischen Rahmen aufrechtzuerhalten und die Philosophie nur innerhalb dieses Rahmens voranzutreiben, und zwar — könnte ein Argument lauten — weil eine durchdachte Ontologisierung der Logik doch keine so große Repression ausübte wie Brentanos oben angedeutetes Verfahren. Das stimmt jedoch nicht ganz, und zwar vor allem aufgrund der Unterschiedlichkeit der beiden Perioden. Die Situation der Philosophie war im Ganzen gesehen eine andere. Der Versöhnungsversuch Brentanos zwischen Wissenschaft und Religion (auf Kosten der Philosophie und vor allem der „spekulativen" deutschen Philosophie) erwies sich als ein „historischer" Kompromiß der Philosophie in der zweiten Hälfte des 19. Jahrhunderts. Man denke hier vor allem an den Neukantianismus, der nach Austragung dieses Konfliktes als führende Schule bestehen blieb und in dem sich der gleiche Kompromiß verwirklichte. Brentano tat also nur, was die entscheidende Mehrheit der philosophischen Richtungen tat. Bei der Beurteilung seines Werkes darf dieser Aspekt nicht unberücksichtigt bleiben.

Im Rahmen seiner universalistischen Konzeption trug er mit bleibenden Ergebnissen zur Lösung vieler Einzelprobleme bei. Nicht wenige seiner Ergebnisse sollen in dieser Arbeit noch erwähnt werden. Er erzielte sie jedoch im Kontext mit einer expliziten Harmonistik. Sein innerer Zwist zwischen den Forderungen des Universalismus und der Wissenschaftlichkeit zog sich jedenfalls als roter Faden durch sein Leben. Dazu gehört seine thesenhafte Theorie über die Stadien der philosophischen Entwicklung, in der u. a. gleich das erste und dem historischen Universalismus am nächsten stehende Stadium das vollkommenste ist.[107] Dazu gehören aber auch seine Ausfälle gegen jede Mystik, Mystifizierung und Schwärmerei,[108] nicht unwesentlich sind seine steten Stellungnahmen zugunsten von Wissenschaftlichkeit und Methode.[109] Seine dauerhaften Erfolge in der Philosophie sind auch aus heutiger Sicht beachtenswert: die Erneuerung des Begriffs der Intentionalität, die Unterscheidung zwischen beschreibender und erklärender Psychologie, seine Untersuchungen über die Evidenz, sein Versuch, alle Urteile in existentielle Aussagen umzuschreiben, usw.[110] Seine Tätigkeit trug relevant dazu bei, daß der Universalismus bis in die letzten Jahrzehnte in Wien lebendig blieb, aber auch dazu, daß in denselben Jahrzehnten die Wissenschaftlichkeit so hoch im Ansehen stand. Anders ausgedrückt: Brentano hatte Schüler wie Stumpf und Husserl, aber auch Schüler wie den Theosophen Rudolf Steiner. Dieses innere Dilemma Brentanos zwischen Universalismus und Positivismus schuf letzten Endes günstige Bedingungen für das geistige Leben der letzten Zeit der Monarchie, für eine Zeit, die von diesem Dilemma keineswegs verschont blieb.

Die „zweite“ Aufklärung

Zwischen Aufklärung und Technokratie

Josef Popper-Lynkeus

Die umfassendste Denkströmung des liberalen Zeitalters, das den letzten zwanzig bis dreißig Jahren der Monarchie unmittelbar voranging, kann am treffendsten als „zweite“ Aufklärung bezeichnet werden. Wir betrachten diese zweite gewaltige Welle jedoch als umfassende, integrierende Strömung, die mehrere andere Ansätze enthält (etwa in der Wissenschaft den Positivismus, in der Kunst gelegentlich den Impressionismus, in der Ethik gewisse, mit der Aufklärung übrigens in genetischer Verbindung stehende Auffassungen wie z. B. den Eudämonismus u. a.). Dieser „zweiten“ Aufklärung steht der Positivismus am nächsten. Dieser Zusammenhang kann auch umgekehrt, von der anderen Richtung aus formuliert werden: die „zweite“ Aufklärung gilt in unseren Augen als Bestandteil des in Österreich-Ungarn sehr vielseitigen, vielschichtigen, über viele inhaltliche Bestimmungen verfügenden Positivismus. Um es nun kurz, ohne den Anspruch auf Vollständigkeit zu erheben, vorauszuschicken: wir denken an die frühe Kulturkritik (die im Zeichen des Positivismus vor sich ging), an die frühe Wissenschaftstheorie (ebenfalls unter dem Deckmantel des Positivismus, wie bei Mach), ferner an die wegen ihrer mutigen Themenwahl höchst wichtig gewordenen monographischen Werke der Sexologie (Krafft-Ebing und andere) bis hin zur kühnen Erschließung der Tragik nationaler Kämpfe (ein Beispiel: Gumplowicz), die ebenfalls nach der Methode des Positivismus erfolgt, sowie an die höchst merkwürdigen Versuche, die historischen Komplexe mit einer ebenfalls positivistisch untermauerten ,,Bipolarität" zu erfassen und somit zu einem vollgültigen methodischen Widerpart zu den universalistischen Konstruktionen des 19. Jahrhunderts zu gelangen. Wir halten es jedoch für angebracht, einen wesentlichen Teil des Positivismus unter der Bezeichnung ,,zweite" Aufklärung zusammenzufassen, weil der Positivismus hier eher ein untergeordneter Bestandteil der großangelegten aufklärerischen Konzeption zu sein scheint, als daß umgekehrt die Aufklärung ein untergeordneter Bestandteil des Positivismus wäre. Auf die Gründe dieses Variationsreichtums und dieser Vitalität des Positivismus müssen wir freilich noch zurückkommen. Dieser Zug unterscheidet sich stark von jenem eindeutigeren, oft simpleren und nicht selten sogar anspruchsloser scheinenden Positivismus Westeuropas. Letzten Endes faßte diese Aufklärung auch die Überreste der weiter oben beschriebenen geistigen Strömungen des Barock, des Josephinismus und des Herbartianismus zusammen, sie war weltanschaulich die erste umfassende Richtung, die sich nicht zuletzt mit positivistischer Argumentation gegen den Universalismus richtete und sich dabei auf eine dynamische Sozialschicht stützen konnte. Nichtsdestoweniger bewahrte sie jedoch markante Charakteristika der universalistischen Richtungen. Wir wollen die beispielhaften Züge dieser monarchieinternen ,,zweiten" Aufklärung vor allem anhand der Analyse des *Voltaire* von Popper-Lynkeus (erste Ausgabe 1905)[111] zeigen, in welchem das Wichtigste über das Wesen dieser Richtung paradigmatisch enthalten ist. Die berühmt gewordene Vielseitigkeit der cisleithanischen Denker ist auch für Popper-Lynkeus kennzeichnend. Dank des Einkommens aus seiner frühen technischen Erfindung konnte er seine Zeit und Energie der Verwirklichung seiner Pläne widmen. Er ist sich der wachsenden Bedeutung der sozialen Frage vollkommen bewußt. Die Lösung, die er vorschlägt, zielt darauf ab, die Lebensmittelversorgung der Welt zu organisieren und zu diesem Zweck ein Heer aufzustellen. Die wahre Sorge des Menschen gilt auch bei ihm, ganz im Zeichen der großen österreichischen Tradition, dem ,,Leben" und dem ,,Tod", oder, wie es der Titel eines seiner Hauptwerke formuliert: dem ,,Recht" zum Leben und der

„Pflicht“ zum Tode. Der Sinn des Lebens liegt auch bei ihm in der Pflege des Allgemeinwohls, seine wichtigsten Begriffe sind Verstand, Vernunft, Toleranz und Gewissen. Die Bipolarität von Leben und Tod ist in dieser Aufklärung ein über alle Zweifel erhabenes Motiv des Barock. Etwas allgemeiner könnte dies wissenssoziologisch dahingehend interpretiert werden, daß diese Aufklärung nicht von einem unvernünftigen *ancien régime* zum Reich der Vernunft führt, sondern sich einen unendlichen Weg vorstellt, auf dem das „Wohl des Ganzen“ endlich verwirklicht werden kann. Zu diesem Komplex gehört auch Popper-Lynkeus' scharfe Ablehnung der Französischen Revolution (die für die gesamte „zweite“ Aufklärung charakteristisch ist), aber auch seine Auffassung des Menschen, dessen „physische“ Existenz stets verteidigt und geachtet werden muß. Letzteres kann unschwer als eine „säkularisierte Fassung“ der universalistischen Kreatürlichkeit gedeutet werden.

Popper-Lynkeus' Monographie über Voltaire ist eine offene „Verteidigungsschrift“ des französischen Meisters. Der Autor nimmt Voltaire gegen alle Welt in Schutz, und zwar unter zweierlei Aspekten. Der eine, für uns diesmal weniger interessante, ist die Verteidigung des dramatischen Schaffens Voltaires gegen die im letzten Jahrhundert sich mehrenden — und oft auch nicht unberechtigten — kritischen Äußerungen. Der andere Gesichtspunkt ist die Verteidigung Voltaires vor allem gegen den Vorwurf, daß er ein „böser“, „unmoralischer“ oder eben „frivoler“ Mensch bzw. Denker gewesen sei. In seiner Analyse der Beziehung zwischen Voltaire und Friedrich dem Großen kommt Popper-Lynkeus zu einem ähnlichen Schluß wie Mehring im Deutschland des achtzehnten Jahrhunderts. In der Lessing-Legende Mehrings wird Lessing ebenso als Vorkämpfer der Kritik der preußischen Entwicklung dargestellt wie Voltaire bei Popper-Lynkeus.[112] Was Popper-Lynkeus an Voltaire so hochschätzt, ist nicht so sehr dessen Esprit, auch nicht sein Beitrag zur Verbreitung der empirischen englischen Philosophie auf dem Kontinent, ja nicht einmal seine einmalige Ausstrahlung, welche die Lehren der Aufklärung verbreiten half. Die Kirchenfeindlichkeit Voltaires spielt in Poppers Darstellung auch nur eine mehr untergeordnete Rolle.

Der Philosoph gewinnt die Sympathie Popper-Lynkeus' vor allem durch seinen Einsatz für die unschuldig Verfolgten, wie beispielsweise in der Affäre Calas. Ein Hinweis auf den Dreyfus-Prozeß liegt nahe, und es ist kein Zufall, daß auch in der Publizistik von Endre Ady etwa zur gleichen Zeit ein ähnlicher Zusammenhang zwischen Calas und Dreyfus wie zwischen Voltaire und Zola aufgezeigt wird.[113)] Popper-Lynkeus kämpft für Einsicht und Toleranz, und zwar gegen „... bornierte Philister und Tugendbolde, fanatische Gläubige wie geistesschwache Religionsschwärmer, enragierte Chauvinisten und Nationalisten, okkultistische Anbeter menschlicher Torheiten, die sie des menschlichen Geistes ‚Tiefen' nennen, einseitig produktive Künstler wie ebensolche nichtproduktive Kunstgemüter, von ihrer eigenen Wichtigkeit über alle Gebühr eingenommene Gelehrte, aber auch vollkommene Ignoranten — sie alle, meist ohne Sinn für den Ernst des Lebens und ohne Gerechtigkeit im Urteil sind als Anschwärzer Voltaires angetreten und treten noch heute so auf."[114)] Auch in der immer stärker werdenden Strömung des Nationalismus sieht Popper-Lynkeus eine Gefahr für die seinem Herzen nahestehende Voltaire-Tradition. Dem Nationalismus begegnet Voltaire wegen des „außerdeutschen Wesens" seines Denkens von vornherein mit Mißtrauen.[115)]

Diese „zweite" Aufklärung ist auch *par excellence* bürgerlicher Natur, sie spiegelt die Lage des Bürgertums in der Monarchie mit gewisser Genauigkeit wider und bewahrt damit wesentliche Tendenzen der ursprünglichen Aufklärung. Denn — und wir verweisen auf die vorangehende Aufzählung Popper-Lynkeus' — das bornierte Philistertum bedroht auch die bürgerliche Welt (und das ist nicht bloß ein „Künstlerproblem", wie in der deutschen Romantik oder bei Nietzsche, kein radikaler Ausdruck der Enttäuschung über das Bürgertum wie — indirekt — bei Kierkegaard, auch ist nicht die Rede von den „feigen" und „unrettbaren" Philistern wie in den antibürgerlichen Angriffen Mehrings).[116)] Religion und Kirche sind nicht mehr vom josephinistischen Gesichtspunkt aus zu bekämpfen, sondern weil sie mit ihrem „Aberglauben" das „Volk" in der „Dunkelheit" festhalten und es sogar gegen die Verbreiter des

„Lichtes“ aufhetzen. Voltaire ist bei Popper-Lynkeus nicht *der* Vertreter der siegreichen Klasse, sondern nunmehr das Beispiel eines Rückzugs. Die Monarchie der Habsburger räumte dem Bürgertum zwar die Möglichkeit zur Emanzipation ein, dieses jedoch konnte politisch davon in dieser Epoche kaum profitieren. Lediglich das deutsch-österreichische liberale Bürgertum hatte eine beherrschende Stellung inne — die auch seiner wirtschaftlichen Bedeutung entsprach —, doch auch seine politische Position war ab den achtziger Jahren nicht immer eindeutig. In diesem Zusammenhang müßte freilich auch geklärt werden, inwieweit die Regierung in bürgerlich-liberale Hände kam. Die ökonomische und politische Liberalisierung des Landes war eine Tatsache, sie bedeutete jedoch nicht nur einen ersten Schritt nach mehreren Jahrhunderten des Absolutismus, sondern stellte darüber hinaus auch einen Kompromiß zwischen den dynamischen bürgerlichen Gruppen bzw. den traditionell herrschenden Schichten dar. Bedenkt man ferner, daß diesem Liberalismus sehr bald überaus mächtige Gegner erwuchsen, so können wir die Wichtigkeit dieser Frage ermessen. Dies ist um so wesentlicher, als man leicht geneigt ist, „Liberalismus“ und „Liberalismus“ gleichzusetzen, d. h. die Minus-Faktoren des österreichischen Liberalismus nicht zur Kenntnis zu nehmen oder sie bestenfalls im Rahmen des Nationalitätenproblems zu behandeln.[117)] Die Position von Popper-Lynkeus wird erstens durch die Stabilität und die feste Verankerung ihrer Grundlage, zweitens durch ihre effektive Ferne von ausführender Macht und drittens durch die Absicht charakterisiert, Prognosen über die soziale Entwicklung zu stellen. Das sich entfaltende Bürgertum der verschiedenen Nationen und Nationalitäten, die neue Klasse also, war mehr oder minder habsburgfeindlich. Ein besonderer Stellenwert kommt dabei der Lage des jüdischen Bürgertums zu. Mit dem Dahinschwinden des prinzipiellen Liberalismus und der Verschärfung der nationalen Gegensätze stieg auch bei den Juden das Gefühl der Unsicherheit. Nur am Rande sei erwähnt, daß der Standpunkt des Bürgertums innerhalb der einzelnen Nationalitäten nicht immer identisch war mit jenem der bürgerlichen Intellektuellen der gleichen Nationalität. Eine befriedigende Erklärung für den Zwiespalt des Bürgertums im Bann der Monarchie finden wir also nur im Lichte der Nationalitätenfrage. In Österreich und in Ungarn — bis zu einem gewissen Grade auch in Böhmen — waren die Aristokratie und andere ehemals rein feudale Schichten die Rivalen, gegen die das Bürgertum in der Dynastie bzw. in der kaiserlich-königlichen Bürokratie einen natürlichen Verbündeten fand. Bei anderen Völkern aber — gerade auf Grund der Nicht-Existenz einer nationalen Führungsschicht — hätten die sich entfaltenden nationalen bürgerlichen Schichten im Falle einer Auflösung der Monarchie nach der Macht gegriffen; sie wurden folglich auch aus diesem Grunde monarchiefeindlich. Auf diesen engen Zusammenhang zwischen der Problematik der Mittelklassen und jener der Nationalitäten soll im späteren noch näher eingegangen werden.

Popper-Lynkeus sieht in dem gegen soziales Unrecht und Justizmord kämpfenden Voltaire *den* unmittelbaren Vorläufer des liberalen, humanen Geistes in Österreich. Er versucht nachzuweisen (ohne jegliche Ironie), daß Voltaire eigentlich ein herzensguter Mensch war. Wenn er seine Kontrahenten in Vergangenheit und Gegenwart aufzählt, legt er jederzeit ein offenes Bekenntnis zu seiner eigenen Weltanschauung ab.[118] Nicht weniger merkwürdig ist, was er von der Kampfmethode Voltaires, seiner „kulturellen Aktivität", hält. So schreibt Popper: „Er ist bis heute noch der gewaltigste Repräsentant kultureller Aktivität, der je gelebt hat."[119] Es ist hier die Rede von der „Verbesserung" der Zustände, im Zusammenhang mit einer Persönlichkeit, die — in den Augen Poppers — die Welt nicht durch politische oder gesellschaftliche Aktivität, sondern charakteristischerweise durch „kulturelle Aktivität" veränderte. Popper ist Anhänger der Aufklärung, keineswegs aber der Französischen Revolution, und ein Exponent jener bürgerlichen Schicht, welche die Nutznießerin — jedoch auch die Vorkämpferin — des Humanismus und des Liberalismus in der Monarchie ist. Er sieht die soziale Ungleichheit, die er bekämpfen möchte, aber die Konzipierung neuer umwälzender Möglichkeiten ist für ihn nicht mehr denkbar. Einem typisch österreichischen Gedanken, aber auch einem Überrest jenes Universalismus mit anthropologischem Einschlag folgend, stellt für ihn das „Leben“ selbst den höchsten Wert dar. Er versteht unter „Leben“ noch nicht den impressionistischen Begriff, sondern die unmittelbare physische Existenz jedes Menschen: „... erst wenn... die Achtung vor der physischen Integrität jedes einzelnen Menschen so hoch gestiegen sein wird, daß alles andere dagegen für nichts gerechnet wird, kann man von einer erreichten ethischen Kultur sprechen.“[120] Er ist bereits lange vor dem Weltkrieg bewußter Pazifist.[121] Als Aufklärer der „zweiten Welle“ geht er in der religionsfeindlichen Einstellung des vielseitigen Kulturkampfes so weit, daß er selbst den alten Tolstoj als „ethischen“ und nicht als religiösen Dichter bzw. Denker betrachtet.[122] Wie mehrmals angedeutet, trägt zu dieser Ablehnung der Religion zweifellos das Motiv bei, daß die Religion die Massen — historisch gesehen — daran hindern kann, ihre existenziellen Interessen zu erkennen. In dieselbe Kerbe schlagen auch seine Angriffe gegen die Philosophie, gegen die Theorie überhaupt.[123] Als weiteres, ebenfalls in der Aufklärung — hier jedoch eher in negativem Sinn — wurzelndes Motiv ist es anzusehen, daß er jene tiefe, oft nicht einmal mehr bewußte Verwobenheit der religiösen Wertung, der religiösen Einstellung mit der Identität der europäischen Kultur überhaupt nicht bemerkt, die zu seiner Zeit zu einem der Hauptthemen der Nietzscheschen Philosophie geworden ist.[124] So bleibt die Religion für ihn auch in anderen Hinsichten ein leicht lösbares Rätsel, da sie (1) unwissenschaftlich, (2) praktisch eigentlich überhaupt nicht nützlich ist und (3) ihre Weiterexistenz vor allem der Unterstützung äußerer Mächte verdankt. Sein Beharren auf der orthodox aufklärerischen Einstellung schwächt zwar seine praktische Philosophie nicht, verleiht ihr aber in der Theorie eine umgreifende Eindimensionalität. Ins Detail gehend, faßt der folgende Text seine Konzeption der Religion zusammen: „Wir können ebensowenig z. B. die christliche Religion akzeptieren, bloß um damit glücklicher zu werden, wie wir glauben können, zwei mal zwei sei fünf, selbst wenn uns jemand das Paradies auf diesen Glauben garantieren würde... Der praktische Nutzen der Religion, darunter eine Gemütsbeziehung zu unbekannten höheren Wesen verstanden, ist bei weitem geringer als es in der Regel geglaubt wird oder wenigstens angegeben wird. Sie ist auch nach ihren guten Seiten ersetzbar und sogar zu übertreffen, in ihren schlimmen Wirkungen ist sie unerreicht... Um das religiöse wie auch das metaphysische Bedürfnis verschwinden zu machen, braucht es nur den Willen und die Zeit für Behebung der äußeren Widerstände gegen eine gründliche Geistes- und Gemütsbildung in Schule und Haus...“ [125]

Popper-Lynkeus war ein Freund von Ernst Mach, Schnitzler, Bahr und Einstein. Über sein 1899 erschienenes Buch *Die Phantasien eines Realisten* schreibt Sigmund Freud: „Das eigenartigste und bedeutsamste Stück meiner Traumtheorie, die Zurückführung der Traumeinstellung auf einen inneren Konflikt, eine Art von innerer Unaufrichtigkeit, fand ich bei einem Autor wieder, dem zwar die Medizin, nicht aber die Philosophie fremd geblieben war, dem berühmten Ingenieur J. Popper, der unter dem Namen Lynkeus 1899 die *Phantasien eines Realisten* veröffentlich hatte.“ [126] Freud verweist hier auf die Novelle *Träumen wie Wachen* von Popper. Am Anfang dieser Erzählung berichtet der Held seinem Freund: „Mein Denken und meine Träume sind Zweige eines Stammes und stützten einander in der artigsten Weise... Andere rechnen ihr Leben eigentlich nur nach ihren wachen Stunden, das sind also ungefähr vierzehn, höchstens sechzehn Stunden von vierundzwanzig; ich kann die vollen vierundzwanzig Stunden zu meinem Leben rechnen.“ [127] Sein Freund erzählt ihm eine Geschichte, deren Version er nachträumt. Anderntags erzählt er ihm, was er träumte, und bemerkt dann: „Du bist bleich geworden, und mir ist's ähnlich ergangen (sagte der Mann), die Sache muß also wohl eine wahrhaftige sein, obwohl sie sich nie zugetragen hat und vielleicht nie zutragen wird. Wir fühlen eben, daß wir in die geheimsten Winkel des menschlichen Herzens geblickt haben.“ [128] Am Ende der Erzählung stellt er gleichsam die These auf: „Ein Traum, an den man sich so deutlich erinnert, daß man ihn nacherzählen kann... hat *immer* Sinn.“ [129] Auch der Ausspruch Freuds wird klar, als davon die Rede ist, wieso die Träumenden ihre Träume nicht selbst interpretieren können: „Es scheint bei Euch etwas Verstecktes in den Träumen zu liegen,... eine gewisse Heimlichkeit in Eurem

Wesen, die schwer auszudenken ist; und darum scheint Euer Träumen so oft ohne Sinn... Es ist aber im tiefsten Grunde durchaus nicht so; ja, es kann gar nicht so sein, denn es ist immer derselbe Mensch, ob er wacht oder träumt."[130]

Diese Übereinstimmung von Popper-Lynkeus und Freud in der Traumdeutung verweist auf eine der Grundfragen des geistigen Lebens in Österreich-Ungarn. Die Bedeutung dieser Feststellung kann man — einerseits — nicht unmittelbar mechanisch aus der konkreten Problematik der Monarchie ableiten, andererseits ist es jedoch auch nur schwer vorstellbar, daß irgendwo anders auf der Welt zwei so gewichtige Forscher gleichzeitig die psychologische Bedeutung eines so trivial alltäglichen, mit „positiven" Mitteln so problematisch erfaßbaren Phänomens, wie es der Traum ist, für sich entdecken würden. Die ausgeprägte Neigung, nach dem Humanen, nach dem Eigentlichen im Menschen zu fragen, gehörte unbestreitbar zu den geheimen Sondereigenschaften Österreich-Ungarns.

In Poppers Anthropologie steht bis zum Ende der kreatürlich aufgefaßte Mensch im Mittelpunkt. So überraschende Aspekte diese Einstellung auch bietet (insbesondere wenn man bedenkt, wie oft die Anerkennung der physischen Existenz des anderen Menschen stillschweigend beiseite geschoben wird), fehlt es dieser Konzeption auf der anderen Seite oft an Konkretheit und sozialer Relevanz. Für uns ist dieses zähe Weiterleben des kreatürlichen Menschenbildes unter anderem auch einer der schlagendsten Beweise für das Dauerhafte der ineinander übergehenden, einander im Großen widersprechenden Weltanschauungen. Eine der schönsten Formulierungen Poppers in dieser Hinsicht lautet: „Wenn irgendein selbst noch so unbedeutendes Individuum, das keines anderen Leben mit Absicht gefährdet, ohne oder gar wider seinen Willen aus der Welt verschwindet, so ist das ein ungleich wichtigeres Ereignis als alle politischen, religiösen oder nationalen Ereignisse und als sämtliche wissenschaftlichen, künstlerischen und technischen Fortschritte aller Jahrhunderte und Völker zusammengenommen."[131]

Ein weiterer wichtiger Punkt in Poppers Denken und Tun läßt ihn aus ideengeschichtlicher Sicht als eminent bedeutenden

Denker erscheinen. Er suchte nämlich die in großen Zügen wirksam gebliebene aufklärerische Tradition mit den verblüffend modernen Ansätzen einer mehr oder weniger eindeutig *technokratischen* Denkweise in Einklang zu bringen. Technokratisch ist sein Denkstil, weil er die traditionellen Mechanismen der Politik bei der Steuerung der sozialen Prozesse im wesentlichen ausschaltet und die Lebensprozesse der Gesellschaft teilweise durch Neuverteilung der Arbeit regeln will. Der für diese Neuregelung unerläßliche Konsens wird durch die ursprünglichen Gehalte der Aufklärung gewährleistet, insbesondere durch den vorhin zitierten Grundgedanken über den inkommensurablen Wert des menschlichen Individuums. Ich glaube, daß dieses Zusammentreffen eines eher traditionellen Aufklärertums mit der Technokratie unseres Jahrhunderts, sogar unserer Jahrzehnte, auch dafür ein gutes Beispiel geben kann, welche konkreten Einzelheiten eigentlich die Kreativität Österreichs ausmachten, welche Schöpfungen des geistigen Lebens in summa dieses Land für das moderne Denken so bedeutend werden ließen. Poppers wichtigstes Motiv bei der Neuregelung der sozialen Arbeit war sein aus aufklärerischen Überlegungen resultierendes Mißtrauen gegenüber der Einführung des Kapitalismus und der freien Konkurrenz in den Ländern Österreich-Ungarns.[132] Seine Antwort auf die Kapitalisierung bzw. die Industrielle Revolution wird durch eine eigenartige Mittelposition bestimmt. Als liberaler Bürger und Ingenieur, der doch gewisse Gründe gehabt hätte, sich mit diesem Prozeß zu identifizieren, lehnt er diese Entwicklung eindeutig ab. Er verirrt sich dabei aber weder in einen Utopismus noch in an sich wertvolle persönlichkeitsidealistische Vorstellungen (wie dies vor allem in England nicht selten der Fall war; man denke etwa an Carlyle oder Ruskin),[133] sondern versucht, gleich *praktisch zu helfen*. Er arbeitet die oft angesprochene Konzeption der „allgemeinen Nährpflicht" aus, die das Ziel der vorhin erwähnten Reorganisation der gesellschaftlichen Produktion ist, und unterstützt die andernorts erzielten Fortschritte hinsichtlich eines Mindestlohnes.[134]

Eine überaus groteske Kapriole der Geschichte war es, daß er gerade in den Anordnungen der Kriegswirtschaft (!) die bis dahin größte Bestätigung seiner Vorstellungen findet: „Der Krieg hat das Gemüt jedes Menschen erschüttert und die Gedanken von dem eigenen Schicksal auf das der Mitmenschen gelenkt. Wir sind durch mannigfache Regierungsmaßnahmen und Hilfsaktionen, die man zusammenfassend als ‚Kriegssozialismus‘ bezeichnet hat, merkbar in die Bahnen eines praktischen Sozialismus gelenkt... Zwar dient alles dieses größtenteils dem Kriegszwecke; manches jedoch wird wohl auch in den Frieden hinübergenommen werden, in der aufdämmernden Erkenntnis, daß, gleichwie jeder Soldat, *überhaupt jeder Staatsangehörige* stets vor Not oder Entbehrung so weit als möglich geschützt sein sollte.“ [135] (Hervorhebung im Original)

Theoretisch — im engeren Sinne des Wortes — zog Popper-Lynkeus aus seinen eigenen Zukunftsplänen bei weitem nicht die volle Konsequenz. So müssen wir auf diesen oder jenen Zusammenhang (wie beispielsweise die Beziehung der freien kapitalistischen Wirtschaft — die Popper-Lynkeus nicht aufgeben will — zur organisierten Arbeit der „Nährarmee“ oder das Problem der „Macht“ in der Gesellschaft) später noch zurückkommen. Seine Vereinigung der Aufklärung mit der modernen Technokratie ist jedoch ohne Zweifel eines der weitreichendsten, wertvollsten Phänomene der „zweiten“ Aufklärung.

Wir können nicht umhin, am Ende dieser kurzen Darstellung Popper-Lynkeus' das Porträt Ernst Machs bei Friedrich Adler heraufzubeschwören, das in allen seinen wesentlichen Zügen auch auf den Denker der „allgemeinen Nährpflicht“ zutrifft: „Ein nimmermüder, unerschrockener Streiter für die Geistesfreiheit (!) ist mit Ernst Mach dahingegangen. Jeder Dogmatismus war seinem Wesen fremd. Aus innerster Seele haßte er jede Beschränkung der freien Forschung, jede Hemmung der Ausbreitung und Vertiefung der allgemeinen Bildung im Volke. Der Klerikalismus galt ihm als Hauptfeind (!), an dessen Bekämpfung er zeit seines Lebens mitzuwirken suchte. Für die Verbesserung der Schule hat er mit aller Kraft gearbeitet, wiederholt ist er in diesem Kampfe öffentlich hervorgetreten... (Mach) zeigte, wie in der Geschichte der Menschheit und in jedem einzelnen Menschen der ‚Sinn für das Wunderbare‘

allmählich durch der ,Trieb der Aufklärung' überwunden wird... Nationaler Chauvinismus war dem Innersten von Machs Wesen fremd, das im kleinen wie im großen stets zur freimütigsten Anerkennung fremder Verdienste bereit war... (Mach) war zeit seines Lebens ein unbeugsamer Mann, dem es ernst war mit den freiheitlichen und demokratischen Idealen von 1789. In den letzten zwei Jahrzehnten faßte er auch immer tieferes Interesse für soziale Probleme...“ [136] So fragwürdig es ist, die Charakterisierung Machs auf Popper-Lynkeus anzuwenden, trifft sie doch exakt auf ihn zu.

Emanzipation auf anthropologischer Grundlage oder Das Universale im Konkreten

Friedrich Jodl

Die „zweite“ Aufklärung Österreich-Ungarns und der Positivismus gehen auch im Werk Friedrich Jodls beispielhaft zusammen. Hier wird deutlich, daß diese Koexistenz in allererster Linie aufgrund der unerschütterten universalistischen Grundstruktur des als offiziell angesehenen Denkens möglich wurde. Die „Wissenschaftlichkeit“ des Positivismus sowie das Engagement für die Aufklärung stehen dabei in besonders engem Zusammenhang. Diese Symbiose von Positivismus und Aufklärung, etwas allgemeiner, der Variationsreichtum und die Vielfalt des positivistischen Ansatzes, ist übrigens eine Tatsache, die in der Philosophiegeschichte bis heute weitgehend unberücksichtigt blieb. [137] Dadurch wird der tatsächliche Reichtum der philosophischen Entwicklung vereinfacht, und die Vorgänge werden im engsten Sinne des Wortes *eindimensional.* Jodl folgt aber auch einem Vorbild aus der unmittelbaren Vergangenheit der deutschen Philosophie. Ähnlich wie Herbart oder Trendelenburg, spielt Ludwig Feuerbach eine bedeutende Rolle im geistigen Leben Österreich-Ungarns. Seine Stellung, so muß zugegeben werden, ist sowohl sachlich als auch weltanschaulich durchaus begründet. Sein Denken (aber auch seine

Person) entspricht einer vollgültigen, zum Teil posthegelianischen Reinkarnation der klassischen Aufklärung des 18. Jahrhunderts. Es ist in vieler Hinsicht immer noch ein Rätsel, wie durch ihn in Deutschland nach so vielen Kapiteln der philosophischen Entwicklung ein so vollständig aufklärerisches Weltbild entstehen konnte. Als Erklärung dafür bietet sich Jodls These über „Feuerbachs wunderbaren Blick für das Reale"[138] an, mit welchem er die Ethik vom „Glückseligkeitsprinzip" nicht abstrahiert sehen wollte,[139] die primäre Bedeutung des Sinnlich-Konkreten während der Vorherrschaft der „Negation der Negation" Hegels hervorhob[140] und die praktische Emanzipation des Menschen nicht vom Horizont der Philosophie verschwinden ließ. Es ist eine andere Frage, ob er all seine großen Ansätze philosophisch lösen konnte oder nicht, jedenfalls gab er der Entwicklung der Hegelschen Schule vielfache Anregung und wurde als Leitstern der österreichischen „zweiten" Aufklärung anerkannt. Seine Bedeutung für die österreichische Philosophie ist deshalb jener Leibniz', Humes oder Herbarts ebenbürtig.

Der Variationsreichtum und die Vielschichtigkeit des Positivismus wurden bereits oft angedeutet. In engerer wissenschaftlicher Sicht lag diesem wiederum die Vorherrschaft des Universalismus zugrunde. In diesem Kontrastverhältnis potenzierten sich die nicht-universalistischen Velleitäten des szientistischen Positivismus, und die gesamte Richtung arbeitete letzten Endes „dimensionsändernd". Vergegenwärtigt man sich, mit welcher Ideologie zum Beispiel Comte seinen Positivismus empfohlen hat, wird der Unterschied deutlich.[141] Comtes Begleitideologie lautete geradezu universalistisch — der Leser wird sich daran erinnern, wie schnell dies beispielsweise Brentano verstanden und ausgenützt hatte. Eine ähnliche Wechselbeziehung läßt sich in Österreich-Ungarn auch im sozialen Bereich feststellen. Erst in der Zeit Popper-Lynkeus' und Jodls kam ein mit universalistischen Strukturen in jeder Hinsicht ganz und gar unzufriedenes dynamisches Bürgertum auf. Es war somit erstmals in der neueren Geschichte dieses Gebietes der Fall, daß sich eine wirklich bedeutende soziale Gruppierung einer nicht-universalistischen Denkrichtung anschloß.

Dies bedeutete jedoch bei weitem noch nicht, daß der Sieg der nicht-universalistischen Einstellungen dadurch schon endgültig gesichert gewesen wäre. Jedenfalls entstand eine gewaltige soziale Bewegung, die auch mit ein Produkt der umsichgreifenden Industrialisierung war und sich offen mit dem aufklärerischen Positivismus identifizierte. Dies erwies sich für die weitere Entwicklung des österreichischen Denkens als entscheidend.[142)]

Jodls Denken ist in zahlreichen Einzelheiten dem Aufklärertum Popper-Lynkeus' ähnlich geartet. Beide gehen vom Konkret-Sinnlichen aus, nähern sich allen Problemen mit mehr oder weniger offener emanzipatorischer Absicht und suchen dem Recht des Materiellen im Gegensatz zu allem Formalen Geltung zu verschaffen.[143)] Aufbauend auf Feuerbach, vertreten beide die Maxime „Homo homini deus" und messen in jedem nur möglichen Zusammenhang der Zeit und der zeitlichen Entfaltung große Bedeutung bei, was ausreichender Beweis für ihr Vertrauen in die historische Progression ist. Der Theoriefeindlichkeit Popper-Lynkeus' lag seine Leidenschaft zugrunde, daß „Ideologien" die Menschen zu Opfern fremder Ziele machen können, bei Jodl heißt es entsprechend, daß die eigene Glückseligkeit „zwar nicht Zweck und Ziel der Moral, aber ihre Grundlage und Voraussetzung"[144)] sein muß. Dieser aufklärerische Eudämonismus gewinnt seine theoretische Gestalt in der Form des „Anthropologismus", d. h. in der „rein anthropologischen Begründung" des Rechts bzw. der Gerechtigkeit.[145)] Die Bezeichnung „rein" weist auf die Eigentümlichkeit dieser philosophischen Konzeption hin; die anthropologische Begründung greift tiefer als die eventuell politische oder metaphysische.[146)] Wir haben gesehen, daß dies eigentlich auch bei Popper-Lynkeus der Fall war. Popper-Lynkeus' Kult der physischen Existenz jedes Lebewesens war ebenfalls eine Art anthropologischer Begründung aller anderen Objektivationen und Überlegungen: Zweifellos jedoch gab Jodl derselben Vorstellung eine philosophisch exaktere Form.

Für Jodl, wie auch für die „zweite" Aufklärung Österreich-Ungarns überhaupt, war eine beträchtliche denkerische Elastizität und Toleranz charakteristisch. Trotz der Eindeutigkeit der anthropologischen Begründung will Jodl beispielsweise die vielen Unterschiede in dem ethischen Verhalten keineswegs aus der Welt schaffen: „... keine Ethik kann verhindern, daß der Bauer die Welt mit anderen Augen ansieht als der Fabriksarbeiter, der Handwerker anders als der Kaufmann und der Großindustrielle, der Bewohner des Binnenlandes anders als der Küstenmensch usw. Die natürlichen Gegensätze, in welche sich die Gesellschaft gliedert, wegamputieren zu wollen, wäre ein törichtes und aussichtsloses Beginnen. Es wird und muß immer politische Parteien geben in einem freien, sich selbst regierenden Gemeinwesen; und der ethische Gedanke kann und darf sich den einzelnen Parteien so wenig entgegensetzen, als sich mit einer derselben zu identifizieren: er soll versuchen, sie alle zu durchdringen."[147] Aus diesem Grund kann ich Albert Fuchs nicht ganz zustimmen, wenn er über Jodls Vorstellung sagt: „Jodls moralphilosophische Schriften leiden an einem Defekt: sie sind nicht soziologisch fundiert."[148] Diese Kritik kann bestenfalls dem Schein nach richtig sein. Neben dem ins Auge springenden praktisch-emanzipativen Zug mag zwar eine, wenn auch schulmäßige, soziologische Fundierung fehlen, was aber weder bedeutet, daß Jodl nicht einen ausgeprägten und soziologisch einwandfrei identifizierbaren Standpunkt einnahm (wir haben versucht, diesen bei der Situierung Popper-Lynkeus' ebenfalls relativ eingehend darzustellen) noch daß er in der Ausführung seiner auf Anthropologie gegründeten Vorstellung soziologische Aspekte außer acht gelassen hätte. Dieser Einwand kann höchstwahrscheinlich erst vor einem Erwartungshorizont entstehen, welcher gewohnt ist, in den Aspekten der „Soziologie" stets die gesellschaftliche *Differenzierung* vertreten zu sehen. Jodls „Soziologie", wie auch jene der „zweiten" Aufklärung überhaupt, enthält eigentlich soziologische Voraussetzungen der „Integration".[149]

Diese geistige Elastizität trug auch dazu bei, daß er im Rahmen der Ethik für zahlreiche Fragestellungen sowohl hinsichtlich des Gehalts als auch hinsichtlich der Methode offen blieb. Am Ende seiner Laufbahn wandte sich Jodl beispielsweise bereits Fragen der ethischen Urteilsbildung zu.

Wendet man sich dem auch von Feuerbach artikulierten

Anthropologismus zu, so kann im Rückblick gezeigt werden, daß dieser ebenso für das Barock, den Josephinismus und den Universalismus des 19. Jahrhunderts in erstaunlich ähnlicher Ausprägungsform kennzeichnend war.

Was wir im vorhergehenden als die „Lebensnähe" dieser Systeme zu erfassen suchten, kann mit Hilfe dieses Terminus sachlich korrekter wiedergegeben werden. Die „Lebensnähe" basierte auf dem gleichen anthropologischen Standpunkt, der in den einzelnen Fällen freilich andere Gehalte mobilisierte.

Die „zweite" Aufklärung im Alltag

Aus den Dokumenten der bis in die achtziger und neunziger Jahren hinein vorherrschenden „zweiten" Aufklärung ließen sich viele Details herauslesen. So lautet zum Beispiel eine Widmung am Anfang der gesammelten Werke von Adolf Silberstein-Ötvös, eines auch deutsch schreibenden Mitarbeiters des *Pester Lloyd:* „Aber etwas, das immer es selbst bleibt: das Herz, das für Wahrheit und Gerechtigkeit, Nation und Menschheit, Fortschritt und Aufklärung, Talent und edle Ziele schlägt."[150] Mit Ausnahme von Herz und Wahrheit ist für Silberstein kein Widerspruch unter den aufgezählten Werten vorstellbar. So übernimmt die „zweite" Aufklärung die Vorstellung vom „Wohl des Ganzen", der der Universalismus so gern huldigte.[151] Silberstein sieht die Pioniere der Aufklärung auch in Giordano Bruno und Spinoza. Ihren Materalismus betont er jedoch nicht übermäßig. Daß die Kirche trotz aller Anfechtungen bestehen blieb, veranlaßt ihn zu der Einsicht, daß es doch einen seltsamen Bedarf an Religion gibt. Er feiert die beiden Philosophen vielmehr als Denker, die sich vor Autoritäten nicht beugten. Im klassischen Zeitalter der Aufklärung war der freie Gedanke ein revolutionierendes Mittel zur Veränderung der Gesellschaft. Bei Silberstein — und freilich nicht nur bei ihm — ist er nur mehr Selbstzweck und in seiner Zeit gar nicht mehr so selbstverständlich. Er drückt diese Erfahrung mit folgenden Worten aus: „Jeder Marquis Posa findet seinen Philipp."[152]

In einer eher statischen Gesellschaft, deren Dynamisierung erst ihren Anfang nimmt, ist die Schule der fast ausschließliche natürliche Schauplatz der Veränderung, die, wie wir gesehen haben, auch schon Herbart auf seine Art unterbinden wollte. Damit im Zusammenhang steht die lebendige Tradition des einerseits aus der klassischen deutschen Philosophie, andererseits hauptsächlich aus den Ideen Rousseaus und anderer resultierenden Erziehungsgedankens. So gibt es beispielsweise in Ungarn nach dem Ausgleich von 1867 kaum einen bedeutenden Denker, der sich nicht mit den Problemen des Unterrichts, der Erziehung, des Schulwesens befaßt hätte.[153] Daß die „zweite“ Aufklärung die Schule bzw. die Erziehung als ihr ureigenstes Gebiet ansah, bedarf kaum einer näheren Erklärung. Wir wollen aus dem Vorwort der ungarischen Erstübersetzung von Rousseaus *Emile* zitieren: „Ich habe das Glück, mit diesem Buch dem ungarischen Publikum das ‚Evangelium der Natur‘ bekanntzumachen. Ich fühle zwar die Schwere der Aufgabe und das Ungenügen meiner Fähigkeiten, und ich weiß, im Interesse des Erziehungswesens wäre es wünschenswerter gewesen, wenn ein großer Dichter den ‚Emile‘ übersetzt hätte... Das Vortreffliche daran wird auch durch die Tatsache genügend erhellt, daß die geschworenen Feinde der freien Gedanken, die Priester, ihn sowohl in Genf als auch in Paris zum Tode auf dem Scheiterhaufen verurteilten, und sein Verfasser das Los eines Vertriebenen teilte.“[154] Diese Zeilen wurden 1875 geschrieben, also dreißig Jahre vor jener Arbeit, in der Popper-Lynkeus Voltaire verteidigte. Auch in dieser Schrift können wir wesentliche Momente der „zweiten“ Aufklärung erkennen, und ihre Bedeutung wird dadurch noch gesteigert, daß sie von einem gänzlich vergessenen Autor (Ignác Führer) stammt, der die damalige Verbreitung dieser Ideen, soziologisch gesehen, ermöglichte. Also sind die Verbreitung der „freien Gedanken“, die Überzeugung, daß sie wirksam sind, ihre Verteidigung gegen „Verfolgung“ und „Verleumdung“ der wahre Schauplatz der gesellschaftlichen Kämpfe.

Wenn wir nun unsere Ausführungen über die „zweite Aufklärung“ abschließen, heißt das nicht, daß es keine weiteren interessanten „ideologischen Bekenntnisse“ gäbe oder daß die Wirkung dieser Strömung in der letzten Epoche der geistigen Blüte aufgehört hätte. An entsprechender Stelle werden wir die hierin bzw. in der klassischen Aufklärung ruhenden Wurzeln von Musil, Karl Kraus oder anderen aufzeigen. Zitieren wir nun einige Zeilen aus dem Roman *Die Verdammten* von Mihály Babits: „Imre wie sein Freund wähnten, auch die sozialen Mißstände auf diese Weise lösen zu können; mit der Verbreitung der Aufklärung, ... er ging in den elenden Höhlenwohnungen des Berges herum... wie ein junger Erlöser, der den Balsam des Wissens mit sich trägt, der jeden Menschen gut und reicht macht."[155]

Zusammenfassend kann betont werden, daß die Vitalität der „zweiten" Aufklärung zum Teil die Konsequenz einer historischen Phasenverschiebung war. Wichtig ist hiebei aber auch, daß sie von Vertretern des im umfassendsten Sinn des Wortes genommenen Universalismus herausgefordert wurde. Für die Mehrheit der Universalisten galt Anti-Aufklärertum als Selbstverständlichkeit. Auch wurde der Versuch unternommen, den philosophisch christlichen Universalismus mit oft sehr überraschenden Zügen der Aufklärung in Einklang zu bringen, wie wir dies vor allem bei Bolzano sehen konnten. Obwohl die Schritte in diese Richtung keinesfalls unbedeutend waren, läßt sich doch sagen, daß die Theoreme der Aufklärung nicht allzu tief ins Gewebe des Universalismus eindringen konnten und ihre „Fortschritte" manchmal lediglich aus Staatsräson toleriert wurden. Die entwicklungsgeschichtliche Bedeutung der „zweiten" Aufklärung besteht demnach gerade darin, jenen großen Schritt getan zu haben, der den Universalismus letztlich sprengte, auch wenn sie — wie bereits angedeutet — viele seiner Eigenschaften bewahrte.[156] Die „zweite" Aufklärung fand ihre geistigen Schlüsselpersönlichkeiten neben Rousseau und Voltaire vor allem in Bruno und vielleicht noch mehr in Spinoza. Der Spinoza-Kult jener Zeit in Österreich-Ungarn wäre in dieser Hinsicht noch zu erforschen, denn zu seinen Vertretern zählten in Ungarn Denker wie Bernát Alexander und Samu Szemere.[157] Die Verwandtschaft der großen Denkrichtungen, die gute Verständigungsbasis untereinander sowie die verschiedenen Überschneidungen erklären, wieso

Motive der „zweiten" Aufklärung vom positivistischen Wissenschaftsbetrieb bis hin zum Austromarxismus überall in großer Zahl enthalten sind. Sie werden als alles umfassende Überzeugung, als Quasi-Weltanschauung — in die ein Großteil der aktuellen Strömungen, wie die Lehren Spencers und Darwins und die wissenschaftliche Methodologie des Positivismus, ohne größere Schwierigkeiten einmünden konnten — zur herrschenden Ideologie jener der „fröhlichen Apokalypse" unmittelbar vorangehenden Periode zusammengefaßt. Wir erkennen die Wiederbelebung der Idee der nur durch geistige Taten zu fördernden „allgemeinen Weltordnung" aus der barocken Weltanschauung und die Wichtigkeit der barocken Begriffe „Tod" und „Leben". Der Josephinismus und natürlich jene strukturellen Eigentümlichkeiten der Gesellschaft, auf denen die „zweite" Aufklärung fußte, hatten ihre Vorstellungen von „Weltordnung", verbunden mit starker Kirchenfeindlichkeit und Freidenkertum. Beide Strömungen ermöglichten ihren Anhängern ein Zusammenwirken mit der staatlichen Bürokratie im Zeichen der Verbreitung und Verwirklichung ihrer Ideen. Wie dies Popper-Lynkeus und Jodl bestätigen, akkumulierte die „zweite" Aufklärung ein sehr großes emanzipatorisch-aufklärerisches Potential, das sowohl in der Wissenschaft als auch im Alltagsdenken die spätere Entwicklung unmittelbar ermöglichte.

Der Kampf des Lichtes mit der Dunkelheit

Kosztolányi: „Der goldene Drache"
Musil: „Die Verwirrungen des Zöglings Törleß"

Diese „zweite Aufklärung", in der wichtige Gehalte der drei grundlegenden geistigen Strömungen weiterlebten bzw. ihre neue Existenzform suchten, kam auch in der existentiellen Problematik des Alltagslebens zum Ausdruck. Statt weiterer begrifflicher Annäherungsversuche möchten wir nun anhand der Analyse zweier Romane zeigen, worin diese bestand. Beide Romane (Dezső Kosztolányi: *Der goldene Drache*; Robert Musil:

Die Verwirrungen des Zöglings Törleß) fassen die Problematik der „zweiten" Aufklärung zu einem Zeitpunkt zusammen, als diese sich bereits einer starken Herausforderung gegenübersah. Kosztolányi schrieb den *Goldenen Drachen* erst nach dem Zerfall der Monarchie, Musil hingegen seinen *Törleß* bereits 1906. Kosztolányi kannte den *Törleß,* von einer direkten Beeinflussung kann jedoch nicht die Rede sein.[158)]

Es ist sicherlich kein Zufall, daß in beiden Romanen „Schule" als modellhafte Institution dargestellt wird. Dies hängt sicherlich auch mit dem Aufeinander-angewiesen-Sein von Schule und „zweiter" Aufklärung zusammen. Dezső Kosztolányis Protagonist ist Lehrer, während Musil Zöglinge einer Militärschule zu den Hauptfiguren seines Romanes erwählt. Der Gymnasialprofessor Antal Novák wird im Roman Kosztolányis das Opfer einer Hetzkampagne des Revolverjournalismus der Kleinstadt und von einem sitzengebliebenen Schüler (Vilmos Liszner) nach dessen mißlungener Reifeprüfung verprügelt. Seine Tochter Hilda flüchtet in die „große Welt", begleitet von einem anderen Maturanten des Vaters, Tibor Csajkás. Um aber die Tragödie Nováks vollkommen zu machen, berichtet das Kleinstadtblatt die ganze Geschichte. Der Zögling Törleß geht in eine Militäranstalt, langsam entdeckt er jedoch, daß die so solide Welt keineswegs auf festen Grundlagen steht, und daß hinter der Fassade der sozialen Ordnung und der anerkannten geistigen Wertsetzungen geheimnisvolle, nichtsdestoweniger aber bewußte Kräfte am Werke sind. Törleß kann mit all seinen traumatischen Erfahrungen noch ins „Leben" hinaus, für Antal Novák bleibt nur mehr der Selbstmord. Und wenn wir in Kosztolányis Roman mehrere Beispiele dafür finden, was diese „zweite" Aufklärung im Bewußtsein Antal Nováks bedeutete, so sehen wir auch hier, wie problematisch eine ausschließlich kategorial-begriffliche Beschreibung dieser Denkrichtung ist. Denn obwohl er sich auf ein gleichermaßen naturwissenschaftliches wie humanes Weltbild stützt, welches nachweisbar einem philosophischen Muster entspricht, ist sein echtes Fluidum doch die das Leben auch in Einzelheiten regelnde allgemeine Weltanschauung: „Als Pädagoge ist er ein Anhänger Rousseaus und Pestalozzis... kein Anhänger der

Gewalt, die führt ja zu nichts. Das Werk der Natur wäre seiner Ansicht nach nicht zu behindern, nur ihre schlechten Auswüchse sollten zurechtgestutzt werden. Der Pädagoge sollte sich vor allem das Resultat vor Augen halten: mit Einsicht ist immer mehr zu erreichen, als wenn man nur seinen Emotionen folgt.“[159] Seinem Schüler Tibor Csajkás sagt er: „Ich war auch jung. Früher. Albernheit. Illusion. Mondschein. Der Mond scheint, und wir glauben verliebt zu sein. Glauben Sie mir. Ich habe mehr Erfahrung. Nicht als ob ich viel auf Erfahrung hielte. Die Unerfahrenheit ist mehr wert... die Jugend. Man muß aber auch die Erfahrung schätzen, besonders wenn wir sie von anderen, die uns lieben, umsonst geschenkt bekommen, und nicht wir sie bitter erwerben mußten. Die Werte des Lebens sind andere. Die sind nicht so glänzend. Sie sind einfacher, beständiger.“[160]

Wenden wir uns jetzt in beiden Romanen den grundsätzlichen „Argumenten“ zu, welche die Evidenz dieser Philosophie begründen; nicht ausschließlich ihre theoretische Seite ist nun für uns relevant, vielmehr das „Alltägliche“ dieser (Welt-) Anschauung bzw. ihre Fähigkeit, zwischen positiv-wissenschaftlichen Aussagen und Lebensmaximen unschwer Brücken zu bauen.

Novák: „Schau dir diesen Papierdeckel an. Jetzt ist er hier. Er ist gewiß hier, denn ich greife hin, fühle ihn. Du behauptest umsonst, daß er nicht da ist, weil er da ist, und wenn er nicht da ist, behauptest du umsonst, daß er da ist, weil er dann nicht da ist. *Die Wahrheit ist mit den Händen zu greifen,* wie die Wirklichkeit. Die Lüge ist weich, zerfließend, wie der Traum. In der Tat: die Wahrheit gibt es, die Lüge gibt es nicht. Die Wahrheit existiert; unsere Sinnesorgane, unsere Augen, unsere Ohren, legen davon ein glaubwürdiges Zeugnis ab. Wer das leugnen will, der verstößt gegen die nüchterne Erfahrung der Allgemeinheit, der ist ein Wahnsinniger und kommt in eine Irrenanstalt...“[161] (Hervorhebung — E. K.)

Törleß: „In solch einer Rechnung sind am Anfang ganz solide Zahlen, die Meter oder Gewichte oder irgend etwas anderes Greifbares darstellen können und wenigstens wirkliche Zahlen sind. Am Ende der Rechnung stehen ebensolche. Aber diese beiden hängen miteinander durch etwas zusammen, das es gar nicht gibt. Ist das nicht wie eine Brücke, von der nur Anfangs- und Endpfeiler vorhanden sind und die man dennoch so sicher überschreitet, als ob sie ganz dastünde?"[162)]

Was bei Törleß bereits ins Wanken gerät und die Krise seiner Existenz widerspiegelt, ist für Novák noch greifbare Wahrheit: die gegenständliche Realität, die „Sichtbarkeit" der Wahrheit, die problemlos bewußt kontrollierbar ist. Die farbenprächtigen Uniformen der an einem Frühlingsmorgen exerzierenden Soldaten im „Goldenen Drachen" bilden noch erfrischende, fröhliche Farbtupfen auf dem Bild eines schönen Tagesanbruches. Die Gedankenwelt der „zweiten" Aufklärung als mögliche Lebensform ist jedoch in beiden Fällen bereits zerfallen. In beiden Romanen erleben wir einen konkreten, ja handgreiflichen Einbruch der Irrationalität in die Existenz der Menschen, und diese Kategorie verwebt sich in der österreichisch-ungarischen Monarchie untrennbar mit der Krise der vielgesichtigen, aber doch einheitlichen und bis dahin allgemein akzeptierten „allgemeinen Weltordnung".[163)]

Die Tragödie Nováks wird durch sein Versagen gegenüber zwei Menschen verursacht. Die Wahrheit des „Universums" — bei ihm, dem Naturforscher, auch naturwissenschaftlich, mit dem Hinweis auf die ewigen Gesetze der Natur begründet — und sein aufgeklärter Humanismus können keinerlei Wirkung ausüben. Vilmos Liszner und Hilda Novák sind die gleichen Träger des Einbruchs des „Irrationalismus" in einer ungarischen Kleinstadt um die Jahrhundertwende, wie Reiting und Beineberg in der cisleithanischen Kadettenanstalt einige Jahre später. Man findet freilich auch Unterschiede zwischen den beiden Welten. In Musils Roman sind Reiting und Beineberg bereits fähig, ihre Ablehnung des „Humanismus" der Erwachsenenwelt in deutliche Worte zu fassen. Vorübergehend gerät selbst Törleß unter ihren Einfluß, da ja seine Gedanken und Erfahrungen sich mit den ihren berühren, Vilmos Liszner und Hilda hingegen sind weit davon entfernt. Sogar das Hetzblatt der Kleinstadt, *Ostor* (Peitsche), das Liszner gegen das „Tier" Novák aufhetzt, kann sich nur mit subalternen Manipulationen rächen. Die für uns ideengeschichtlich repräsentative Aufklärung Nováks scheitert also am „Leben", wie Törleß' veränderte Einstellung auch nicht unmittelbar von „äußeren" Mächten verursacht wird. Und obwohl wir zuerst geneigt sein könnten, dies als Mangel der dichterischen Darstellungskraft oder eben als Schwierigkeit, das Phänomen in seinem vollen Umfang zu vergegenwärtigen, anzusehen, bestätigt sich nach eingehender Untersuchung die Wahrheit der dichterischen Einsicht. Allgegenwärtigkeit des „Lebens" ist ein Leitmotiv des Romans. Das „Leben" erscheint eingangs auf dem Frühlingsfest: „Büsche schwatzten in Menschensprache, Bäume überlegten mit Menschenhirn und in den Steinen schlug Menschenherz. Menschen pulsierten überall, die Sehnsucht in die Natur bringend. Der Wald rauschte. Er wurde geplündert, bestohlen, ausgenommen. Seine Blumen traten sie nieder, seine Gerüche atmeten sie ein. Inzwischen erwachte die Sonne am schläfrigen Himmel. Sie überflutete die Gegend mit ihrem triumphalen Feuersturm, ihre Strahlen schnellten wie Pfeile über die Hügel, in gelben Tümpeln kochte ihr Licht, wärmte das Blut, kitzelte die Brüste, ließ wohlig die Kahlen jucken, übersteigerte die Lebensfreude, die Trotz enthielt, Herausforderung, Lebensfreude und Todeslust zugleich."[164] Und wenn wir immer noch denken, dies sei bloß eine zufällige dichterische Beschreibung und nicht die Gesetzlichkeit des sich in der Natur und den Menschen gleichermaßen verwirklichenden „Lebens", so folgen wir den Gedanken Tibor Csajkás', des Liebhabers der Professorentochter Hilda Novák: „Kann man diese süße Glut abkühlen, diesen widerspenstigen Frühling bezähmen und diesen wohlduftenden Dreck abwaschen? Und wenn er es ändern würde, wäre er noch er selbst? Er liebt ja doch auch das Schlechte an ihr, die Krankheit, die eine Krankheit die andere, welche sich gegenseitig steigern und nähren, er liebt das, was sie ist, und nur darum, weil sie es ist."[165]

Die sich aus der Kleinstadt nach dem „großen Leben" sehnende Hilda schiebt die von ihrem Vater verkörperte Weltanschauung nicht „bewußt" beiseite.[166] Vilmos Liszner jedoch und besonders die Mitarbeiter der *Ostor* gehen in Richtung der bewußten Destruktion einen Schritt weiter. Kosztolányi will ihren „Irrationalismus" nicht überbetonen oder gar die Figuren überdimensionieren, ihre Kleinigkeit mystifizieren, ihre Gedankenlosigkeit in geheimnisvolle Überlegungen kleiden. Und wie Törleß am Dachboden Zeuge einer anderen Wirklichkeit wird und die Gesetze der bestehenden Welt nicht mehr nur aufgrund abstrakt-logischer Spekulation bezweifelt, sieht auch Novák nach seiner von der *Ostor* organisierten und von der Rache des sitzengebliebenen Schülers motivierten Verprügelung, diesem Vorzeichen so vieler späterer Mordakte, die Widersetzlichkeit von Leuten wie Fóris nun klar. Das ist der Augenblick, in dem er, der „großartige Naturwissenschaftler und Experimentiergeist", zum erstenmal in seinem Leben eine Waffe in die Hände nimmt. Fóris, ebenfalls wichtiger Vorläufer so vieler repressiv-autoritärer Strömungen, wälzt die Verantwortung auf Novák ab: „Das ist alles das Ergebnis Deines Liberalismus. Mit Samthandschuhen, mein Freund, kann man nicht erziehen. Entweder habe ich die Macht oder ich habe sie nicht. Ich pfeife auf die moderne Pädagogie, auf die dummen, scheinheiligen Ideen, die wir für die Prüfungen büffeln mußten. Was ist denn das schon wert? Weihwasser. Ich werde auch zukünftig Ohrfeigen austeilen. Die Schurken, denen es nicht gefällt, können von mir aus abhauen... Meine Idee, die ihr auslacht, wird trotzdem triumphieren. Eiserne Disziplin... Eiserne Disziplin. Wer sich nicht beugen läßt, verrecke nur rechtzeitig! Nach der Matura müssen dann Polizisten das Gymnasium absichern und die Wohnungen der Lehrer bewachen. Die Schulpolizei gehört eingeführt."[167] Novák greift nicht zur Waffe, um sich Fóris anzuschließen. In seinen Augen sind Fóris und die *Ostor* nur die beiden Seiten ein und derselben Münze, die, einmal in Verkehr gebracht, den Untergang seiner Welt bedeuten würde. Er wird jedoch nicht eigentlich durch die „Ideen" der „neuen" Kräfte oder gar deren Vertreter besiegt, sondern durch die Entsubstanzialisierung, Entleerung seiner eigenen Ideen. Als er das Exemplar der *Ostor* in die Hand nimmt, um die haßerfüllte Darstellung (schriftstellerisch gelöst könnte sie als Musterbeispiel eines Ressentiments gelten) von Hildas Flucht mit Tibor aus dem väterlichen Haus zu lesen, stellt er folgende Überlegungen an: „Sicherlich ist der Ton des Artikels beleidigend, manche Bemerkungen grob und unbarmherzig, aber das Gerüst stimmt... das ist die Wahrheit, die reine Wahrheit. Als ein mit sich strenger Mensch stellte er dies fest.“[168] Novák denkt zunächst an das Faktische des Artikels. Erst später wird ihm klar, daß auch noch eine andere „Wahrheit“ mit im Spiele ist: „Es gibt eine andere große Wahrheit, die er bis jetzt nicht wahrgenommen hat. In seiner Jugend, als er seinen Schülern über das Gute und Edle Predigten hielt, verglich er sich mit dem säenden Ackermann, der dafür sorgt, daß die Saatkörner auf guten Boden fallen. Das trifft jedoch nicht immer zu. Wenn die Körner auf guten Boden fallen, fassen sie auch ohne sein Zutun Boden, auch der Wind weht sie dahin; wenn sie aber auf schlechten Boden fallen, kann der beste Ackermann nichts tun. Er sah seine Arbeit als überflüssig an. Insofern er mehr leisten wollte, ist er gescheitert. Er wollte das Leben gestalten, das unendlich und unvernünftig ist... mit einer Güte, die auch nüchtern, vernünftig und weise war... Das Leben kann man nur im Rausch leben, wie Hilda und Tibor, oder in Form von Gewalt, wie Liszner. Wenn es noch so schmerzlich ist einzusehen, das ist die Ordnung.“[168a] Trennen wir im obigen Zitat die Diagnose von der Erklärung. Wie bei Musil, so ist auch hier die Diagnose erstaunlich exakt. Die mit Nüchternheit, Vernunft und Weisheit einhergehende Güte sieht sich nicht nur unerwartet mit dem Fieber und der Gewalt konfrontiert, sondern diese erweisen sich für sie als unbesiegbare Gegner. Die „Aufklärung“, so sehr sie sich in der Welt der Erwachsenen auch bewahrheitet, verliert ihre Geltung, neue Einstellungen treten auf den Plan.

Auch der junge Musil ist sich nicht vollkommen bewußt, in welche Tiefen der Wirklichkeit er eindrang: er zeigt die Erschütterung der Aufklärung in der letzten Epoche Österreich-Ungarns auf. Wir wollen nur einige Gestalten hervorheben, die in der kristallklaren Schilderung Musils relevante Beispiele für diesen Prozeß abgeben können. Über den Vater Beinebergs lesen wir: „Er war Reitoffizier und liebte durchaus nicht die Bücher im allgemeinen. Romane und Philosophie verachtete er gleichermaßen. Wenn er las, wollte er nicht über Meinungen und Streitfragen nachdenken, sondern schon beim Aufschlagen der Bücher wie durch eine heimliche Pforte in die Mitte auserlesener Erkenntnisse treten. Es mußten Bücher sein, deren Besitz allein schon wie ein geheimes Ordenszeichen war und eine Gewährleistung überirdischer Offenbarungen. Und solches fand er nur in den Büchern der indischen Philosophie, die für ihn eben nicht nur Bücher zu sein schienen, sondern Offenbarungen, Wirkliches — Schlüsselwerke wie die alchimistischen und Zauberbücher des Mittelalters.“[169]

So ist aber auch Beineberg selbst: „Jene Eigenheit seines Vaters, die für diesen im Grunde genommen vielleicht doch nur den gewissen letzten Schlupfwinkel der Individualität bedeutete... war in ihm zu dem festen Glauben geworden, sich mittels ungewöhnlicher seelischer Kräfte eine Herrschaft sichern zu können.“[170] Auf die den Schein transzendierende, wirkliche Welt bereitet sich auch Reiting vor: „Dieser hatte gleichfalls seine versteckten Winkel, in denen er geheime Tagebücher aufbewahrte; nur waren diese mit verwegenen Plänen für die Zukunft ausgefüllt und mit genauen Aufzeichnungen über Ursache, Inszenesetzung und Verlauf der zahlreichen Intrigen, die er unter seinen Kameraden anstiftete. Denn Reiting kannte kein größeres Vergnügen, als Menschen gegeneinander zu hetzen, den einen mit Hilfe des anderen unterzukriegen und sich an abgezwungenen Gefälligkeiten und Schmeicheleien zu weiden, hinter deren Hülle er noch das Widerstreben des Hasses fühlen konnte. Ich übe mich dabei — war die einzige Entschuldigung, und er gab sie mit liebenswürdigem Lachen. Zur Übung sollte ihm auch gereichen, daß er fast täglich an irgendeinem entlegenen Orte, sei es gegen einen Baum oder einen Tisch, boxte, um seine Arme zu stärken und seine Hände durch Schwielen abzuhärten.“[171]

Törleß' Ringen zwischen den zwei Welten strebt eigentlich noch vor der wahren Aktion, d. h. vor der Folterung Basinis, seinem Höhepunkt zu. Seine Situation ist jener Nováks ähnlich: „Er hätte sich gerne über sie lustig gemacht, hatte aber doch Angst, daß hinter ihren Phantastereien mehr wahres stecken könnte, als er einzusehen vermochte. Er fühlte sich gewissermaßen zwischen zwei Welten zerrissen: Einer solid bürgerlichen, in der schließlich doch alles geregelt und vernünftig zuging, wie er es von zu Hause her gewohnt war, und einer abenteuerlichen, voll Dunkelheit, Geheimnis, Blut und ungeahnter Überraschungen. Die eine schien dann die andere auszuschließen... Dann sehnte er sich danach, endlich etwas Bestimmtes in sich zu fühlen; feste Bedürfnisse, die zwischen Gutem und Schlechtem, Brauchbarem und Unbrauchbarem schieden; sich wählen zu wissen, wenn auch falsch — besser doch als überempfänglich alles in sich aufzunehmen...“[172]

Fast wortwörtlich nimmt hier Musil Kosztolányis Worte voraus: „Blut“ und „Fieber“. Die „Oberfläche“ weiß noch nichts von den Plänen Reitings und Beinebergs, ihr Ringen kann man nicht an jenem Törleß' oder Nováks messen. Jedoch wurde — wenn auch das Zukünftige noch nicht sichtbar ist — durch die Analyse dieser beiden großen Romane klar, daß die „zweite“ Aufklärung, die „seligen Friedenszeiten“ mit ihrer lange integrationsfähigen Weltanschauung ihrem Ende zuneigten.

Einzug der Reflexion in die Welt des Universalismus

Max Nordau

Die positivistisch untermauerte Kulturkritik Österreich-Ungarns gehört ebenfalls zu jenen geistigen Schöpfungen, die die mit dem Positivismus oft zur Unkenntlichkeit verwachsene „zweite“ Aufklärung in diesem Gebiet mit sich brachte und welche die geistige Individualität dieses Raumes weitgehend mitprägten.

Diese positivistisch begründete, aufklärerische Kulturkritik kann freilich auf viele Vorläufer zurückblicken. Der bedeutendeste unter ihnen ist vielleicht Ferdinand Kürnberger, dessen Pathos noch den Vormärz heraufbeschwört.[173] (Auf Kürnbergers Sprach und Kulturkritik werden wir im Vergleich zu Karl Kraus noch näher eingehen.) Zu ihrer endgültigen Gestalt findet diese, mit der Zeit immer mehr als spezifisch „österreichisch“ auftretende und als solche anerkannte Kulturkritik in den achtziger Jahren. Uns scheint Max Nordau der Autor, der die Dimensionen dieser Kulturkritik in ihren Einzelheiten am stärksten ausarbeitete.

Popper-Lynkeus' und Friedrich Jodls „zweite" Aufklärung ist zur Gänze auch in Nordaus Gedankenwelt in den achtziger Jahren vertreten. Die Kritik am Bestehenden, der umgreifende Emanzipationswille einerseits und die Ablehnung jeder möglichen gewaltsamen Umwälzung der Gesellschaft andererseits (von der uns schon bekannten und beinahe zur Devise der „zweiten" Aufklärung gewordenen Ablehnung der Französischen Revolution bis zur Zurückweisung aller Schattierungen des Sozialismus bzw. des Kommunismus)[174] umreißen den Spielraum auch dieser Kritik. Der bestimmende soziale Hintergrund unterscheidet sie ebenfalls; es geht um Gruppen, die sich als Vertreter der sozialen Dynamik verstehen, sich diese Dynamik aber letzten Endes reibungslos in den gegebenen Rahmen Österreich-Ungarns eingepaßt vorstellen können. Ihr mit zwingenden Notwendigkeiten erklärter Umwälzungsdrang und ihre gleichzeitige Ablehnung jeder sprunghaften Veränderung führen in allen von uns besprochenen Fällen, somit auch bei der Kulturkritik Nordaus, zu Reorganisationsvorschlägen, die zwar schwerwiegend sind, im traditionellen Sinne jedoch keineswegs als „politisch" angesehen werden können. So führte diese dramatische Spannung beispielsweise bei Popper-Lynkeus u. a. zur Idee der Aufstellung einer Nährarmee oder, um ein anderes Beispiel zu nennen, bei Nordau zur Idee der Abschaffung des Erbrechtes.[175] Bei Popper-Lynkeus, der die praktische Reorganisation der Gesellschaft in den Mittelpunkt seines Schaffens stellte, war es uns möglich, über eine Synthese von Aufklärung und moderner Technokratie zu sprechen. Diese Vereinigung, wie übrigens auch das aufklärerische bzw. technokratische Gedankengut im einzelnen, bedarf einer ganz neuen organisatorischen Omnipotenz des Staates, wie dies auch aus den ähnlichen Vorstellungen Nordaus hervorgeht.[176] Diese sich im Prinzip auf alle Bereiche erstreckende Rolle des Staates unterstreicht ihrerseits auch, daß wir es hier mit einer durchaus ernst zu nehmenden Quelle technokratischer Ideologien zu tun haben. Im Mittelpunkt von Nordaus Denken stehen jedoch nicht so sehr die konkreten Reorganisationsvorschläge, sondern eine allseitige, bis dahin unvorstellbar umfassende Kritik am Bestehenden.

Seine Arbeit führte schließlich zur Entfaltung der Kulturkritik als selbständiger Gattung, die eigentlich bis zum Zweiten Weltkrieg als eine der kultiviertesten Artikulationsformen im geistigen Raum dieses Gebietes galt.[177] Das Fehlen bzw. Verschwinden dieser Sichtweise in unseren Tagen bildet einen nur schwer aufzulösenden Kontrast zu einer vor nicht allzu langer Zeit noch so vitalen Art der geistigen Selbstoffenbarung.

Kulturkritik von Politik (politischer Kritik) zu unterscheiden (was in Form von politischer Neigung bzw. Manipulation im späteren so verhängnisvoll auf der Kulturkritik lastete), ist eine zugleich leichte und schwierige Aufgabe. Es ist nämlich einerseits durchaus einfach, festzustellen, inwieweit eine Kritik im Rahmen des jeweiligen politischen Lebens Ausdruck der Argumentation einer politischen Bewegung ist oder sie sich andererseits eben mit Kunstwerken, Einstellungen, Wertungen, Institutionen auf der Grundlage allgemein ethischer und ästhetischer Aspekte beschäftigt, die mit Politik nichts zu tun haben.

In Österreich fungierte die Kulturkritik einige Jahrzehnte später infolge ihrer Hypertrophie sogar gleichsam als Politik und übernahm manche von deren Funktionen im geistigen Universum Wiens, ohne daß die Trennungslinie verschwunden wäre. Karl Kraus' Attacken gegen den Polizeipräsidenten Schober sind ohne Zweifel „kulturkritisch“ angelegt. Der Polizeipräsident figuriert hier nicht als Protagonist der politischen Palette, vielmehr als Symptom einer Zivilisation, er wird nicht als „Politiker“ angegriffen, sondern als Träger zweifelhafter Gehalte in einer als universaler Kosmos erlebten Zivilisation. Wer würde jedoch leugnen, daß *diese* Kulturkritik bereits an die unmittelbare Grenze der Politik stößt.[178] Im späteren (doch auch dann vor allem in der deutschen Entwicklung) war jedoch die Trennungslinie zwischen Kultur und Politik nicht mehr so klar sichtbar. Mit der Zuspitzung der politischen Gegensätze gab es nicht wenige Gruppen, die ihren Anspruch auf Hegemonie in der Gesellschaft darauf gründeten, daß sie Träger der „hohen“ Kultur seien. Diese Problematik berührt Nordau noch nicht. Seine Kulturkritik ist noch frei von Überlegungen, in denen eine versteckte Form der Politik gesehen werden könnte. Er betrieb jedoch genau jene kulturkritische *Symptomatik,* die aus allen Bereichen (so auch aus der Politik) einzelne Tatbestände als relevante, auf andere hinweisende Symptome herausgreift. Über die Literatur schreibt er zum Beispiel: ,,(Sie) ist die vielseitigste, vollständigste Form, in welcher sich das Geistesleben einer Epoche äußert. Aber auch alle übrigen Kundgebungen des menschlichen Geistes in unserer Zeit lassen dieselben Züge erkennen, aus welchen sich die Physiognomie des zeitgenössischen Schrifttums zusammensetzt.''[179)]

Vor einer eingehenderen Besprechung des Beitrages Nordaus zur Gestaltung der österreichisch-ungarischen kulturkritischen Denkweise wäre es erforderlich, den soziologischen Hintergrund dieser so relevanten geistigen Artikulation auch von einer anderen, bisher unberücksichtigten Seite zu beleuchten: Mit der Ausweitung des liberalen Pressewesens nahm auch die Kulturkritik einen Aufschwung, und ihre Entfaltung ging Hand in Hand mit einer großen Umwälzung im Rahmen der Medien. Gerade in den siebziger und achtziger Jahren, in der Zeit der schnellen industriellen Entwicklung, erfuhr auch das Pressewesen eine sprunghafte Ausweitung. Da die ,,zweite'' Aufklärung zum Teil gerade die Ideologie des unternehmerischen Bürgertums war, so ist es kein Wunder, daß die Gehalte dieser Kulturkritik im Verein mit dem Ausbau dieser Medien selbst verbreitet wurden.[180)] Nordaus Beitrag zu dieser Denkweise ist zum einen bereits Ausfluß dieser Massenproduktion jener Zeit, zum anderen setzte er die Maßstäbe für die weitere Gestaltung derselben. Die Massenwirksamkeit dieser Denkart hängt — wie dies kaum eigens betont werden muß — zweifellos mit ihrer Nähe zum effektivsten Medium der Epoche zusammen.

Jene Bereiche im Weltbild Nordaus, die sich mit der ,,zweiten'' Aufklärung Popper-Lynkeus' und Jodls mehr oder weniger decken, sollen nunmehr außer Betracht gelassen und eher einige Akzentverschiebungen vergegenwärtigt werden: bei Nordau erscheinen die Ergebnisse der positivistischen Wissenschaftlichkeit als Grundpfeiler einer möglichen zeitgemäßen

Weltsicht, als natürliche Verbündete gegen alles Veraltete, aber auch gegen neue „Kulturlügen", mit denen der moderne, gelegentlich auch der selbstbewußt moderne „Kulturmensch" lebt, ohne zur Kenntnis zu nehmen, daß sie eben „Kulturlügen" sind.[181] Nordaus im folgenden aufgezeichnete Gedanken geben seine Auffassung vom Positivismus in charakteristischer Weise wieder. Die erkenntnistheoretischen Grundlagen des Positivismus beschäftigten ihn kaum, und es besteht kein Zweifel, daß er dafür einzig die Erklärung der (später bei E. Mach formulierten) Denkökonomie in Anspruch nimmt: „Unsere Weltanschauung ist die naturwissenschaftliche. Wir fassen den Kosmos als eine Stoffmasse auf, welche als Attribut die Bewegung hat, die, im Grunde eine einzige, uns in der Form verschiedener Kräfte zur Wahrnehmung gelangt. Die Bewegung sehen wir von bestimmten Gesetzen regiert, die wir zum Teil erkannt, definiert, experimentell erprobt haben, denen wir zum anderen Teil auf der Spur sind, die wir für unwandelbar halten und von denen wir keine Ausnahme kennen. Die Frage nach dem letzten Grund und nach dem Anfang der Dinge haben wir als eine mit den Mitteln unseres Organismus unlösbare aufgegeben. Zur Bequemlichkeit, als provisorischen Abschluß einer Gedankenreihe, die formal nicht Fragment bleiben kann, nehmen wir, allerdings willkürlich, eine nicht direkt zu erweisende Ewigkeit des Stoffes an."[182] Die Ergebnisse der positiven Wissenschaftlichkeit übernehmen also die Rolle der unreflektierten Einsicht oder gar der Evidenz der traditionell aufklärerischen Denkstruktur.

Es wurde auch behauptet, daß die mit dem Positivismus verwachsene „zweite" Aufklärung den entscheidenden Schlag gegen den Unversalismus des 19. Jahrhunderts in Österreich ausführte, obwohl dieser Prozeß in den verschiedenen Sphären des geistigen Lebens naturgemäß sehr ungleichmäßig verlief. (Später werden wir sehen, daß der Universalismus unabhängig davon in vielen modernen Konstruktionen zurückkehrte, was an der Tatsache allerdings nichts ändert.) Es ist klar, daß *es für eine durchgängige, auf positiver Wissenschaftlichkeit und gesellschaftsverbessernder Leidenschaft beruhende Reflexion im Rahmen keiner universalistischen Denkart Raum gibt.* Gleichzeitig wurde das Verhältnis des Konkreten zum Universalen durch die Denkweise der Kulturkritik grundlegend neu geregelt. Das Konkrete und das Universale waren gleichermaßen Elemente dieser alles umspannenden Reflexion; ihr ontologisch gegebener Unterschied, ihre unvermittelte, von der Reflexion unabhängige Relation trat völlig in den Hintergrund.[183)] Allein vor diesem Hintergrund können wir die soziale Bedeutung dieser positivistisch-aufklärerischen Kulturkritik richtig einschätzen: Wir übertreiben nicht, wenn wir die Schritt für Schritt vor sich gehende Beseitigung des Universalismus im geistigen Horizont immer breiterer Schichten der Auswirkung dieser Kulturkritik zuschreiben.

Der vielleicht entschiedenste Zug bei der Konstituierung der Kulturkritik Max Nordaus war, daß er sich die soeben entstandene kulturkritische Einstellung Nietzsches unter Miteinbeziehung der eigenen Kreativität aneignete. Es würde zu weit führen, wenn wir die Frage stellten, aus welchen Gründen Nietzsche der allererste Kulturkritiker im modernen Sinn gewesen ist und welche neuen Denkmöglichkeiten sein Auftreten mit sich brachte. Nordau vollzog tatsächlich eine große Wendung. Während die österreichische Nietzsche-Rezeption überraschend früh einsetzte und sich in allererster Linie mit der Aktualisierung des Kulturheroismus Nietzsches, und zwar im Rahmen eines neuen *deutschen* Reiches bzw. eines neuen *deutschen* geistigen Universums, befaßte,[184)] wandte Nordau die neue Sichtweise direkt auf die österreichische und darüber hinaus auf die europäische alltägliche Wirklichkeit an. Er zielte also nicht darauf ab, eine neue deutsche Kultur im Sinne der *Geburt der Tragödie* oder der vier *unzeitgemäßen Betrachtungen* aufzubauen[185)], sondern darauf, die Verhältnisse in Österreich im einzelnen unter die Lupe zu nehmen. Nicht wenige Ansätze übernahm er von Nietzsche (von der Kritik des Philisters bis zu jener der „Herde")[185a)], in strengerem Sinne erwies er sich jedoch eher als Popularisator, nicht selten als offener Vulgarisator des Nietzscheschen Gedankenschatzes. Seine Bedeutung bestand also nicht so sehr in der Übernahme gewisser philosophischer Gehalte, sondern vielmehr *in einer in alle Richtungen reflekti-*

ven denkerischen Einstellung, die soziologisch die spätere ideologische Entwicklung weitgehend vorwegnahm.

Kaum weniger wichtig ist in Nordaus Konzept die Assimilierung des sozialistischen Gedankengutes der Zeit. Weil er sich, wie schon erwähnt, von jeder revolutionären Absicht stets distanzierte,[186] konnte er die Elemente marxistischer, lassalleanischer und anderer Sozialkritik übernehmen.[187] Seine Einstellung kann daher auch antikapitalistisch genannt werden. Fern lag es ihm, die Industrialisierung als Ganzes zu bejahen, und seine Kulturkritik trug zu jenem seltsamen Phänomen entscheidend bei, daß eine dynamische industrielle Entfaltung inmitten deutlich antikapitalistischer intellektueller Umgebung vor sich ging. Dabei spielten die aufklärerisch-humanitären Überlegungen die größte Rolle, kaum weniger bedeutend war jedoch die Absicht der Prävention: eine potentielle Auflehnung gegen die effektiven Formen der Unterdrückung hielt Nordau nicht nur für berechtigt, sondern auch für wahrscheinlich ...[188]

Auch im späteren blieb die soziale Sensibilität ein wichtiger Zug der österreichischen Kulturkritik, selbst wenn diese eher im kulturkritischen als im politischen Bereich zum Ausdruck kam. Auch die umgekehrte Wirkung war zu beachten: Viele politische Gruppierungen nahmen in ihr Programm kulturkritische Elemente auf, so etwa der Austromarxismus.[189]

Aufgrund dieser Voraussetzungen nahm Nordau jede nur mögliche Erscheinungsform der österreichisch-ungarischen Wirklichkeit unter die Lupe. Seine Analysen sind in den meisten Fällen nicht sehr tiefgreifend oder originell. Er fördert aber im Leser die reflektive Haltung gegenüber vielen, man könnte sogar sagen, allen sozialen Einrichtungen und Gewohnheiten, eine Einstellung, die unter der Vorherrschaft des Universalismus unvorstellbar gewesen wäre. Wirft man nun einen Blick auf die Überschrift seines Werkes *Die conventionellen Lügen der Kulturmenschheit,* so wird man feststellen, gegenüber welchen Institutionen diese Reflexion in Gang gesetzt wurde: Religion, die monarchistisch-aristokratische Einstellung (und die entsprechenden Institutionen), Politik, Wirtschaft, Ehe, von „allerlei kleineren Lügen“ ganz zu schweigen.[190]

Die alles durchleuchtende Reflexion entwickelte, wie auch

in den späteren Jahrzehnten, eine Leidenschaft, die auf eine direkte, radikale und schnelle Verbesserung der Zustände gerichtet war. Kennzeichnenderweise gesteht dies Nordau in seinem 1909 geschriebenen neuen Vorwort zu *Die conventionellen Lügen der Kulturmenschheit* ein: „Er (der Verfasser, d. h. Nordau selber — E. K.) dachte, alle kernfaulen Einrichtungen, alle abgestorbenen Überlieferungen, alle sinnlosen Vorurteile, aller gewohnte Betrug würden vor der Verkündigung der Wahrheit, vor dem erlösenden Worte der Vernunft verschwinden wie Nachtspuk vor dem Hahnenschrei."[191] Ohne diese Überzeugung hätte die Kulturkritik sicherlich nicht zu einem so bestimmenden Faktor im Geistesleben Österreich-Ungarns werden können.

Nordaus Einsichten in die Lebenswelt seiner Zeit waren, wie schon gesagt, nicht sehr tiefgehend. Das Einmalige seines Unterfangens lag darin, daß er — zum einen die Funktion der Aufklärung, zum anderen jene der Hegelianischen Philosophie auf sich nehmend — *einen Richterstuhl der* (auf der Grundlage der österreichischen „zweiten" Aufklärung arbeitenden) *Reflexion aufstellte,* vor den er die Erscheinungswelt seiner ganzen Epoche zitierte. Nicht die Qualität seiner Urteile entscheidet, auch nicht die Originalität oder Finesse seiner Anschauungen. Alle Kritik an Nordau (und an der frühen Kulturkritik Österreich-Ungarns) kann somit an der Tatsache nicht rütteln, daß die Position der österreichischen Intelligenz ohne diese allumfassende und zusammenfassend „kulturkritisch" zu nennende Qualität überhaupt nicht vorstellbar ist.

Kampf zweier antagonistischer Prinzipien — getragen vom Positivismus

Nach der Interpretation der „zweiten" Aufklärung und der entscheidenden Denkrichtung der Kulturkritik werden die weiteren Varianten des österreichischen Positivismus eigentlich erst erschließbar. Eine in unseren Augen entscheidende, von anderen Forschern in Ansätzen bereits beschriebene Objektivation der positivistischen Wissenschaftlichkeit sind die in ihrer

Ambition höchst anspruchsvollen „bipolaren“ Systeme.[192] Ihr Gegenstandsgebiet ist ein vorwiegend soziologisches. Wir würden jedoch eher betonen, daß es sich hier um die Erfassung historischer Gegenstände handelt. Um schon an dieser Stelle eine unserer Schlußfolgerungen vorwegzunehmen, sind wir der Auffassung, daß die unter positivistischem Deckmantel ausgearbeiteten bipolaren Systeme, welche die auf die Geschichte projizierte Bewegung des jeweiligen Gegenstandsbereiches im Kampf einander gegenüberstehender Prinzipien, Kräfte usw. zu erfassen suchen, ihre geradezu ins Auge springende Popularität der Tatsache verdanken, daß die österreichische wissenschaftliche und philosophische Kultur die hegelianische Methode eigentlich nie assimilieren konnte. So kam es, daß viele Wissenschaftler, indem sie vor die gesamte Geschichte umfassenden, sozialwissenschaftlichen Komplexen standen, Hegel noch einmal, jetzt „positivistisch“, entdecken mußten. Dieser Unterschied wird erst dann klar, wenn wir diese österreichische Ausprägungsform mit Konzeptionen vergleichen, die in Kulturen entstanden, die die Hegelianische Methodik schon einmal assimilierten.

Es entstand also bei positivistischen Wissenschaftlern eine Annäherungsweise, die sie veranlaßte, die (hegelianische) Geschichtsphilosophie bei der Meisterung ihrer streng immanenten Probleme gewissermaßen neu aufzubauen. Eine andere Frage ist, inwieweit ihnen diese Entsprechung zu Hegel bewußt wurde; wenn sie überhaupt reflektiert wurde, knüpfte man sie an die Spencersche These der Evolution.) Diese Notwendigkeit entstand, als die positivistische Sozialwissenschaft gezwungen wurde, ihr Interesse auf die Vergangenheit auszudehnen. Zu diesem Zeitpunkt verschob sie sich in die Richtung der Konzipierung bipolarer Schemata, wie beispielsweise Otto Weiningers „Erklärung“ der Weltgeschichte auf Grundlage des Kampfes zwischen Mann und Weib, als zwei einander gegenüberstehender bzw. bekämpfender Prinzipien. Der positivistisch-szientistische Ursprung dieser allumfassenden Systeme kann leicht vernebelt werden, denn zum Beispiel Houston Stewart Chamberlains ins Unwissenschaftliche abschweifende „Wissenschaftlichkeit“ konnte auf wissenschaftlicher Grundlage überhaupt nur äußerst problematisch nachvollzogen werden. Die Übernahme des Positivismus in große historische Konstruktionen erfolgte in Österreich jedoch tatsächlich, und als Erklärungsgrund Nr. 1 bietet sich immer wieder die einst verpaßte Assimilierung der hegelianischen Geschichtsphilosophie an. Die fehlende Kultur und Praxis in der historischen Methodik im Rahmen der Philosophie, der Soziologie sowie der anderen Sozialwissenschaften kann auch dafür verantwortlich gemacht werden, daß die Aktualisierung, die oft reflexionslose Rückprojizierung gegenwärtiger Konflikte, ja überhaupt der Mangel an der Kunst historischer Reflexion ganz allgemein so eindeutig kennzeichnend für die Ausprägung des österreichischen Positivismus werden konnten. Jedes „bipolare" System schuf letzten Endes Konstruktionen, deren Schwerpunkte — und das bestätigt das vorhin Gesagte — mit den aktuellsten, im engsten Sinne des Wortes brennendsten Problemen Österreichs-Ungarns identisch waren. Geht man von den einzelnen Konstruktionen aus, so bewahrheitet sich dieser Zusammenhang zur Gänze: in jedem System stößt man auf diese „brennenden", damals kaum für lösbar gehaltenen, zum Teil geradezu traumatisierenden Probleme.

Vor einer eingehenden Erläuterung der wesentlichsten „bipolaren" Konstruktionen müssen wir noch darauf aufmerksam machen, daß diese auf positivistisch-szientistischer Grundlage entstehende Bipolarität jener des Universalismus, und sei es des offen katholisch-gegenreformatorischen Universalismus, verblüffend nahe kommt. So konstituieren sich schwerwiegende strukturelle Entsprechungen zwischen dem Denken so bewußt positivistischer Wissenschaftler wie Gumplowicz oder Ratzenhofer und jenem des Universalisten Othmar Spann. Letzterer unterstreicht übrigens auch explizit die ewige Bipolarität aller Philosophie: „Unsere Behauptung, daß alle Mannigfaltigkeiten der philosophischen Lehrgebäude sich auf zwei Grundunterschiede zurückführen lassen, muß auf starken Widerspruch gefaßt sein. ‚Ist der Gegensatz der Philosophien wirklich so einfach?', wird man einwenden. ‚Gibt es nicht weit mehr grundsätzliche Standpunkte und Möglichkeiten?' — Nein. Der letzte Gegensatz der philosophischen Grundbegriffe ist kein anderer und kann kein anderer sein als jener von Idealismus und Empirismus. Gewiß liegt vielerlei zwischen den zahlreichen Lehrgebäuden der Philosophie. Aber das alles sind entweder Vermittlungen und Mischungen; oder häusliche Zwiste im gleichen Lager: Versuche mannigfachster Ausprägung und Durchführung der beiden Standpunkte im Gefüge wie in der Fassung der einzelnen Begriffe. Der Namen sind viele, aber die Wesensunterschiede entstammen nur zwei Urgegensätzen... niemals kann ein neuer Standpunkt gefunden, niemals kann etwas anderes als Sinnlich und Übersinnlich einander gegenübergestellt werden.“[193] (Sperrung im Original — E. K.) Spann hätte sich gewiß sehr gewundert, wäre seine Bipolarität mit der „wilden“ Theorienbildung des österreichischen Positivismus in Verbindung gebracht worden...

Gumplowicz und die Eroberer

Die persönliche Leidenschaft und die autochthon österreichische Problematik waren auch für die Konzeption Gumplowicz' charakteristisch. Er hat nicht nur die außergewöhnlichen Qualen der Nationalitätenkämpfe persönlich miterlebt, sondern auch den Selbstmord seines Sohnes, der, wie so viele andere, in der letzten Epoche der Monarchie keinen Ausweg mehr aus dem Labyrinth der gegensätzlichen Welten fand. Seine Epoche machenden Prinzipien schufen die Bipolarität von „Eroberer“ und „Eroberten“.

Die inneren Gegensätze der Nationalitäten vereitelten nicht nur die ansonsten durchaus mögliche Einheit des liberalen Bürgertums innerhalb des Habsburgerreiches, sondern, wie aus der Eigentümlichkeit des Austromarxismus zu ersehen, auch jene der Sozialdemokraten. Über das „Nationalitätenproblem“ soll im späteren noch zusammenhängend gesprochen werden. Gumplowicz' Besonderheit besteht darin, das Schicksalhafte dieser Problematik erstaunlich früh schon mit gewaltiger Kraft zum Ausdruck gebracht zu haben. Damit hängt wohl auch die Ambivalenz seines unmittelbaren Nachlebens zusammen: das Weiterleben seiner Anschauungsweise bzw. Methodik und gleichzeitig eine deutliche Angst späterer Forscher und Intellektueller vor einer grundlegenden Konfrontation mit seinen Gedanken. In der Tat geht Gumplowicz der tatsächlichen Bewußtwerdung dieses Problems deutlich voraus. Die Entfaltung der Einsichten der österreichischen Sozialdemokratie könnten dies bestätigen. Die Wichtigkeit ihrer Stellungnahmen beruht nicht darauf, daß ihre Vorstellungen unbedingt die wertvollsten und ihre politischen Kräfte die bedeutendsten gewesen wären. Die Verschiebung ihrer Einsichten ist paradigmatisch, weil sie ursprünglich die einzige Partei bzw. Bewegung war, die *unmittelbar* nichts mit diesem Problem zu tun hatte, ihre Wertschätzungen können daher auch nicht unmittelbar mit ihren eigenen Zielen und Interessen in Verbindung gebracht werden. 1886 meint noch Victor Adler, als er seine Haltung Kautsky gegenüber erklärt: „Was aber die Hauptsache ist, ich habe niemals den nationalen Kampf, wie er in Österreich zur traurigen Notwendigkeit geworden, für eine Aufgabe des Proletariats gehalten, würde im Gegenteile jeden aus der Partei ausschließen wollen, der in den Klassenkampf ‚nationale' Momente hineintragen wollte — soweit sie nicht darin liegen."[194] Fast genau zwanzig Jahre später zieht er in einem Brief an Kautsky aber bereits die folgende Bilanz: „Zwanzig Jahre habe ich mein Leben verdorben mit diesem ewigen Kampf, mit diesem ewigen Ausgleichen und Beruhigen: was weißt Du von solchen Dingen!"[195] Der Unterschied der beiden Texte markiert eine Zeitspanne von zwanzig Jahren. Und Gumplowicz' bedeutendstes Werk entstand 1883!

Gumplowicz zählt zu jenen, die die Lebensprobleme der Monarchie wissenschaftlich zu lösen versuchen, während sie angesichts der Ergebnisse ihres Schmerzes nicht Herr werden können. Wir schicken voraus, daß der „Amalgamierungsprozeß" der Rassen in seinen Augen zwar notwendig ist, gleiches jedoch für den Widerstand gilt. Die Konklusion lautete: „Der Antagonismus zweier Naturgesetze, von denen das eine den Menschen, das andere die Menschheit beherrscht, liefert den Boden für die Tragödie des Lebens."[196]

Und hier müssen wir uns bewußt werden, auf welchem

Wege der Positivismus in Österreich *unwillkürlich* weltanschauliche, sogar „metaphysische“ Dimensionen gewinnt, *wenn* er die positivistische Methodik auf die tatsächliche Problematik seiner eigenen Region anwendet. Gumplowicz will mit Metaphysik unter keinen Umständen etwas zu tun haben. Als positivistischer Forscher stößt er jedoch auf das obige Dilemma der nationalen Identität, und indem er diese Frage stellt, fügt er den uralten „metaphysischen“ Fragen eine neue hinzu oder er entdeckt, wie er es selbst nennt, „einen neuen Boden der Tragödie des Lebens“, der im Rahmen des Positivismus nicht mehr voll reflektiert werden kann. Seine typisch „monarchistische“ Wahrheit hinsichtlich der Frage von Optimismus und Pessimismus könnten wir unserem Kapitel geradezu als Motto voranstellen. Die Trennung von Gedanke und Tat, Absicht und Wirkung haben selbst in der österreichischen Welt voll der Paradoxa nur wenige so plastisch skizziert: „Der Pessimist in praktischer Philosophie ist für gewöhnlich im Leben ein Optimist. Der verhängnisvolle Lauf der Welt überrascht ihn nicht, er erwartet nichts besseres; er weiß, daß die Welt schlecht ist, daß sie nichts anderes sein kann... Anders verhält es sich mit dem Optimisten in der praktischen Philosophie. In der Überzeugung, daß die Dinge besser stehen könnten, wenn nur der Mensch sich bessern würde,... erlebt er beständig neue Enttäuschungen und fällt von einer Verzweiflung in die andere. Für gewöhnlich bietet uns der Optimist in der praktischen Philosophie im Leben jenes Bild, das wir mit dem Wort ‚Pessimist‘ verbinden.“[197]

Gumplowicz’ Werk verkörpert gleichsam die sich aus vielen verschiedenen Motiven zusammensetzende Eigenart des österreichischen Positivismus. Im Gegensatz zu der westeuropäischen Richtung desselben fehlt ihm der negative Zug völlig, er will mit seiner Wissenschaftlichkeit nicht auf das Nichtvorhandensein unwissenschaftlicher, *horribile dictu* „metaphysischer“ Voraussetzungen hinweisen. Sein Hauptcharakterzug ist deshalb nicht negativ (d. h. Kritik der „Metaphysik“), sondern eine positive Offensivität der Wahrheitssuche. Diese Offenheit verlieh ihm den Schwung, mit welchem er an die „existentiellen“ Probleme direkt heranging. Er weigert sich auf das Entschiedendste, eine Weltanschauung zu sein, wird jedoch stets von der Aura einer Ideologie umgeben. So kam es, daß zahlreiche seiner exaktesten Schöpfungen als neue ,,Weltanschauungen" erlebt und aufgenommen wurden, vom ,,Rassenkampf" bis zum ,,unrettbaren Ich" Ernst Machs.[198] Der Positivismus Österreich-Ungarns weist ein Pathos und eine Leidenschaft auf (selbstverständlich gilt das vor allem für die besten Werke), die in Westeuropa eigentlich unbekannt sind (ausgenommen vielleicht das anti-religiöse Potential, welches auch in Westeuropa, vor allem in Frankreich, eine bedeutende Rolle spielte).[199] Dieses Pathos und diese Leidenschaft schöpften — außer aus den bereits erwähnten Motiven — vor allem aus dem Anti-Universalismus, der zwar sehr unterschiedliche Formen annahm, in seinem Kern aber stets die Eigengesetzlichkeit des jeweiligen wissenschaftlich-philosophischen Gegenstandes zu erfassen suchte. Merkwürdig war, daß diese Leidenschaft sich in den allermeisten Fällen als professoral-akademische Aktivität, als Suche nach der Wahrheit verstand, der stete Anti-Universalismus paarte sich also praktisch nicht mit politischem Umwälzungswillen. Gumplowicz' Werk steht auch in der Hinsicht für einen erheblichen Teil des österreich-ungarischen Positivismus, daß seine Methodik — vor dem Gegenstand eines historischen Phänomens — die Schwelle zwischen positivistischer Faktizität und dem Drang, zusammenhängende Konstruktionen für die Erklärung der historischen Bewegung aufzustellen, überschritten hat und der bereits angeführte Dualismus zwischen bewußter beschreibender Methodik und großzügiger historischer Spekulation bei ihm beispielhaft nachgewiesen werden kann.

Gumplowicz' Konzeption in ihrem Grundwesen zusammenzufassen, ist einerseits recht einfach. Er führte in die moderne Wissenschaft der Soziologie, in die Untersuchung der sozialen Gruppen die Vorstellung der ethnischen Gruppen, der ,,Rassen", ein, und zwar, und damit beseitigte er nicht wenige Tabus, führte er diesen Begriff auch in die Auslegung der aktuellen Zeitgeschichte ein. Er versuchte, diese Hypothese, wonach die soziale Struktur selbst der modernen Gesellschaften eigentlich die Abbreviatur ehemaliger ethnisch-rassistischer

Kämpfe, Eroberungen bewahrt, auch in der Gegenwart nachzuweisen. Es fällt nicht schwer, zu erkennen, daß diese Vorstellungen durch die erstaunlich früh wahrgenommenen nationalen Konflikte der Monarchie mitgeprägt waren. Es wäre aber zu simpel, zu sagen, Gumplowicz aktualisiere seine Traumata bzw. lebe diese in der Wissenschaft aus. Würde man diese Auffassung vertreten, so ließe man die positivistische Methodik, die strenge Wissenschaftlichkeit des Gedachten außer acht. Dieses wirkliche Trauma wissenschaftlich auszuforschen, brachte Gumplowicz nicht geringen Mut auf. Es ist nicht schwer, sich vorzustellen, welchen Schock es für den optimistisch-selbstbewußten aufklärerischen bürgerlichen Menschen bedeutet haben mag, daß der „Rassenkampf“ nicht nur die als lineare Entwicklung vorgestellte Vergangenheit, sondern auch noch die Gegenwart beherrscht. In diesem Lichte wird es notwendig, einen Blick auf die Methodik Gumplowicz' zu werfen. In seinem Werk *Der Rassenkampf* (1883) wirft er die Frage auf, welche „festen“ Elemente in der Geschichte diejenigen seien, auf welche man „bauen“ könne, und findet sie in den „ethnischen“ und „sozialen“ Gruppen. Er bestätigt hiermit eine treffende Beobachtung Arnold Keyserlings. Ihm schwebten vor allem Mach, Wittgenstein und Carnap vor Augen, als er folgendes feststellte: „Das Werk dieser Wiener Denker dreht sich um drei komplementäre Begriffe: das Element, die Struktur und die Bedeutung.“[200] Wir dürfen die „Elemente“ aber für das wesentliche, sogar entscheidende Moment des die „allgemeine Weltordnung“ aufbauenden Universalismus bzw. dessen Erneuerungsversuche halten. Wie bewußt Gumplowicz sich bei der Ausarbeitung seines *positivistischen,* bipolaren Systems auf das auf die Elemente bzw. deren Kombination aufbauende Leibniz-Herbartsche System stützte, zeigen seine folgenden Überlegungen: „Jeder mögliche Baustein (!), den wir beim Bau eines wissenschaftlichen Gebäudes verwenden können, existiert bereits. Ich glaube nicht, daß es möglich wäre, auch nur einen einzigen neuen zu schaffen. Das einzige, was ich für möglich halte, ist das, daß wir dem uralten Stoff in einer neuen Kombination eine neue Form, eine neue Gestalt geben. Nur diese Gestalt ändert sich mit der Zeit und den Ideen, und sie kann so unerschöpflich vielfältig sein, wie unerschöpflich die Vielfalt an Individuen ist."[201]

Methodisch, und zwar in der reflektiertesten Form, entsteht bei Gumplowicz in der Tat Eigenartiges. Die positivistische Faktizität und das Bedürfnis nach einem dynamischen Erklärungsschema der historischen Entwicklung erzeugen eine Neuformulierung der universalistischen Verfahrensweise! Im vorigen Zitat vertritt Gumplowicz die Auffassung, die Funktion des Positivismus sei die „Kombination" der „Elemente".

Diese Bewußtheit des wissenschaftlichen Vorgehens läßt uns die Grundfrage nach Gumplowicz' Unterfangen neuerlich stellen. Man kann die Ausschließlichkeit seiner expliziten Lösung in Frage stellen und sich auf den Standpunkt stellen, daß seine Erklärung des historischen Prozesses vor allem aufgrund der viele andere grundsätzliche Faktoren ausschließenden Bipolarität ungenügend ist. Damit setzt man übrigens schon bei einer der wirklich fraglichen Folgen der bipolaren Denkweise an: viele Momente bleiben ununtersucht, und das „stärkere" Moment des Grundgegensatzes wird zur wichtigsten Kategorie auserkoren. Man kann auch die Meinung vertreten, daß es keineswegs unproblematisch, ja nicht ungefährlich ist, den Kampf verschiedener Völker bzw. ethnischer Gruppen als ein Grundgesetz der historischen Entfaltung aufzufassen, weil die Wissenschaft diesen Kampf dadurch „ontologisiert" und die Politik in Form verschiedener Spielarten der politischen Metaphysik aus dieser *wissenschaftlichen* Feststellung Kapital schlagen kann. Man kann aber auch der Auffassung sein, Gumplowicz suchte einen tatsächlichen Zusammenhang zwischen den verschiedenen sozialen Gruppen zu erforschen, ein Gebiet, welches sich in jeder Hinsicht der Zweideutigkeit kaum erwehren kann. Er wählte einen Gegenstand, weil er — wie wir annehmen — auch ihn als wissenschaftlich unbedingt erforschbar ansah. Es ist schade, daß er sein ursprüngliches Ziel um einiges verfehlte und somit seine ursprüngliche Fragestellung oft unbeleuchtet blieb. Er wollte nicht den Kampf der „Rassen" untersuchen, er wollte, wie er selbst sagte, jenes Phänomen deutlich machen, daß, obwohl die sozialen Gruppen keine identifizierbaren ethnischen Gruppen, geschweige denn reine Rassen sind, sie gegeneinander jedoch *als* Rassen kämpfen, sie verhalten sich, sie definieren sich also als Rassen in einer modernen Gesellschaft, welche von solchen Unterschieden nichts mehr weiß, aber auch nicht wissen will. Diese Selbstprofilierung, dieses „Verhalten als Rassen“ war der Gegenstand, den er erforschen wollte, ein *„als ob“*-Verhalten, welches ohne Zweifel eine der wichtigsten und immer noch unerschlossensten Erscheinungen der neuzeitlichen europäischen Geschichte ist.[202)]

Für seine Zeitgenossen galt Gumplowicz als Diagnostiker und Traumatologe vieler wesensimmanenter Probleme der Monarchie, in den Augen der Fachleute galt er als bedeutender Wissenschaftler. Anerkennend beruft sich Franz Mehring in seinem *Historischen Materialismus*“[203)] auf ihn, großen Widerhall fand er u. a. auch in Ungarn, wo er als Begründer der auf der Grundlage des Rassenkampfes aufbauenden Soziologie, also einer autochthonen Richtung, angesehen wurde.[204)]

Noch ein anderer wichtiger Zug, nämlich in der Gesellschaft nach Naturgesetzen zu forschen, war in seiner Methodenlehre vorherrschend, obwohl er nicht immer die gleiche Auffassung wie Darwin vertritt. Das „eiserne Gesetz“ der Wissenschaft läßt ihn die „Elemente“ bzw. die Tatsache ihres Kampfes festlegen, was wiederum zu zwei Polen führt: den heterogenen Elementen und ihrer jeweiligen gegenseitigen Beeinflussung. So gelangt er zum Begriff des „sozialen Naturgesetzes“. Zu seiner Verzweiflung mag — außer der Lage Österreich-Ungarns — auch die Konsequenz seiner Methodik direkt beigetragen haben. Diese inspirierte nämlich den Geschichtsforscher, ein ewiges Gesetz zu finden, das die Geschichte zugleich liquidierte. Dieser Widerspruch bleibt ihm dann auch nicht verborgen: die Existenz von „Rassen“ zum Beispiel betrachtet er nicht bloß als Ausfluß von Naturvorgängen, sondern als historischen Vorgang, der seinerseits jedoch zugleich ein Naturvorgang sei. Ich bin der Meinung, daß dieser Zirkelschluß bei Gumplowicz nicht aus dem Sozialdarwinismus abgeleitet wird. Die Wurzeln dieses Erklärungsschemas der Geschichte, welches zu einem Ende der Variabilität in der Geschichte führte, lagen eher in der grundsätzlichen Bipolarität des österreichischen Positivismus. Wir meinen also, daß dieser

Zirkelschluß nicht so sehr aus einer mechanischen Anwendung sozialdarwinistischer Schemata, sondern vielmehr aus der oft paradoxen Methodik dieser Richtung resultierte, die solche Schemata auf faktizistischer Grundlage bewußt aufbauen mußte, um ihrem *Gegenstand* gerecht zu werden.[205)]

Gerade bei dem die nationalen Gegensätze zutiefst erlebenden, sie geradezu erleidenden und daraus sogar ein System schaffenden Gumplowicz möchten wir betonen, wie sehr diese Gegensätze vor allem in der breit verstandenen bürgerlichen Mittelklasse verwurzelt waren. Der entscheidende deutsch-tschechische Gegensatz zum Beispiel konnte ursprünglich im Bauerntum viel weniger Wurzel fassen. In seiner (bereits erwähnten) Biographie beschreibt beispielsweise Karl Renner jenes System des Kinderaustausches, das in den Gebieten mit gemischtsprachiger Bevölkerung unter den Bauern verbreitet war. Deutsche und tschechische Familien „tauschten" noch um die Jahrhundertwende ihre Kinder aus, um die für die Koexistenz unerläßliche Sprache des anderen auf diesem natürlichen Wege zu erlernen. Renners Erinnerungen erhalten dadurch einen ironischen Zug, daß er letztlich kein Tauschkind mehr wurde — obwohl alles bereits sorgfältig vorbereitet war —, weil seine Eltern ihn unerwartet doch noch aufs Gymnasium schickten.[206)]

Ratzenhofers bipolare Rekonstruktion des sozialen Prozesses

Gustav Ratzenhofers *Das Wesen der soziologischen Erkenntnis* (1898) ist gewiß ein Prototyp der mit bipolaren Konstruktionen operierenden, die naturwissenschaftliche Methodik selbstbewußt und triumphierend in die Sozialwissenschaften einführenden positivistischen österreichischen Wissenschaftlichkeit.[207)] Sehr ungerecht beurteilt ihn jedoch (unter anderen) Georg Lukács in seinem Werk *Die Zerstörung der Vernunft,* in dem er in ihm einen simplen Sozialdarwinisten und bloßen Schüler Gumplowicz' sieht.[208)] Von Gumplowicz übernahm er in der Tat viele Anregungen, sogar einige grundlegende Züge seiner

Theoriebildung.[209] Ratzenhofers Methodik und Darstellung des „sozialen Prozesses" ist aber in nicht wenigen Punkten vollständiger und differenzierter als jene seines Meisters.

Er stellt die Soziologie als eine Art Naturwissenschaft vor, was ihn aber bei weitem noch nicht zum Sozialdarwinisten macht. Nicht der Existenzkampf steht bei ihm im Mittelpunkt. Er geht von der Annahme aus, daß nicht bloß Analogien zwischen den Gesetzen der Natur und jenen der Soziologie bestehen, sondern daß auch die vitalen Interessen (welche die Existenz in der Natur beherrschen) in der Gesellschaft miteinander *quasi* „weiterkämpfen". Darin besteht im wesentlichen die *Einheit* der Natur und der Gesellschaft als eines biologischen und sozialen Prozesses.[210] Er stellt sogar nachdrücklich fest, daß die Kampfeslust keine „natürliche" Eigenschaft der Völker ist, sondern für sie vielmehr eine naturgegebene „Kampfesscheu" charakteristisch ist.[211]

Er geht auch von der Tatsache aus, daß die Philosophie oder, wie er es unter Zuhilfenahme des Comteschen Dreistadiengesetzes nennt, die „Metaphysik" an ihrem Endpunkt angelangt ist. Er beschreibt merkwürdigerweise seine eigene geistige Situation in Österreich-Ungarn mit Comtescher Terminologie und sieht demnach in seiner eigenen Entwicklung einen Akt des Positivismus gegen die Metaphysik, während es der österreichischen Wissenschaftlichkeit in der Tat darum ging, sich endgültig vom Universalismus zu lösen und in dieser konkreten Opposition die positive Wissenschaftlichkeit zu entfalten. Dies brachte selbstverständlich auch eine Neuregelung der Relation des Konkreten und des Universalen mit sich: das Konkrete wurde nunmehr in die „Universalität" der Naturgesetze aufgenommen, so daß seine bisherige „philosophische" Relation ungegenständlich wurde.[212] So groß war also der Einfluß erfolgreicher Schematismen: ein Österreicher hätte nämlich an sich wenig Recht zu der Aussage, er befreie sich von dem Joche Hegels (der Metaphysik!), denn — und darauf haben wir schon oft hingewiesen — dieser war in Österreich nicht die Personifizierung der Unterdrückung der positiven Wissenschaftlichkeit, zumal die Zensur dies energisch verhindert hatte. Und — um diese Spannung bis zum Paradoxen zu steigern — Hegels Gestalt erscheint als „Gespenst" in den bipolaren Konstruktionen des österreichischen Positivismus eben bei Ratzenhofer am lebendigsten. Seine (Ratzenhofers) Bipolarität zeigt genügend Differenziertheit, sein Anti-Anthropomorphismus, seine Ablehnung des Moralisierens (um nur einige wichtige Züge zu erwähnen) beschwören in der Tat die Schatten der hegelianischen Geschichtsphilosophie, aber auch der hegelianischen Methodik überhaupt herauf. Wir kommen deshalb so oft auf Hegel zurück, weil wir die wissenschaftstheoretische und -historische Bedeutung dieser geistigen Verwandtschaft unterstreichen möchten, die zwischen den beiden voneinander scheinbar so entfernten Denkweisen zweifellos besteht.[213)] Die Zahl möglicher Ähnlichkeiten bzw. Entsprechungen, die übrigens auch schon zwischen Gumplowicz' Theorie der Eroberung und dem hegelianischen Kapitel der *Phänomenologie* über das Bewußtsein des Knechts und des Herrn, das „unselbständige" und das „selbständige" Bewußtsein also, bestehen, liegt bei Ratzenhofer deutlich höher. In allernächste Nähe Hegels begibt sich Ratzenhofer (der übrigens seinerseits Hegel explizit mit der überwundenen Metaphysik identifiziert)[214)] bei seiner differenzierten Beschreibung der Relation des Sozialen und des Individualen. Er vermeidet die so oft wahrnehmbare Eindimensionalität der mit lose gegeneinander gesetzten, einander limitierenden und ausschließenden, einander gegenüber leblosen Begriffen operierenden Bipolarität und beschreibt diese Grundrelation seiner Soziologie durchaus hegelianisch: „... ist es unmöglich, eine dieser beiden Richtungen der Betätigung des angeborenen Interesses von der andern getrennt zu denken; denn die Individualisierung wirkt vergesellschaftend im Inneren einer Gemeinschaft, und die Sozialisierung vergrößert die Gemeinschaften oder bereitet sie vor."[215)] Dieser Auffassung, dieser Art der wissenschaftlichen Sichtweise bleibt Ratzenhofer bis zum Ende seines Werkes treu. Obzwar auf streng wissenschaftlicher Grundlage, behandelt er dennoch die Relation dieser beiden Sphären in diesem hegelianischen Geiste.

Bei Ratzenhofer können wir ferner auch eine weitere Besonderheit des österreichischen Positivismus exemplarisch studieren, der bei Gumplowicz und anderen zwar bereits vorhanden war, in so reiner Form aber erst bei ihm artikuliert wird:

den Kontrast zwischen der unerbittlichen Strenge seiner Wissenschaftlichkeit in Soziologie, Politik und Staatswissenschaft und der (vor allem noch in der unmittelbaren Vergangenheit) vorherrschenden Unfreiheit des Staates, in dem er lebte. Es stellt sich somit die Frage nach dem (sozialen) *Standort* des Wissenschaftlers, aber auch des österreichischen Positivismus überhaupt. Diese gegen das Moralisieren und jedwede Ideologisierung gerichtete Unerbittlichkeit, die sich fast zum *furor* entwickeln kann, bildet sich in Österreich-Ungarn in einer Zeit heraus, in der beispielsweise in England die viktorianische Atmosphäre vorherrscht oder in Deutschland die Idole der Einsetzung der Hohenzollern im sozialen Denken keinen Angriffspunkt darstellen.[216)] Versucht man nun hinter Ratzenhofers Einstellung konkrete soziale Gruppen oder gar soziale Interessen zu entdecken, so sieht man sich mit dem verblüffenden Ergebnis konfrontiert, daß der Soziologe, der die Interessen und die Bedürfnisse als Triebkraft aller biologischen und sozialen Lebensformen ansah, eigentlich weitgehend *den Standort der Wissenschaftlichkeit und des wissenschaftlichen Gewissens,* nicht aber den dieser oder jener sozialen Gruppe bezogen hatte. Indem er die immerwährende machtausübende Funktion des Staates hervorhebt, versetzt er dem Liberalismus einen Schlag („Der Staat muß ein Herrschaftsverhältnis bleiben [...], ohne dieses zum Selbstzweck werden zu lassen"[217)]). Indem er den sich immer erneuernden Kampf um eine differenzierende Individualisierung als natürliche Lebensform beschreibt, schafft er eine Distanz zu jeglicher konservativen Statik. An einer Stelle formuliert er dies mit seinen eigenen Worten so: „Die Soziologie vermag daher nicht irgendeinem politischen Prinzip den Vorzug zu geben, sondern ihr ist jede staatliche und soziale Organisation der Ausdruck natürlicher Entwicklung, wie auch die Biologie niedere und höher entwickelte Organismen kennt und als Tatsachen der Schöpfung hinnimmt."[218)] Wir finden bloß sekundäre Motive, die Ratzenhofer in sozialer Hinsicht qualifizieren könnten, wie beispielsweise die Betonung der Bedürfnisse der Gegenwart bei der Konzipierung einer wissenschaftlichen Tätigkeit im Gegensatz zu jeglichem wissenschaftlichen Historismus. Diese anti-historische Einstellung spielte übrigens auch im ungarischen fortschrittlichen Positivismus eines Fèlix Somló oder Gyula Pikler eine sehr große Rolle. Diese geradezu „intransigente" Wissenschaftlichkeit führte in der Forschung zu einer merkwürdigen Bedeutung des Begriffes der *Macht*. Gerade der Positivismus Österreich-Ungarns schrieb bei der Untersuchung vieler sozialer Phänomene der Macht bzw. den realen, reinen Machtverhältnissen die allergrößte Bedeutung zu. Beispiele dafür finden wir schon bei Gumplowicz,[219)] aber auch bei Ratzenhofer. Eine besondere Dominanz erreicht diese Akzentuierung bei Anton Menger, der — ebenfalls im Rahmen einer einwandfrei positivistischen Verfahrensweise — die (positivistische) Forschung der Ethik kurzweg liquidiert, und zwar mit der Argumentation, daß Ethik relativ und darüber hinaus nicht nur Ausfluß der jeweiligen sozialen Machtverhältnisse, sondern eigentlich identisch mit der Macht ist.[220)]

Es besteht kein Zweifel, daß Ratzenhofers wissenschaftliches *Credo* auf einer wesentlichen Identifizierung der natur- und der sozialwissenschaftlichen Methodik beruht. An einigen Stellen bedient er sich sogar überstrapazierter Analogien zwischen Natur- und sozialen Prozessen, so daß der Verdacht eines trivialen Sozialdarwinismus nicht gleich zurückgewiesen werden kann. Ein Beispiel dafür ist etwa, wenn er den „männlichen" Charakter der Eroberer (der Nomadenstämme) mit dem „weiblichen" der Eroberten (der Ackerbauern) mit den weiblichen und männlichen Keimzellen vergleicht.[221)] Das Gemeinsame (und das Identische) der beiden großen Bereiche sieht er in der Gemeinsamkeit der Interessen und Bedürfnisse: diese wirken auch in dem in der Gesellschaft tätigen Menschen ebenso „biologisch"-spontan (man könnte eher „vital" sagen), wie dies in der Natur der Fall ist.[222)] Eine weitere Formulierung der Gemeinsamkeit lautet, daß die Soziologie eine Wissenschaft „der menschlichen Wechselbeziehungen" ist und auf die „Naturwissenschaften im breitesten Sinne" aufgebaut werden müsse, was nichts anderes bedeutet,[223)] als daß sich Ratzenhofer das „Wissenschaftliche", d. h. „das methodisch und korrekt Erforschbare" dieser Gebiete nur mit dem Hinweis auf die Naturwissenschaften vorstellen kann. Insofern die Geschichte von Menschen gemacht wird, kann man also die Geschichte als Komplex von Naturereignissen begreifen, zum einen, weil die Menschen Teil der Natur sind, und zum anderen, weil ihre „Wechselbeziehungen" strengen Gesetzmäßigkeiten unterliegen. Es gibt aber auch Stellen in seinem Werk, wo er die beiden Bereiche *bewußt zueinander in Opposition stellt,* wodurch sofort der Verdacht eines umfassenden Sozialdarwinismus entkräftet werden kann. Das kleinste soziale Gebilde nennt er beispielsweise „soziales Element" und nicht „soziale Zelle", weil die sozialen Gebilde zwar im realen Verhältnis zum organischen Leben stehen, dieses Verhältnis aber eher intellektuell organisiert ist.[224] Trotz der Tatsache, daß die sozialen Gebilde biologischen Gesetzen gehorchen (!), verlangen sie nach einer eigenen Terminologie, da sie (und das sei schon an dieser Stelle hinzugefügt) nicht unmittelbar biologisch, sondern sozial sind, d. h. sie sind nur insoweit biologisch, als biologische Grundmotive für den Menschen auch in der Gesellschaft charakteristisch und bestimmend sind.[225] Der Mensch wird entsprechend seiner Interessen mit der Welt konfrontiert — und in dieses Verhalten bringt er seine biologischen Gegebenheiten mit ein.

Ratzenhofers sachliche Konzeption über den Gesamtkomplex des „sozialen Prozesses" besteht in dem Nachweis des oben bereits angedeuteten, geradezu in hegelianischer Komplexität beschriebenen steten Wechselverhältnisses zwischen dem Individualisierenden (Differenzierenden) und dem Sozialen (ein Terminus, der — obwohl Ratzenhofer diesen Ausdruck nicht gebraucht — das jeweils Integrative bezeichnet). Wie erwähnt, trennt Ratzenhofer diese beiden Prinzipien nicht mechanisch voneinander, er erklärt in jedem konkreten Fall deren Genese bzw. Zusammenfluß. In dem Spiel ihrer Kräfte hielt er jede soziale Existenz für erforschbar. Diese beiden Prinzipien machen also seine „Bipolarität" aus. Jede soziale Existenz (auch darin der Naturexistenz ähnlich) beginnt sich zu individualisieren bzw. zu differenzieren, wogegen auch Tendenzen der Sozialisierung auf den Plan treten. Im Spiel der Wechselwirkungen dieser beiden Prinzipien beschreibt Ratzenhofer eigentlich die ganze Weltgeschichte. Zweifellos ist er dabei von

Herbert Spencers ähnlichem Versuch beeinflußt. In jedem Stadium seiner Darstellung ist es jedoch unmißverständlich, daß das konkrete Material diesen beiden Begriffen Sinn verleihen muß und nicht — wie dies im bipolaren Denken so oft der Fall ist — die beiden Begriffe dem sozialen Prozeß aufgezwungen werden. Auf nähere Details können wir bei Ratzenhofer nicht eingehen, es steht aber fest, daß seine Analysen auch im einzelnen konkret situiert und sachgemäß sind, so daß seine bipolare Konstruktion sich auch als brauchbare heuristische Hypothese erwiesen hat. Es ist klar, daß der Kampf zwischen dem Sozialen und dem Individualen ein brennendes Problem des damaligen Österreich-Ungarn war. Dennoch gibt es kaum Spuren, die auf eine Einwirkung dieses äußeren Drucks auf die Methodik oder Konzeption dieses Werkes schließen ließen. Dies ehrt einen Aspekt des österreichischen Positivismus.

Chamberlain und die Germanen

Wir könnten unsere Übersicht über die bipolaren Konstruktionen des österreichischen Positivismus mit kaum jemandem anderen besser fortsetzen als mit Houston Stewart Chamberlain, dem englischen Verehrer Richard Wagners, der fast zwei Jahrzehnte hindurch ein bestimmender Movens des geistigen Lebens Wiens war. Mit seinem zweibändigen, 1899 erstmals erschienenen Werk *Die Grundlagen des 19. Jahrhunderts,* mit dem er sich auch die Freundschaft Kaiser Wilhelms II. erwarb, nimmt er selbst unter den bipolaren Denkern einen hervorragenden, in gewissem Sinne schicksalhaften Platz ein. Auch er erhebt sein eigenes existentielles Problem in „theoretische" Höhen, um es nun als Schicksalsfrage der Zivilisation ansprechen zu können; ihn beschäftigt die Frage des Westens, die Zukunft des weißen Mannes. Seine schriftstellerische Einstellung ist unvergleichlich ambivalent und bis dahin in der Geschichte der Wissenschaften völlig unbekannt. Einerseits beteuert er auf Schritt und Tritt, kein Fachmann zu sein, und seine Werke stellt er lediglich als Überlegungen eines Denkenden dar, wobei er das Urteil bescheiden dem Publikum überläßt.[226] Andererseits trägt er zur Untermauerung seiner Thesen (darin wird später Weininger sein treuer Schüler) eine schwindelerregende Fülle an Daten und philologischen Hinweisen zusammen und führt jeden bekannten klingenden Namen aus der Kulturgeschichte der Menschheit an, freilich einzig um seine eigene Position zu unterstützen. Mit erstaunlicher Genauigkeit erfüllt er den Bedarf an „Weltanschauung"; auch darin formte er seine Zeit ganz entscheidend.

Man könnte an dieser Stelle mit Recht fragen, ob es nicht eine starke Übertreibung sei, Chamberlain mit seiner offen eingestandenen „dilettantischen" Bipolarität nach Gumplowicz bzw. Ratzenhofer in eine Reihe mit den Positivisten zu stellen. Hinter dieser Frage stünde der völlig legitime Zweifel, ob Chamberlain mit Positivismus oder Wissenschaftlichkeit überhaupt etwas zu tun hat. Was Chamberlains Methode im engeren Sinne anbelangt, ist dieser Vorwurf richtig. Es wäre aber falsch, würde man das „Positive" in Chamberlains *gesamter* Strategie außer acht lassen. Während er nämlich seinen Gedankengang systematisch „de-szientifiziert", d. h. das rein Wissenschaftliche sogar mit mehreren Argumentationen diskreditiert,[227] stützt er seine vagen präkonzipierten Konstruktionen mit einer Unzahl von positiven Belegen. Die völlige Übereinstimmung zwischen heuristischen Modellen (Bipolarität) und positivistischer Wissenschaftlichkeit bei Gumplowicz oder Ratzenhofer verwandelte sich bei Chamberlain in ihr Gegenteil. Er ging so weit, sich — wie erwähnt — offen einen Dilettanten zu nennen, mit dem Zusatz allerdings, daß für ihn gerade die Wissenschaftler die „gefährlichsten" Dilettanten seien, wenn sie nicht in ihrem engeren Fach tätig sind.[228] Er schwört auf die Autorität der ihm lieben Wissenschaftler, während er die Autorität der Wissenschaft im Endeffekt untergräbt. Er beschäftigt sich überhaupt auffallend viel explizit mit der Methode. Seine Vorgangsweise im Hauptwerk legt er folgendermaßen fest: Er lehnt den Künstler mit seinen „willkürlichen" Methoden ab, tritt aber gleichzeitig auch gegen jedes „Philosophieren" auf. Als Resultat entwickelt sich ein „positivistisches" künstlerisches Verfahren, so paradox und sogar unglaublich dies auch klingt. Charakteristischerweise nennt sich Chamberlain jetzt

,,Gestalter" seines Werkes, noch kennzeichnender ist, daß neben dem ,,Künstler", ,,Philosophen" und ,,Gestalter" der ,,Wissenschaftler" überhaupt nicht erwähnt wird. Nach all dem, was wir bis jetzt gezeigt haben, beharren wir darauf, daß Chamberlains offenbarer Mißbrauch der mit bipolaren Konstruktionen operierenden *positivistischen* Methode doch Teil dieser großen Strömung des österreichischen Denkens war. Zur Methodik gehören zumindest noch zwei weitere epochale Fragen, die Chamberlain erstaunlich bewußt in den Dienst seiner Ziele stellt. Sein Angriff gegen die Wissenschaftlichkeit baut auf einer vollkommenen Übereinstimmung mit dem vulgarisierten Neokantianismus auf. Demnach läßt er zunächst ,,alles andere" (d. h. Religion, Kunst, Politik) und ,,Wissenschaft" als voneinander gänzlich unterschiedliche, miteinander in keinerlei Beziehung stehende Gebiete erscheinen.[229] Bei Brentano konnten wir bereits sehen, welche Konsequenzen die lange Vorherrschaft des Neokantianismus für andere Richtungen mit sich brachte. Chamberlain ergreift also die Initiative und füllt nicht nur den leeren Raum zwischen ,,Wissenschaft" und ,,Religion" (und anderen Objektivationen) mit seinen Konstruktionen, sondern schreibt auch die erste zusammenhängende große ,,positive politische Metaphysik" der Rechte. Den Begriff ,,positive Metaphysik" werden wir erst am Ende dieses Teiles ausführlich erklären. Im Moment geben wir uns zufrieden, diesen außerordentlich engen und bisher nicht wahrgenommenen Konnex zwischen ,,Neokantianismus" und ,,positiver Metaphysik" aufzuzeigen,[230] sowie klarzulegen, daß Chamberlain als erster in der Reihe steht, in der in Zukunft auch Bäumler und Rosenberg stehen sollten. Auf *Die Grundlagen des 19. Jahrhunderts* aufbauend entstand *Der Mythus des zwanzigsten Jahrhunderts*.

Der Begriff der ,,Weltanschauung" wurde eigentlich von Chamberlain geprägt. Was versteht er darunter? ,,Die Weltanschauung eines Mannes ist mit ihm geboren, sie ist das notwendige Ergebnis seiner Art zu schauen."[231] Für alle schöpferischen Menschen wird es natürlich das Wichtigste, ihre ,,Weltanschauung" zu analysieren, denn sie besteht gelegentlich sogar unabhängig von allem, was die betreffende große Persönlichkeit selbst sagte. Chamberlain formuliert dies folgendermaßen: „Wer sich darauf beschränkt, in dem Lebenswerk eines großen Denkers die Lehrsätze und den systematischen Aufbau in Arbeiten aus verschiedenen Altersstufen miteinander zu vergleichen, oder wer eine Sammlung von Äußerungen und Urteilen über irgendeine besondere Frage aus allen Ecken und Enden des geistig überreichen Gedankenlebens eines Genies zusammenträgt, wird leicht ein Chaos von Widersprüchen zutage fördern, dazu gehört kein besonderer Scharfsinn; hierdurch wird nun der Eindruck des Zufälligen, Unorganischen hervorgerufen; die Einheitlichkeit der Weltanschauung scheint aufgehoben. Wer dagegen tiefer blickt, wird diese schwebenden, schwankenden Äußerungen des sinnenden Hirnes mit besonderer Aufmerksamkeit ins Auge fassen, weil gerade in ihnen der Kampf des einzelnen für sein Eigenes gegen die ihn allseitig umgebende Welt des Überkommenen sichtbar wird und somit nirgendwo besser als hier das Besondere und Unterscheidende des Individuums bloßgelegt werden kann.“[232)]

Chamberlain und seine Zeit bedürfen einer Weltanschauung, und es liegt auf der Hand, gleich die „Weltanschauung“ der „Genies“ zu studieren. Er bedient sich jedoch zu diesem Zweck weder ihrer „Thesen“ noch ihrer „Offenbarungen“ und „Urteile“. So kann alles — und jeder — sich in Chamberlains großes System einfügen. Der sich überraschenderweise einen „Dilettanten“ nennende Autor versucht auch Wissenschaft und Kunst einander näherzubringen. Er beruft sich auf jene von den Fachleuten und besonders vom Publikum gemachte Beobachtung, daß aufgrund der Spezialisierung der Fachwissenschaften „die Dilettanten vor einer wichtigen Aufgabe stehen“, in erster Linie freilich hinsichtlich der Befriedigung des vitalen Bedürfnisses nach „Weltanschauung“. Als repräsentative Darstellung der Epoche können wir jedoch folgendes „Geständnis“ Chamberlains registrieren: „... welche Beschrankungen dem einzelnen auferlegt werden, wenn er einer unübersehbaren Welt von Tatsachen allein entgegentritt, das bedarf nicht erst ausführlicher Erörterung. Wissenschaftlich läßt sich die Bewältigung einer derartigen Aufgabe gar nicht versuchen; einzig künstlerische Gestaltung vermag hier (im glücklichen Falle), getragen von jenen geheimen Parallelismen zwischen dem Geschauten und dem Gedachten, von dem Gewebe, welches — äthergleich — die Welt nach jeder Richtung allverbindend durchzieht, ein Ganzes hervorzubringen... Gelingt dies dem Künstler, so war sein Werk nicht überflüssig, denn ein Unübersehbares ist nunmehr übersichtlich geworden, ein Ungestaltetes hat Gestalt gewonnen. Für diesen Zweck ist nun der Vereinzelte (d. h. der Künstler — E. K.) gegenüber einer Vereinigung selbst tüchtiger Männer insofern im Vorteil, als nur der einzelne einheitlich formen kann. Diesen seinen einzigen Vorteil muß er zu benutzen wissen. — Kunst kann nur als Ganzes, Abgeschlossenes in Erscheinung treten; Wissenschaft dagegen ist notwendigerweise Bruchstück... Der Mann der Wissenschaft steht gewissermaßen auf einem archimedischen Punkte außerhalb der Welt; das ist seine Größe, seine sogenannte Objektivität; das bildet aber auch seine offenbare Schwäche; denn sobald er das Gebiet des tatsächlich Beobachteten verläßt, um die Mannigfaltigkeit der Erfahrung zur Einheit der Vorstellung und des Begriffes zu reduzieren, hängt er in Wahrheit an Fäden der Abstraktion im leeren Raum. Dagegen steht der Künstler im Mittelpunkt der Welt... und so weit seine Sinne reichen, so weit reicht auch seine Gestaltungskraft, denn diese ist ja die Betätigung seines individuellen Daseins in lebendiger Wechselwirkung mit der Umgebung. Deswegen darf man ihm aber auch aus seiner ‚Subjektivität' keinen Vorwurf machen, denn sie ist die Grundbedingung seines Schaffens."[233)]

Diese langen Texte machen einsichtig, daß Chamberlain damit auch die Geburt der wirklich modernen Ideologie beschreibt und somit auch wissenssoziologisch und historisch gleich wertvolle Beiträge zum Verständnis dieses Prozesses liefert.[234)] Das Problem der Ideologie bedeutet aber in der Gesamtkonzeption Chamberlains viel mehr. Zunächst verschärft sich dieses Problem im Hinblick auf den großen Zusammenprall im Rahmen der Weltgeschichte (nach Chamberlain), und zwar jenen zwischen Germanen und Nicht-Germanen (vor allem Juden). Chamberlain erklärt vollkommen klar, daß für ihn die „Ideen" — die „Weltanschauung" — unter einem einzigen Aspekt lebenswichtig sind: die Germanen brauchten eine echte

„Nationalreligion“. Diese wäre einerseits die genaue Entsprechung zur „gesetzgebenden“ Religion der Juden, d. h. die antisemitische Grundintention Chamberlains wird auch hier sichtbar. Faßt man die weiteren Kriterien dieser erwünschten Nationalreligion ins Auge, so kann man diese unschwer mit dem Begriff der totalen Ideologie identifizieren. Zwischen der Nationalreligion Chamberlains und der faschistischen Indoktrination Hitlers gibt es kaum einen Unterschied. Die „Bedeutung“ Chamberlains in der Entfaltung faschistischer Ideologien ist von faschistischer Seite hier immer eindeutig anerkannt und honoriert worden. In den folgenden Sätzen Rosenbergs findet man Chamberlains Konzeption „unverfälscht“ wieder: „Daß alle Staaten des Abendlandes und ihre schöpferischen Werte von den Germanen erzeugt wurden, war zwar lange allgemeine Redensart gewesen, ohne daß vor H. St. Chamberlain daraus die notwendigen Folgerungen gezogen worden wären. Denn diese begreifen in sich die Erkenntnis, daß beim vollständigen Verschwinden dieses germanischen Blutes aus Europa... die gesamte Kultur des Abendlandes mit untergehen müßte. Die Chamberlain ergänzende neue Erforschung der Vorgeschichte in Verbindung mit der Rassenkunde hat dann noch eine tiefere innere Besinnung hervorgerufen: jenes furchtbare Bewußtsein, daß wir heute vor einer *endgültigen* Entscheidung stehen. Entweder steigen wir durch Neuerleben und Kampfwillen zu einer reinigenden Leistung empor, oder aber auch die letzten germanisch-abendländischen Werte der Gesittung und Saatenzucht versinken in den schmutzigen Menschenfluten der Weltstädte...“[235] Obwohl Rosenbergs Hinweise nicht direkt „ideologisch-weltanschaulicher“ Natur waren, zielten sie dennoch auf die Übernahme der Chamberlainschen Omnipotenz der Ideologie ab: ihm schwebt der Gedanke einer der jüdischen ähnlichen germanischen Nationalreligion vor, die die (antijüdischen und welterobernden) Zielsetzungen der „Germanen“ tragen könnte. Chamberlain spricht nicht mehr kulturkämpferisch im Namen des Staates gegen Rom — ihn schmerzt die religiöse Zweiteilung Deutschlands —, sondern unternimmt einen ersten Schritt in Richtung einer neuen Religion (einer umfassenden germanischen Ideologie).[236] *Die Grundlagen des 19.*

Jahrhunderts stellen ein riesiges ideologisches Unterfangen dar. Die geplante Identifizierung des Staates mit der Religion weist in der Richtung der faschistischen Entwicklung voraus.

Chamberlain äußert demnach Gedanken, die uns „nicht unbekannt" scheinen. Die technische Zivilisation sei mit dem „Fortschritt" nicht identisch, denn die Kultur ist das Werk eines uralten Menschentypus, den Chamberlain ohne Zögern in den Germanen identifiziert. Es ist — seiner Meinung nach — überflüssig, für einen neuen Menschentypus zu schwärmen, denn den „einzig in der Geschichte wirksamen Menschentyp" gäbe es ja bereits. Er entwickelt auf diese Weise jene Kulturkreistheorie weiter, die, ähnlich der hellenisch-römischen, turanischen, ägyptischen oder chinesischen, eine autochthone, von „Weißen" geschaffene Zivilisation annimmt. Das „Neue" entstand in dieser Zivilisation demnach etwa im 12./13. Jahrhundert; und hiemit wurde Chamberlain auch zum Wiedererwecker jenes seit der Romantik vielfach in Anspruch genommenen Mittelalterkultus, der hauptsächlich als Modell jener Zeiten, die über eine einheitliche „Weltanschauung" verfügten, interessant und in der letzten Epoche äußerst populär wurde. Es ist eine andere Problematik, daß die zivilisatorischen Fortschritte weitgehend unverhüllt eine Legitimation auf Macht und Vorherrschaft in sich tragen — ein Faktum, das auch im späteren nicht selten zu beobachten war.

Das „neue Zeitalter" begann demnach um 1800 — d. h. am Anfang des 19. Jahrhunderts — im wesentlichen mit der Entstehung des Kapitalismus, der bürgerlichen Gesellschaft der Neuzeit. Chamberlain ist kein allzu offener Feind der technischen Zivilisation, denn vor allem die Eisenbahn und die moderne Schiffahrt machten es möglich, daß die Leute nach Bayreuth pilgern konnten, um sich Richard Wagners Opern anzuschauen, was in den Augen Chamberlains die Bedeutung der modernen Zivilisation entscheidend hebt. Statt der Bezeichnung „Jahrhundert der Naturwissenschaften" schlägt Chamberlain für das 19. Jahrhundert die Bezeichnung „Jahrhundert des Sitzfleisches" vor und bejaht Rankes Wort vom „Jahrhundert der Nationalitäten", fügt diesem jedoch auch die Bezeichnung „Jahrhundert der Rassen" bei.[237)] Wenn auch der Begriff der „Rasse“ von ihm nicht zum ersten Mal zur Erklärung der Geschichte eingeführt wurde, so war er doch ein Bahnbrecher, der diesem Begriff eine entscheidende Bedeutung und somit einen konkreten Wertinhalt verlieh. Nach der Vergegenwärtigung seiner Liberalismusfeindlichkeit — er nennt die Grundströmung des 19. Jahrhunderts „liberalismus vulgaris“[238]) — kommen wir zu seiner konkreten Bipolarität. Sein konkreter Rassenbegriff führt ihn zur Unterscheidung der beiden Faktoren, welche die Welt regieren: Germanen und Nichtgermanen. Obwohl er diese beiden Pole auch geschichtlich bis zur „germanischen Neugeburt“ im 12. Jahrhundert rückprojiziert, bringt dies nicht allzu viel. Mit seiner „künstlerischen“ Zusammenfassung, mit der Rekonstruierung der „Weltanschauung“ der „bedeutendsten“ Menschen, gewinnt er freie Hand über die Weltgeschichte und weckt durch sein Buch den Eindruck einer außerordentlich gründlichen und darüber hinaus wissenschaftlichen Annäherung, obwohl er seinen „Dilettantismus“ betont. Seine Wirkung wird noch durch die Tatsache potenziert, daß er von einer Grundsituation ausgeht, die man als typisch für die Epoche ansehen kann: von der Gegenüberstellung des suchenden (intellektuellen) einzelnen und der Vielfalt der „interpretationsbedürftigen“ Tatsachen.[239]) Was für Gumplowicz und sein Gegensatzpaar zutraf, nämlich daß er mit Hilfe zweier gegensätzlicher Begriffe den Versuch einer vollständigen positiven Welterklärung unternahm, gilt auch für Chamberlain. Für Chamberlain ist ganz Europa bis zum ersten Jahr des 19. Jahrhunderts, als das „Neue“ anbricht, germanisch. Was wir bis jetzt über den oft unbewußten heuristischen Totalitätsanspruch der bipolaren Denker feststellten, behält im Rahmen einer weiteren Analyse auch für Chamberlain Gültigkeit. Nicht nur die gewählte Bipolarität ist unhaltbar, sondern die Grundidee im allgemeinen; der stärkere Teil — hier die Germanen — wird als alles ausschließender Faktor der Weltgeschichte aufgefaßt. Seine unmittelbare geistige Umgebung sah in Chamberlain den Kämpfer gegen den Impressionismus, und sein Lobpreis der Germanen — oder Teutonen — entsprach letzten Endes den idealisiert-ästhetisierten Sehnsüchten der deutschsprachigen Bevölkerung der Monarchie, welche durch die Gleichgewichtspolitik des kaiserlichen Hauses in den Hintergrund gedrängt wurden.[240]

Auch bei Chamberlain wird deutlich, daß der Anspruch, große, zusammenhängende historische Konzeptionen aufzustellen, ohne eine mehr oder weniger lebendige hegelianische Tradition zur Quelle extremster Willkür werden kann. Es gibt aber noch ein weiteres Charakteristikum seines Denkens, welches sich historisch und strukturell als gleich entscheidend erwies. Er war nämlich einer der ersten, die das politische Denken bis zur Unkenntlichkeit deformierten. Mit seinem Wechselspiel zwischen historischen, ideologischen, politischen, religiösen und anderen Denkmodellen läßt er im Leser völlig falsche, ans Komische bzw. Pathologische grenzende konzeptuelle Schemata entstehen. Das Wesentliche seiner Methode lag darin, seine politischen und wirtschaftlichen Gegner systematisch anzugreifen, sie aber nicht beim Namen zu nennen, sondern mit undeutlichen ideologischen Etiketten zu versehen. So transponierte er zunächst die gröbsten, konkretesten Probleme in eine unkonkret-verzerrte Welt des Geistes und setzte seine Manipulation in diesem anderen Bereich fort, ohne aber sein eigentliches Ziel auch nur für einen Augenblick aus den Augen zu verlieren. So trug er dazu bei, daß die sich in einer modernen Umwelt artikulierenden konkreten, sozialen und wirtschaftlichen Konflikte in den allerphantastischesten ästhetischen, ideologischen und historischen Formen zutage traten und — dies kann heute schon unschwer erkannt werden — praktisch jeden daran hinderten, die effektiven Zusammenhänge zu verarbeiten. Ohne diesen Sachverhalt reflektiert zu haben, ist die Politik jener Jahre in Europa nicht verständlich. Chamberlain griff zum Beispiel auch „Rom" an, weil die katholischen Parteien, Gruppen usw. als seine Gegner galten. Es ist wohl kaum daran zu zweifeln, daß wenn diese sich anders verhalten hätten, „Rom" als Freund der „Germanen" erschienen wäre.

Nach dieser Aufzählung gilt es zusammenzufassen, was die unvergleichliche historische Wirkung dieses Hauptwerkes H. St. Chamberlains ausmacht. Schauen wir uns nun an, *was* er umwerten will, *mit welchen Mitteln* er es tut und *welche Ziele* (zweifellos welthistorische) er damit verfolgt.

Die wahren Dimensionen der Chamberlainschen Umwertung werden jedenfalls erst nach einem äußerst eingehenden und vorsichtigen Studium des Werkes sichtbar. Will man sie in einem Satz zusammenfassen, so muß dieser lauten: Chamberlain beabsichtigt, „das neunzehnte Jahrhundert“ umzuwerten, d. h. all jene Errungenschaften dieses Jahrhunderts zurückzunehmen, die ein breiter Konsens eben als „Fortschritt“ dieses Jahrhunderts zu akzeptieren jederzeit bereit ist. Er will den Leser von seiner Identität als „Bürger des 19. Jahrhunderts“ abrücken, er läßt historische Tendenzen in diesem Jahrhundert zur Geltung kommen, die in der von ihm geschaffenen Form nur als *fossil* oder gar *atavistisch* angesehen werden können. Er arbeitet für die Anerkennung der anonymen Massen in der Geschichte (mit Ausnahme — selbstverständlich — der Arbeiterbewegung), er unternimmt alles, den streng soziologisch verstandenen Individuationsprozeß rückgängig zu machen. Nicht nur der gesamte Geschichtsprozeß wird zum Schauplatz eines riesigen Rassenkampfes, sondern auch das 19. Jahrhundert. Bei Gumplowicz und Chamberlain geht es etwa in Sachen „Rassenkampf“ nicht „nur“ um Unterschiede der Einstellung und der Theorienbildung, sondern vor allem um eine unterschiedliche Auffassung des wissenschaftlichen Gewissens. Zwischen dem österreichischen Positivismus und der faschistischen politischen Metaphysik gilt es, gerade diesen Unterschied deutlichst herauszuarbeiten. Wir haben gesehen, wie unvollständig die Etikette „Sozialdarwinist“ das Wesentliche eines Gumplowicz oder Ratzenhofer wiedergeben konnte, und zwar vor allem deshalb, weil bei ihnen Wissenschaftlichkeit und Ethos der Wahrheit selbst bei den heikelsten Themen vorhanden waren. *Nicht die Themenwahl, auch nicht gewisse Züge der Theorienbildung, sondern die wissenschaftliche Moral, das Ethos der Wahrheit sind in dieser Frage entscheidend.* Es muß nicht noch einmal betont werden, daß gerade diese qualifizierenden Faktoren bei Chamberlain völlig fehlen. Anstelle des europäischen Bürgers des 19. Jahrhunderts läßt er *den* „Germanen“ als Protagonisten auftreten, was in jeder Hinsicht einer grundlegenden Umwertung gleichkommt. Daraus folgt, daß die Weltgeschichte eigentlich ein Kampf zwischen Germanen und Nicht-

Germanen ist. Dabei spielen sicherlich auch die neuen Einstellungen der deutschen Kulturentwicklung nach 1871, d. h. nach der Restauration der Hohenzollern, eine Rolle. Es ist jedoch wohl auch notwendig, auf jene Umwertung aufmerksam zu machen, die zwischen den *„barbarischen"*, das Römische Weltreich ablösenden und den das „Völkerchaos" beseitigenden *kulturschaffenden* (Chamberlainschen) Germanen besteht. Demnach könnte man eigentlich auch nicht von einer „Renaissance" sprechen, da diese nämlich ebenfalls erst durch die Germanen möglich wurde.[241)] Ebenfalls offen gegen das 19. Jahrhundert gerichtet ist die explizite These, daß die Zivilisation keinen Fortschritt darstellt[242)] und die „Menschheit" eine hypothetische Abstraktion ist (die durch das Konkretum „Individuum", vielmehr aber durch jenes der „Rasse" ersetzt werden muß).[243)]

Das „Was" der Chamberlainschen Umwertung läßt sich so zusammenfassen, daß er das neunzehnte Jahrhundert (gerade in vielen seiner emanzipativsten Züge) einfach aus dem geistigen Universum seines Lesers verbannen und an seine Stelle eine in jedem Sinn des Wortes konfuse, durch schlimmste Berechnungen genährte Konstruktion setzen will.

Die bereits angesprochene Einmaligkeit und Inkommensurabilität dieses Werkes resultiert jedoch mindestens ebensosehr aus der Strategie und Argumentationsweise wie aus der wissenschaftlichen Moral des Verfassers. Die Wissenschaft erweist sich gegenüber dem „Leben" als nicht tiefgehend genug, während ihre „kleinen" Beiträge durchaus wertvoll sind, wenn sie gegebenenfalls die Gedankengänge — und seien sie die abenteuerlichsten — ihres Urhebers unterstützen. Chamberlain leugnet, wie gesagt, die historische Bedeutung des großen Individuums, während das „Genie" historisch durchaus eine Wirkung haben kann (wenn es der Sache der Germanen dient!). Ganz „Nationalsozialist" ist er in seiner Definition der Germanen: beinahe wörtlich sagt er, daß er entscheidet, wer Germane ist und wer nicht. Er definiert das Germanentum einmal als geistige Einstellung, ein andermal als durch die Rasse bestimmt.[244)] Er treibt unerhörten Mißbrauch mit der Kulturkritik und verwirklicht als erster bereits die schlimmsten Möglichkeiten ihrer Manipulierung. Er bedient sich der „Kulturkritik“, um Dinge auszusagen, die weder rein „politisch“ noch „kulturell“ oder „ästhetisch“ ausgesagt werden könnten, als „Analyse kultureller Symptome“ jedoch ungehindert artikuliert und in den Dienst gefährlichster politischer Ziele gestellt werden können.

Fast selbstverständlich scheint es nunmehr, daß kein gegen seine Konzeption gerichtetes Argument bei ihm Gehör findet. Er versteht es ferner, inmitten eines mehr oder weniger wissenschaftlich scheinenden Textes zu *drohen*, zu *disqualifizieren, mörderisch intolerant zu sein.*[245] Sein Werk — und damit gelangen wir zum Ziel seines Unternehmens — ist die Hypertrophie eines kolossalen antijüdischen Ressentiments.[246] Er ruft den Leser auf, sein Weltbild völlig zu verändern, das 19. Jahrhundert ganz anders als vorher zu interpretieren. Er schreibt die Weltgeschichte in diesem Werk um, wobei er Tatsachen nicht allzu sehr beachtet.

Es war nicht möglich (und wird überhaupt erst in einer Monographie möglich sein), all jene Eigenschaften seines Werkes *Die Grundlagen des 19. Jahrhunderts* ausreichend zu analysieren, die dieses zum ersten faschistischen und darüber hinaus ersten ideal-typisch klassischen und voll ausgearbeiteten Werk der politischen Metaphysik gemacht haben. Zum Abschluß wollen wir nach dem grundsätzlichen Verhältnis zwischen dem Konkreten und dem Universalen bei Chamberlain fragen.

Der mit bipolaren Gegensätzen operierende österreichische Positivismus untersuchte, wie wir bei Gumplowicz oder Ratzenhofer gesehen haben, überwiegend das *Konkrete.* Er wollte *aus dem Konkreten, wenn auch nicht das Universale, so doch die universale Gesetzmäßigkeit des Konkreten* mehr oder weniger *unmittelbar* aufbauen, wie beispielsweise den als „Gesetzmäßigkeit“ aufgefaßten Kampf zwischen Eroberern und Eroberten oder jenen zwischen Individualisierung und Sozialisation.

Bei Chamberlain kommt es aber zu einer völligen Neuregelung dieser Relation. Aufgrund des vorhin Gesagten ist es weitgehend klar, daß er eine universalistische *Präkonzeption* aufstellte und ihr alles Konkrete (offen unwissenschaftlich) unterordnete. Es ging also nicht einfach darum, daß *das Universale das Konkrete aufgehoben hat,* sondern auch darum, daß ein *falsches Universales die tendenziös ausgewählten konkreten, sogar „wissenschaftlichen" Einzelheiten für seine eigene „Verifizierung" in Anspruch nahm.* Uns scheint die Gegenüberstellung des Konkreten und Universalen das Wichtigste über Chamberlains präfaschistische Manipulierung der Wissenschaftlichkeit auszusagen.

Pribram und der Universalismus

Das ebenfalls auf bipolare Gegensätze aufbauende System Karl Pribrams besitzt in unseren Tagen wohl nur mehr eine wissenschaftsgeschichtliche Bedeutung. Für unsere Überlegungen jedoch ist es unter zwei Aspekten sehr wichtig. Soweit die im Vordergrund stehende nationale Frage dies erkennen läßt, weist Pribram nach, daß die wichtigste soziale Frage in der späten Monarchie die allseitige Entfaltung der kapitalistischen Produktionsweise war. Der andere für uns interessante Aspekt ist jener, daß Pribram bereits vor dem Ersten Weltkrieg nach keiner Erklärung für die geistige Blüte, die diese letzte Epoche auszeichnete, suchte. Die beiden entscheidenden gegensätzlichen Elemente seines Systems sind der „Individualismus" und der „Universalismus".[247)] Im wesentlichen zählt er zu ersterem jene Merkmale, welche die industrielle Entwicklung mit ihren Begleiterscheinungen hervorbrachte, zu zweiterem jene Züge, die der vorkapitalistischen Zeit eigen waren (und ebenso, wie wir gesehen haben, auch der Gegenwart). Für den *Universalismus* ist in dieser Deutung vor allem die Existenz der „ewigen Wahrheiten" charakteristisch, deren Gültigkeit keines weiteren Beweises bedarf. Der Universalismus wird von der Vision eines „Ganzen" durchwoben, das man mit Hilfe der „Intuition" verstehen kann. Diese Merkmale des Universalismus, die, wie wir bereits mehrfach gesehen haben, auf dem Gebiet der Monarchie bis ungefähr 1880—1890 im Alltagsdenken ihre Gültigkeit behielten, werden durch solche Züge ergänzt, die — zwar aus anderen Quellen kommend — im Gegensatz zu den Charakteristika des Individualismus stehen. Im *Individualismus* herrscht der „empirische“ Verstand, die Untersuchung der Kausalität wird mit vom Verstand gesetzten Hypothesen vorwärtsgetrieben. Dem individualistischen Kapitalismus steht der antikapitalistische (und vorkapitalistische) Kollektivismus gegenüber. Wollte man die relative Zurückgebliebenheit und überhaupt die Stellung der Monarchie und vor allem deren Ambivalenz um die Jahrhundertwende aufzeigen, so findet man in Pribram ein vielsagendes Beispiel. Im zeitgenössischen Westeuropa müßten wir lange nach einem Denker suchen, der — wie Pribram — in seinem 1912 erschienenen Werk *Die Entstehung der individualistischen Sozialphilosophie* die kapitalistische Ordnung noch unmittelbar mit dem Individualismus identifiziert. Mit anderen Worten: gerade dies ist das Zeitalter der Entstehung monopolistischer Formationen, ganz zu schweigen von jenem von Hilferding identifizierten Finanzkapital.

Pribrams Erklärung der geistigen Blüte Wiens erwächst aus der direkten Konfrontation der beiden Prinzipien: „Die intellektuellen Klassen Wiens hatten die einzigen Vorposten nominalistischen Denkens östlich des Rheins errichtet. Wiens wissenschaftliche, philosophische, literarische und künstlerische Leistungen... waren dem Einfluß dieses Denkens zuzuschreiben. Diese nominalistische Haltung stand in scharfem Gegensatz zu einer halbuniversalistischen Strömung, dem Erbe der dynamischen Tradition, das vom Adel und dem katholischen Klerus gepflegt wurde und das seine Anhänger in der unteren Mittelschicht fand.“[248]

Ohne Schwierigkeiten gelang es also, Pribrams Konstruktion innerhalb des mit bipolaren Erklärungen arbeitenden österreichischen Positivismus zu situieren. Dabei brauchte man den positivistischen Hintergrund dieser Konzeption nicht eigens zu erklären. Im Falle Pribrams erwies sich ferner als entscheidend, daß er seine Erklärung der Entwicklung Österreichs für den Aufbau einer *Theorie mittleren Allgemeinheitsgrades und darüber hinaus lokalen Charakters* in Anspruch nimmt.[249] Beide Merkmale vermindern das Risiko einer bipolaren Konstruktionsbildung selbstverständlich stark. Pribram wollte weder einen gesamthistorischen noch einen über lokalen Eigenarten stehenden Prozeß interpretieren. Die Megalomanie eines Chamberlain fehlte ihm völlig, was ihm sowohl methodisch als auch wissenschaftlich sehr zugute kam.[250)]

Dem Leser mag bereits aufgefallen sein, daß Pribrams Konfrontation des ,,Individualismus" mit dem ,,Universalismus" sehr nahe an einen entscheidenden Punkt unseres Versuchs der Unterscheidung und Konfrontation des Konkreten mit dem Universalen herankommt. Daraus folgt wie selbstverständlich, daß wir seinen Ansatz für sehr fruchtbar halten und gerade die Spannung dieser einander äußerst fern stehenden, in konkreten Zusammenhängen geradezu diametral auseinanderlaufenden Denkstile kulturhistorisch, wissenssoziologisch und ideologiekritisch als das Fundamentale einer Rekonstruierung der österreichischen Philosophie bzw. des österreichischen Denkens überhaupt ansehen.[251)]

Bipolarität in der Psychoanalyse
Sigmund Freud

Wenige Schöpfungen der modernen wissenschaftlichen Kultur können so eindeutig mit einem Namen verknüpft werden wie die Lehre Freuds, und wenige Strömungen gibt es, die man so eindeutig mit den geistigen, psychologischen Strömungen einer Stadt, einer Gesellschaft und eines Reiches in Zusammenhang bringt, wie Freuds Lehre mit Wien bzw. der Monarchie. Albert Fuchs schreibt nachgerade: ,,Wenn wir uns fragen, in welchem Denker der Gegenwart die geistige Kraft des österreichischen Volkes sich am sichtbarsten verwirklicht hat, könnten wir keinen besseren Namen erwähnen als den seinen"[252)] (d. h. Freuds).

Die Untersuchung der Beziehungen zwischen der Lehre Freuds und den letzten Jahrzehnten der Monarchie war auch ein Versuch, der Genesis des Freudschen Systems als potentieller Weltanschauung näherzukommen. Bevor wir die Relation der Interdependenz zwischen Freud und Wien sowie auch ihre

Wechselwirkungen untersuchen, müssen wir voranschicken, daß trotz der tausend Fäden, die zwischen diesen Phänomenen bestehen, hier keineswegs versucht werden soll, die Freudschen Thesen etwa aus dem Geistesleben der Monarchie oder eben aus den zahlreichen Motiven, die dazu in der Wiener impressionistischen Literatur zu finden sind, „abzuleiten". Die Bedeutung der „Abwehr" und der „Verdrängung", des „Unbewußten" und der Sexualität oder eben der Bedeutung der kindlichen Erfahrung wären auch unabhängig von Wien zu Meilensteinen der Psychologie geworden. Im zeitgenössischen Europa gab es wohl kaum eine Großstadt oder ein Land, wo wir nach mehr oder weniger gründlicher Nachforschung nicht Momente entdeckt hätten, die mit Freuds Lehren in irgendeine Verbindung zu bringen wären.

Freud äußert sich seinerseits nicht gerade schmeichelhaft über Wien. 1914 schreibt er: „Das Aperçu lautet, die Psychoanalyse, respektive die Behauptung, die Neurosen führen sich auf Störungen des Sexuallebens zurück, könne nur in einer Stadt wie *Wien* entstanden sein, in einer Atmosphäre von Sinnlichkeit und Unsittlichkeit, wie sie anderen Städten fremd sei, und stelle einfach das Abbild, sozusagen die theoretische Projektion dieser besonderen Wiener Verhältnisse dar. Nun, ich bin wahrhaftig kein Lokalpatriot, aber diese Theorie ist mir immer ganz besonders unsinnig erschienen... Die Wiener sind weder abstinenter noch nervöser als andere Großstädter. Die Geschlechtsbeziehungen sind etwas unbefangener, die Prüderie ist geringer als in den auf ihre Keuschheit stolzen Städten des Westens und Nordens. Diese wienerischen Eigentümlichkeiten müßten den angenommenen Beobachter eher in die Irre führen als ihn über die Verursachung der Neurosen aufklären."[253)] Vor 1914 beschäftigte sich Freud oft mit dem Gedanken, mit der psychoanalytischen Schule von Wien nach Zürich zu übersiedeln, nicht zuletzt deshalb, weil ihm diese Stadt eher als Zentrum Europas erschien. Diese Verurteilung Wiens entspringt der auch von Freud festgestellten Tatsache, daß die Stadt und deren wissenschaftliche und meinungsbildende Kreise der Psychoanalyse anfangs keine Sympathien entgegenbrachten. Oder wie es Freud sieht: „Die Stadt Wien hat aber auch alles dazu getan, um ihren Anteil an der Entstehung der Psychoanalyse zu verleugnen."[254)]

Seine Meinung ändert sich jedoch, als Österreich-Ungarn aufhörte zu existieren. 1918 schreibt er: „Ich habe eine unbändige Zuneigung zu Wien und Österreich, obschon ich seine Abgründe kenne."[255)] Aber selbst dieser Vorbehalt verschwindet in einem Geständnis aus dem gleichen Jahre: „Österreich-Ungarn ist nicht mehr. Anderswo möchte ich nicht leben. Emigration kommt für mich nicht in Frage. Ich werde mit dem Torso weiterleben und mir einbilden, daß er das Ganze ist."[256)] Freuds zwiespältiges Verhältnis zu Wien vor 1914, in dem immer ein Widerstand gegen das offizielle Leben der Stadt bzw. den Geist vorherrschte, kann nicht einfach als späte Verklärung abgetan werden. Wenn wir uns also im folgenden auf solche biographische und entwicklungsgeschichtliche Momente beschränken, deren Wirkung auf das Freudsche System außer Zweifel steht, so betrachten wir dies nicht als eine Erklärung bestimmter Freudscher Thesen und Inhalte, sondern eher als eine gewisse Ausleuchtung der historischen Situation der Psychoanalyse und ihres Hintergrundes. Freud ist beträchtlich älter als die impressionistische oder über den Impressionismus hinausgehende Generation der letzten Jahrzehnte, die in ihrer Mehrzahl in den achtziger Jahren des vorigen Jahrhunderts geboren wurde. Als Privatmann war für ihn die liberale Haltung des Wiener Bürgers typisch, und auch seine Tätigkeit wurde von der Achtung vor Tatsachen, dem Rationalismus und der naturwissenschaftlichen Betrachtungsweise der „zweiten" Aufklärung geprägt. In der Mittelschule lernte er die Herbartsche Psychologie kennen. Überhaupt können wir fast alle wesentlichen Charakterzüge des spezifisch österreichischen Positivismus bei Freud vorfinden. Er ist Aufklärer (jedenfalls bis 1918/19),[257)] kämpft gegen die Mächte des Aberglaubens. Er ist stark anthropologisch orientiert und sucht immer nach praktischen Möglichkeiten. Auf der Grundlage einer in jeder Hinsicht einwandfreien positiven Arbeit schafft er (vorwiegend bipolare) Konstruktionen und ist in seiner Jugend vom Pathos und Ethos der Wahrheit restlos erfüllt. Er zeigt einen seltenen Mut bei der Wahl, aber auch bei der Erschließung seines Arbeitsgebietes und verfügt über ausgezeichnete kämpferische Eigenschaften. Außer in Ernst Mach verkörpert sich die charakteristisch österreichische Wissenschaftlichkeit vielleicht in ihm am vollkommensten.[258]

Der Rationalismus dieser „zweiten" Aufklärung bringt ihn Persönlichkeiten wie Popper-Lynkeus nahe und lebt auf eine eigentümliche Art auch in seiner Tätigkeit nach dem Ersten Weltkrieg weiter. Dies zeigen sowohl seine *Massenpsychologie* von damals als auch *Die Zukunft einer Illusion*, wo er sich hauptsächlich mit dem Christentum auseinandersetzt.[259]

In seiner Jugend — in der noch ungestört liberalen Monarchie — verspürt auch er eine große Neigung zur philosophischen Spekulation, zur dichterischen Selbstartikulierung, und er wählte die naturwissenschaftliche Laufbahn unter anderem auch zur unerbittlichen Disziplinierung seines Geistes. Ab den zwanziger Jahren bemerkt er immer öfter, daß er, wenn auch auf Umwegen, zu seiner ursprünglichen Motivation zurückgekehrt ist. Er wurde zu einer Geistesgröße, ihm gelang der Traum jedes jungen Intellektuellen: er wurde Genie in Österreich-Ungarn, aber er erlebte oder mußte all das erleben, womit dies eben in Kakanien einherging: „Es ist überhaupt merkwürdig, wie inkorrekt sich die meisten Menschen benehmen, wenn sie in einer neuen Sache auf ihr eigenes Urteil gestellt sind."[260]

Der junge Freud bewunderte die Vielseitigkeit Brückes und war in den neunziger Jahren ein Anhänger der Theorie Meynerts vom sogenannten „ersten" und „zweiten" Ich. Schnitzler gegenüber stellte er eine wechselseitige geistige Verwandtschaft fest: „So habe ich den Eindruck gewonnen, daß Sie durch Intuition — eigentlich aber infolge feiner Selbstwahrnehmung — alles das wissen, was ich in mühseliger Arbeit in anderen Menschen aufgedeckt habe."[261] Er spricht, wie wir bereits gesehen haben, auch von Joseph Popper-Lynkeus mit Anerkennung.

William M. Johnston, der bahnbrechende Monograph Österreich-Ungarns, sieht eindeutige Parallelen zwischen der Psychoanalyse und der Welt Kakaniens. Seiner Ansicht nach schlägt sich in der Psychoanalyse Freuds der Umstand nieder, daß Wien eine Bastion der „Erinnerung" war (!), den Begriff des Unbewußten etwa schöpfte er aus den Clichees der Habsburger-Bürokratie. Die Vaterfigur erinnert Johnston an Kaiser Franz Joseph, das Über-Ich an die Zensur. Selbst der Begriff der Verdrängung findet seine Urahnen im damaligen Wien. Johnston faßt dies folgendermaßen zusammen: „In seinem Schema der Neurose sehen wir ein geschrumpftes Abbild der habsburgischen Gesellschaft."[262)]

Die stets alternative — und offene — Wechselwirkung zwischen Wien und Freud faßt István Hermann so zusammen: „Als Motto seines Lebenswerkes wählte Freud die folgenden Worte Vergils: ‚Flectere si superos nequeo Acheronta movebo'. D. h., wenn ich die Oberen nicht erobern kann, werde ich die Höllen in Bewegung setzen. Daß diese Oberen genauso gut die herrschenden Klassen seiner Zeit bedeutet haben mögen, wie theoretisch gesehen jene Tendenzen, die an der Oberfläche des menschlichen Bewußtseins erscheinen, ist genauso wenig zweifelhaft wie die Tatsache, daß das in Bewegungsetzen der Höllen für den mit allen Mitteln unternommenen Ausbruchsversuch aus Freuds gesellschaftlicher Situation steht und für den Ausbruchsversuch aus jener Welt, in der damals die Menschen lebten."[263)]

Wir müssen im folgenden kurz untersuchen, ob die beiden in unserem Versuch vorhin beschriebenen zentralen großen Denkmodelle, d. h. der Universalismus und der mit bipolaren Konstruktionen arbeitende Positivismus, mit jenem Freuds überhaupt einen Berührungspunkt haben, der auf empirischer Grundlage beruht. Wir tun das nicht in der Absicht der direkten und unvermittelten „Ableitung" oder Erforschung der Genesis dieser Theorie, sondern eines im nachhinein angestellten Vergleiches, der uns vielleicht helfen kann, die Verbindung zwischen der Psychoanalyse und Wien in neuem Licht erscheinen zu lassen.

Jene Verweise Freuds, in denen er konsequent die Erkenntnis der „Verdrängung" für den Ausgangspunkt der Psychoanalyse und das Phänomen selbst für die Basis der Erkenntnis der Neurosen hält, sind von nicht geringer Tragweite. Wir werden uns an anderer Stelle dieser Arbeit, wo die von Freud ausgehende psychologische Entwicklung beschrieben wird, eingehender mit diesem Problem auseinandersetzen.[264]

Freud nimmt dynamische Faktoren wahr, nämlich die Duplizität des „seelischen Konflikts“ bzw. seiner „Verdrängung“. Dieser Grundgedanke entwickelt sich weiter in der Form bipolarer Konzepte. Damit im Zusammenhang steht die das Unbewußte zurückdrängende Tätigkeit der „bewußten Persönlichkeit“, welche sich auf ethische bzw. ästhetische oder sonstige Motive beruft. Hierin erscheint letztlich (wir sagen dies nicht in erster Linie, um die Theorie Freuds lückenlos zu interpretieren, sondern um ihren geistigen Stellenwert in Österreich-Ungarn zu lokalisieren) der „barocke“ Kampf des „Guten“ und des „Bösen“ als Erklärung für die Dynamik der Persönlichkeit, selbst dann, wenn Freud, völlig richtig übrigens, diese Bipolarität nicht mit moralischer Wertschätzung verbinden will. Diese Bestrebungen einer Theoriebegründung, die man als bipolar bezeichnen kann, gingen nichtsdestoweniger vor 1914 noch auf ein einziges Prinzip zurück: auf das *Lustprinzip* bzw. die *Libido*. In seinen späteren Werken, als er dann eine wohlfundierte Instinkttheorie ausarbeiten will, spaltet sich die ursprüngliche Einheit — die, wie wir gesehen haben, aus einer Vielzahl bipolarer Faktoren bestand — in Ich-Instinkte (wie zum Beispiel Selbsterhaltung, Hunger) bzw. in libidinöse Instinkte (Liebe), denen dann die Unterscheidung zwischen der narzißtischen bzw. der Objektlibido folgte. Zwischen 1920 und 1923 („. . . habe ich der lange niedergehaltenen Neigung zur Spekulation freien Lauf gelassen und dort auch eine neue Lösung des Triebproblems gefaßt“ — so Freud[265]) entstand eine neue Lösung des Instinktproblems: „Ich habe Selbst- und Arterhaltung unter den Begriff des Eros zusammengefaßt und ihm den geräuschlos arbeitenden *Todes-* oder *Destruktionstrieb* gegenübergestellt. Das Zusammen- und Gegeneinanderwirken von Eros und Todestrieb ergibt für uns das Bild des Lebens.“[266] Auf die anderen darauf verweisenden Merkmale dieses Denksystems (Ich — Es; Ich — Es — Über — Ich) wollen wir nicht näher eingehen, doch glauben wir in diesem letzteren auch Elemente des Universalismus der „allgemeinen Weltordnung“ zu erblicken.

Diese Klassifizierung scheint so manchen Gedanken aus dem Freud-Essay von Hermann Broch, der auf der Grundlage einer erneuerten Konzeption der „allgemeinen Weltordnung" stand, zu unterstreichen. Broch nennt hier Freuds Modell methodologisch unvollkommen. Seine folgenden Ausführungen machen also die in der Tiefe des Freudschen Denkens zähe fortlebende Bipolarität des österreichischen Positivismus durchaus deutlich, sie charakterisieren aber auch Hermann Broch, den wir als Erneuerer, und zwar einen der allermodernsten Erneuerer gerade des (österreichischen) Universalismus erkennen werden. Er schreibt folgendes: „... Modelle, welche die Einheit der Realität oder ihrer Ausschnitte dartun wollen, sind erst dann vollständig, wenn sie diese Einheit in einem einheitlichen Modellmechanismus, also in einem einzigen Bewegungsprinzip, nach dem das Modell zu funktionieren hat, wiederzugeben trachten: all unser Wissen (und nicht nur das sogenannt wissenschaftliche) vollzieht sich in solchen Modellbildungen, die sich, wie gerade ihr Prototyp, nämlich das physikalische Modell, zeigt, nicht eher als gültig erweisen, ehe sie nicht ihre methodologische Einheit mit Hilfe eines einzigen Bewegungsprinzips erreichen. Das Freudsche Seelenmodell hat aber wenigstens zwei Bewegungsprinzipien (!) zu folgen, da nirgends ein Versuch gemacht wird, die beiden ‚Urkräfte' auf eine gemeinsame Wurzel zurückzuführen."[267] Sehr vielsagend ist ferner, daß Broch dies auch erklärt: „Es ist, als ob Freud sich an diesem Punkt eine ‚Spekulationsgrenze' gesetzt hätte, ahnend und wohl auch fürchtend, daß hinter ihr das außerempirische, das außer-psychologische Gebiet beginne, das zu betreten er sich scheute."[268] Broch thematisiert hier also die nicht überwundene positivistische Bipolarität Freuds, und zwar vom Standpunkt des *anderen* modern-österreichischen Denkmodells, des erneuerten Universalismus, aus. Die beiden großen Modelle werden hier unmittelbar miteinander konfrontiert!

Der Wiener Impressionismus und seine Dimensionen

„Was bleibt übrig? Was ist sicher in diesem Leben? Wo ist der Punkt, und sei er noch so kahl und öde und von aller Schönheit und allem Reichtum weit umgangen, an dem der Mensch sichere Wurzel schlagen könnte? Wo gibt es etwas, das nicht wie Sand zwischen seinen Fingern zerrinnt, wenn er es herausheben will aus der formlosen Masse des Lebens und es halten will, wenn auch nur auf Augenblicke? Wo scheiden sich Traum und Wirklichkeit, Ich und Welt, tiefer Inhalt und flüchtiger Eindruck?"[269)]

Die impressionistische Kultur Wiens ist in vielem die Fortsetzung früherer eigenständig österreichischer Traditionen, und zwar jener des Positivismus ebenso wie jener der universalistischen Denkweise. Um aber diese Zusammenhänge entsprechend interpretieren zu können, müssen wir uns die Atmosphäre der Jahrhundertwende vergegenwärtigen. Musils folgende Beschreibung enthebt uns der Pflicht, jene Motive im einzelnen aufzuzählen, die diese Periode als „selbständiges geistiges Phänomen" auszeichneten und die jenen „Sprung" bewirkten, der zum Substrat der geistigen Kultur wird: „... es ist jedesmal wie ein Wunder, wenn nach einer solchen flach dahinsinkenden Zeit plötzlich ein kleiner Anstieg der Seele kommt, wie es damals geschah. Aus dem ölglatten Geist der zwei letzten Jahrzehnte des neunzehnten Jahrhunderts hatte sich plötzlich in ganz Europa ein beflügeltes Fieber erhoben. Niemand wußte genau, was im Werden war; niemand vermochte zu sagen, ob es eine neue Kunst, ein neuer Mensch, eine neue Moral oder vielleicht eine Umschichtung der Gesellschaft sein solle. Darum sagte jeder davon, was ihm paßte. Aber überall standen Menschen auf, um gegen das Alte zu kämpfen. Allenthalben war plötzlich der rechte Mann zur Stelle; und was so wichtig ist, Männer mit praktischer Unternehmungslust fanden sich mit den geistigen Unternehmungslustigen zusammen. Es entwickelten sich Begabungen, die früher erstickt worden waren oder im öffentlichen Leben gar nicht teilgenommen hatten. Sie waren so verschieden wie nur möglich, und die Gegensätze ihrer Ziele waren unübertrefflich. Es wurde der Übermensch geliebt, und es wurde der Untermensch geliebt; es wurden die Gesundheit und die Sonne angebetet, und es wurde die Zärtlichkeit brustkranker Mädchen angebetet; man begeisterte sich für das Heldenglaubensbekenntnis und für das soziale Allemannsglaubensbekenntnis; man war gläubig und skeptisch, naturalistisch und preziös, robust und morbid; man träumte von alten Schloßalleen, herbstlichen Gärten, gläsernen Weihern, Edelsteinen, Haschisch, Krankheit, Dämonen, aber auch von Prärien, gewaltigen Horizonten, von Schmiede- und Walzwerken, nackten Kämpfern, Aufständen der Arbeitssklaven, menschlichen Urpaaren und Zertrümmerung der Gesellschaft. Dies waren freilich Widersprüche und höchst verschiedene Schlachtrufe, aber sie hatten einen gemeinsamen Atem; würde man jene Zeit zerlegt haben, so würde ein Unsinn herausgekommen sein wie ein eckiger Kreis, der aus hölzernem Eisen bestehen will, aber in Wirklichkeit war alles zu einem schimmernden Sinn verschmolzen. Diese Illusion, die ihre Verkörperung in dem magischen Datum der Jahrhundertwende fand, war so stark, daß sich die einen begeistert auf das neue, noch unbenützte Jahrhundert stürzten, indes die anderen sich noch schnell im alten wie in einem Hause gehen ließen, aus dem man ohnehin auszieht, ohne daß diese beiden Verhaltensweisen als sehr unterschiedlich gefühlt hätten."[270] Wir zitieren Musil so ausführlich, weil uns jeder seiner Sätze relevant scheint. Er zeigt hier sein Können, in seiner Zeitdiagnostik auch wissenssoziologisch Wertvolles zu leisten und die Grenze zwischen Belletristik und Wissenschaft zu beseitigen. Diesem Bild können wir als Ergänzung höchstens hinzufügen, daß sich Wien gerade in die „zweite Welle" der europäischen Moderne einschaltete, so daß diese Stadt in der Kunst gleich etwas Selbständiges leisten konnte. Dazu aber war es notwendig, daß die Alleinherrschaft von Paris im Geistigen schwand und neue Zentren wie Berlin und Wien entstanden, und von Stockholm bis Budapest noch weitere neue Metropolen auf den Plan traten, die den bereits zahlreichen neuen Bewegungen eine befruchtende geistige Heimat boten. Zur Abrundung dieses Bildes gehört auch der Prozeß der

Entstehung der Großstädte, die im Begriff waren, ihr jeweils eigenes geistiges Antlitz zu entfalten. Ohne diesen Sprung ins Großstädtische könnte man den Wiener Impressionismus, aber auch die „zweite Welle der Moderne“ kaum verstehen. Diese weltstädtische Atmosphäre galt als Grundlage der Vorstellungen, ja sogar der Mythen der Wiener Kultur. Diese Stadt ermöglichte die Zusammenarbeit der führenden Geister, schuf eine Atmosphäre, die heute gewiß schon legendär geworden ist. Wir dürften uns kaum täuschen, wenn wir aus den folgenden Sätzen Janik/Toulmins bereits eine endgültige Sanktionierung dieser Legende über Wien herauslesen: "Thus it comes as a slight shock to discover that Anton Bruckner gave piano lessons to Ludwig Boltzmann; that Gustav Mahler would bring his psychological problems to Dr. Freud; that Breuer was Brentano's physician, that the young Freud fought a duel with the young Viktor Adler, who hat attended the same high school as both the last of the Habsburgs, Charles I, and Arthur Seyss-Inquart, later the Nazi Commissioner of Holland; and that Adler himself like Schnitzler and Freud, had been an assistant in Meynert's clinic."[271)]

Gewiß, dieses Bild Wiens als menschlicher oder gar als *der* menschlichste Heimatort moderner Kultur und modernen Denkens entstand größtenteils erst nach dem Zerfall Österreich-Ungarns, erst im nachhinein wurde es so schön, sogar idyllisch. Diese Atmosphäre Wiens jedoch, die sich am deutlichsten und unmittelbarsten zweifellos im Wiener Impressionismus niederschlug, war jedoch ein Nährboden, der sich gewiß als äußerst anregend für geistige Kreativität erwies.

Der Impressionismus der Oberfläche

Die Analyse der letzten Epoche — für die Brochs Ausspruch von der „fröhlichen Apokalypse“ eigentlich gilt — mit der „Oberfläche“ zu beginnen, ist nicht unproblematisch. Diese beinahe restlos im Alltagsdenken aufgegangene Ideenströmung ist der Wiener „Impressionismus“. Diese impressionistische Lebensauffassung wurde im Rückblick häufig als die „selige Friedenszeit“ apostrophiert und erwarb sich somit auch eine gewisse historische Relevanz. Im Gegensatz zur deutschen Kultur dieser Jahre nannte man diese Periode tadelnd „Backhendlzeit", wie zum Beispiel Hermann Broch,[272] der gerade die ästhetische Lebensauffassung, das Übergewicht der Ästhetik im ethischen Vakuum, für den Zerfall verantwortlich macht. Dadurch erhob Broch den zähen Vorwurf gegen den Wiener Impressionismus in *quasi*-theoretische Höhen und bestimmte somit auch die Richtung zahlreicher Forschungsrichtungen. Das Ineinanderübergehen des Ethischen ins Ästhetische, des Ästhetischen ins Politische, macht einen weiteren Aspekt des eigentümlichen Verhältnisses der verschiedenen geistigen Objektivitationen in diesem Raum und in dieser Zeit deutlich. Nicht nur die einzelnen Richtungen, Methoden und Wissenschaften standen einander verhältnismäßig nahe, sondern auch die einzelnen Sphären dieser Objektivationen hatten fließende Grenzen. Dieses Ineinander von Objektivationen, das im österreichischen Denken auch zwischen anderen, weiteren Objektivationen bestand und auch ausgewiesen werden kann, könnte als Grundlage einer umfassenden Theorie der Objektivationen fungieren.[273] Die Kunst war somit nicht „nur Kunst", sondern etwas mehr. Mit Recht heben einzelne Kritiker (wie H. Rieder) hervor, daß der von Hermann Bahr formulierte Begriff der impressionistischen „Moderne" nicht ausschließlich ästhetischer Natur war, sondern darüber hinaus auch noch allgemeine Voraussetzungen über den „neuen Menschen", aber auch über das moderne Österreich enthielt.[274] Damit wird bereits einer der wesentlichen Charakterzüge des Wiener Impressionismus klar: das Existentielle, das Ethische, das Ästhetische und das Religiöse sind voneinander nicht scharf getrennt, sie fließen gleichsam ineinander über.

Das *Wiener Bürgerhaus um 1910* ist der Titel eines Kapitels, in dem sich der hervorragende Forscher der Monarchie, Albert Fuchs, an die für ewig gehaltene, märchenhafte Sicherheit der letzten Epoche erinnert: „Das Haus stand im Mittelpunkt der Welt. Darin wohnte ein kleiner Junge, Mittelpunkt des Mittelpunkts. Die Welt rauschte vor den Fenstern, trug ihre Schätze heran und legte sie dem kleinen Jungen in die ausgebreiteten Hände. Unabsehbar weit, war sie zugleich unbeirrbar wohlgesinnt. Das Haus und die darin lebten, war immer gewesen und würde immer sein. Es befand sich außerhalb der Begriffe der Veränderung. Zeit maß man in Stunden, höchstens Tagen, die übrigen Maße fehlten, so wie in einem kleinen Kaufladen die großen Gewichte fehlen... Nach herrschender, obgleich unausgesprochener Ansicht, war die Weltgeschichte mit der Schlacht von Königgrätz anderthalb Menschenalter früher, zu Ende gegangen. Größere Veränderungen waren nicht mehr zu erwarten.“[275] Von dem gleichen Erlebnis der Sicherheit zeugt Stefan Zweigs bekanntes Buch *Die Welt von gestern* aus dem Jahre 1943.[276] Der Musikkritiker Max Graf sieht diese Welt im nachhinein so: „Wir in Wien Geborenen und hier Aufgewachsenen hatten während der glänzenden Periode Wiens vor dem Ersten Weltkrieg keine Ahnung, daß eine der größten Epochen in der Geschichte der Musik zu Ende geht, und noch weniger wußten wir, daß die Monarchie der Habsburger, deren Hauptstadt Wien war, zum Untergang bestimmt war... Keiner von uns dachte, daß das Licht, welches so hell glänzte, das eines farbigen Sonnenunterganges sei.“[277] Das gleiche Sicherheitsgefühl des Friedens empfanden auch die breiten Gruppen der Mittelklasse und andere Schichten im damaligen Ungarn. Babits etwa erinnert sich in einem Roman daran: „Damals kannten die französischen Schriftsteller kaum ein anderes Thema als den Ehebruch, auch bei uns war dies das neueste literarische Ideal, denn was hätte sonst noch interessant sein können? Wir erreichten die ‚Ordnung‘, die ewig zu währen schien; es war der Ehebund von Ländern, wo der Ehebruch Krieg bedeutet — und wer denkt schon an Krieg in unserem friedlichen Jahrhundert?“[278] Paradoxerweise finden wir neben dieser friedlichen Ruhe genügend Beweise für ein manchmal extrem scharfes Krisenbewußtsein. Beide Phänomene sind zu berücksichtigen, um die Entstehung einer genuin modernen Kultur in Wien entsprechend würdigen zu können.

Der französische Impressionismus verkörperte eine Revolution der Kunst gegen eine etablierte Form der bürgerlichen Gesellschaft.[279] Seinen Höhepunkt erreichte er in der Malerei, wobei deren gesamte Sehweise und die bis dahin geltende Rolle der Farben und Linien revolutioniert wurden. In Wien aber war dieser Impressionismus nicht ausschließlich eine Kunstrichtung, da über die Schilderung des Lebensgefühls hinaus die Eigentümlichkeiten des Wiener (vor allem literarischen) Impressionismus als Kunstrichtung nur schwer definierbar wären. Es ist kein Zufall, daß auch der Begriff der ,,Weltanschauung" hier geprägt wurde.[280)] Beim Entstehen dieses einer Weltanschauung entsprechenden Impressionismus spielten mehrere Faktoren eine Rolle; so zum Beispiel das Auftreten der ,,zweiten Generation", deren Eltern infolge des Liberalismus und der wirtschaftlichen Konsolidierung der Monarchie in den Mittelstand oder auch höher aufsteigen konnten. So stammte die überwiegende Mehrheit der jungen Wiener Generation aus dieser zweiten, höchstens der dritten Generation.[281)] Die Bedeutung der grundlegenden Orientierung jeder ,,zweiten Generation" ist längst einsichtig geworden. Auf ihrem Werdegang wurden sie mit der spezifisch monarchie-internen Problematik der Erschütterung der ,,allgemeinen Weltordnung" konfrontiert. Und dieser Unterschied zwischen den verschiedenen Arten des Impressionismus war im Wien der letzten Epoche ein grundlegender. Nicht nur das französische, auch das gesamteuropäische Krisenbewußtsein hatte mit der Problematik des Verlustes einer ,,allgemeinen Weltordnung" nichts mehr zu tun.[282)]

So war neben den vielen nährenden Quellen unter anderem auch eine eigenartige Ambivalenz mit entscheidend: der Wiener Impressionismus war einerseits in der Tat eine Krisenerscheinung, wobei die ,,österreichische" Krise mit jener der europäischen Moderne oft bis zur Unkenntlichkeit verwachsen war, er war aber andererseits geradezu triumphal und offensiv, er war eine Bewegung, in der eine soziologisch glückliche Generation der österreichischen Gesellschaft auszog, sich selbst in der ästhetischen Existenz triumphal zu erleben bzw. zu verwirklichen. Die Ironie des Schicksals lag darin, daß dieser ,,Triumph des Ästhetischen" keineswegs unabhängig von der jahrzehnte-, sogar jahrhundertealten bewußten Entpolitisierung der österreichischen Gesellschaft erfolgte. Der österreichische Staat, die Krone, war so lange bestrebt, die Gesellschaft zu entpolitisieren, daß es dem Wiener Impressionismus geradezu als Selbstverständlichkeit erschien, sich die Erweiterung seiner Existenz, die Ausdehnung der Grenzen des Erlebbaren „apolitisch“, sogar „antipolitisch“ vorzustellen.[283)]

Die „Oberfläche“ war jedenfalls nicht die Welt der Denker mit gedankenzerfurchter Stirne, sondern jene der Dandys auf den Boulevards, der Genießer des „Lebens“ und des „Augenblicks“. Es bedarf keines weiteren Hinweises, daß dieser Lebensgenuß in Wien nicht ohne Tradition war, den entscheidenden neuen Anstrich erhielt er jedoch erst beim Auftreten der bereits apostrophierten „zweiten Generation“.[284)] So als wären die schon der allgewaltigen Mode wegen unglücklichen Don Juans aus der ästhetischen Phase Kierkegaards in Scharen in die Wiener Straßen und Kaffeehäuser ausgeschwärmt. Auch der Name Kierkegaards fällt hier nicht zufällig. Rudolf Kassner macht bereits 1906 auf den dänischen Denker aufmerksam. Es ist ein typisch impressionistisches Moment, das Kassner — mit vollem Recht — als sehr wichtig ansieht: „Sein Geist ist jedenfalls die herrlichste, beispiellose Einheit eines Denkens und eines Lebens.“[285)] Mit seiner Beziehung zu Kassner hängt auch das große Kierkegaard-Erlebnis des jungen Lukács zusammen. Diese impressionistische Wiener Kierkegaard-Interpretation stand innerhalb der Kierkegaard-Renaissance in den letzten Jahren der Monarchie nicht allein da. Die 1910 in Innsbruck gegründete Zeitschrift *Der Brenner* startete eine neue Wirkungsphase der Gedanken und der Persönlichkeit Kierkegaards im modernen religiösen Denken.[286)] Wichtiger noch als die unmittelbare Wirkung im impressionistischen Wien ist aber die Analogie bzw. die innere Logik des Kierkegaardschen Denkens. Wie sehr die kierkegaardsche Stadiumtheorie ein existenzieller Volltreffer war, zeigt die Tatsache, daß die impressionistischen Wiener Ästheten — in den meisten Fällen sicherlich ohne die genaue Kenntnis der ästhetischen Lebensweise des Kierkegaardschen Don Juan — Freuden und auch Qualen dieses Stadiums voll mitmachten. Eines der wichtigsten Wiener Motive dieser Denkweise des „Augenblicks“ ist bei Kierkegaard bereits voll vorwegenommen: „... auf diese Art kann Don Juan episch werden, daß er beständig fertig wird und beständig von vorne anfangen kann; denn sein

Leben ist die Summe repellierender Momente, die keinerlei Zusammenhang haben; sein Leben ist als der Moment die Summe von Momenten, als die Summe von Momenten der Moment. In dieser Allgemeinheit, in diesem Schweben zwischen Individuum und Naturkraft liegt Don Juan ...“[287)]

Kierkegaards Einfluß in Wien kommt auch in der Überwindung gerade dieser ästhetischen Lebensführung zum Ausdruck, bei manchen, wie etwa dem jungen Lukács, der dann nach einer Übergangsphase des messianischen Kollektivismus zum Marxisten wird, sogar in der Überwindung des ethischen, individualistischen Stadiums. Es mag vielleicht sonderbar scheinen, wenn in dieser Arbeit die geistige Nähe des jungen Lukács zum Wiener Impressionismus anklingt. Dies ist aber keineswegs übertrieben. Die impressionistische Periode des jungen Lukács brachte ohne Zweifel eines der vollständigsten und am enthusiastischesten erlebten impressionistischen Lebenswerke hervor, welches wir bald eingehender darstellen wollen.

Der sensibelste und publikumswirksamste Dichter dieses Dandy-Impressionismus war Arthur Schnitzler. Seine Helden finden manchmal für einen Augenblick das Glück, die Möglichkeit zu einem ersehnten und würdigen Leben; sie nahmen es jedoch nicht an, was sie dann später um so mehr beklagen. In diesem Dandy-Impressionismus vermischen sich heterogene Inhalte. Es gab hier Platz für junge, fesche Offiziere, deren „Impressionismus“ (wegen einer *femme fatale* oder einer unglücklichen Kartenpartie) mit tödlichem Duell oder Selbstmord endete und auch für diejenigen, die ihr Leben restlos für die Erbringung einer noch nie dagewesenen wissenschaftlichen oder künstlerischen Leistung einsetzten, um so ihrer Existenz Sinn zu verleihen.[288)]

Schnitzlers Roman *Der Weg ins Freie* gilt als Zusammenfassung der Tendenzen des trivialen Wiener Impressionismus und Schnitzler nicht ohne Grund als der Wiener Autor *par excellence* für jedermann.[289)] Sein Werk ist aber auch ein vielsagendes Beispiel dafür, daß diese impressionistische Kunst oft in erster Linie nicht durch ihre künstlerische Struktur „impressionistisch“ war. Äußerst groß wird damit der Kontrast zum Impressionismus in der bildenden Kunst, wo der Impressionismus mit einer deutlichen Deformation der Werkstruktur gleichbedeutend ist. *Der Weg ins Freie* ist, mit heutigen Augen gesehen, ein fast verblüffend konventioneller Roman, der einzig durch die in ihm dargestellten Gedanken und Gefühle impressionistisch genannt werden kann. Er verfolgt das Schicksal der Mitglieder einer großen Gesellschaft. Die miteinander in Verbindung stehenden Gruppen dieser Gesellschaft repräsentieren buchstäblich das intellektuelle Leben der Kaiserstadt. Im Mittelpunkt steht der Komponist Georg von Wergenthin. In der Erzählung wird eine Oper nicht vollendet und ein Kind nicht geboren, die Frucht der Liebe von Georg und Anna Rosner. Die beiden Handlungen sind im Roman nicht allzu akzentuiert aufeinander bezogen, ihre Parallelität sagt jedoch schon alles und weist in dieselbe Richtung. Wenn wir nach den Wurzeln dieser doppelten Unfruchtbarkeit suchen, so finden wir im Roman keine explizite Erklärung. Schnitzler analysiert wenig, er entwirft vielmehr mit leichter, sogar virtuoser Hand ein lockeres Gemälde seiner Beobachtungen. Georg ist kein „besonderer“ Mensch, auch seine Freunde und Bekannten sind es nicht. Ihre innere Verstörung ändert an ihrem tadellosen Benehmen nichts. Der Dichter blieb seinem Gegenstand treu; er wollte die „Oberfläche“, die „flache Tiefe“ und die „tiefe Seichtheit“ nicht stärker dramatisieren als die Wirklichkeit.[290] Mit dieser Formulierung wollten wir auf ein dichterisches Alter-Ego Dezső Kosztolányis hinweisen, auf die bewußte Verkehrung des Verhältnisses zwischen „Oberfläche“ und „Tiefe“, die unvermittelt die Verwandtschaft zwischen diesen literarischen Phänomenen ins Auge springen läßt. In *Kornél Esti's Lied* liest man dementsprechend sowohl über die „seichte“ Tiefe als über die „tiefe“ Oberfläche.[291] Darin gerade besteht die *ars poetica* des Impressionisten in der Kunst wie im Leben: die Tiefe auf der Oberfläche sichtbar zu machen und andererseits den falschen Anspruch der Schein-Tiefe als „oberflächlich“ zu entlarven. Der junge Georg Lukács schreibt über diese Haltung: „Es ist die Welt der Wiener Ästheten: die Welt des Alles-Genießens und des Nicht-Behalten-Könnens, wo Wirklichkeit und Träume ineinanderfließen, und jene Träume, die im Leben aufgezwungen werden, gewaltsam vergehen; das Reich Schnitzlers und Hofmannsthals. Ihre Menschen wandeln darin, und der Reichtum ihrer Ekstasen und Trägödien gibt ihr Inhalt..."[292]

Gerade die einmalige Authentizität Schnitzlers in Sachen Wiener Impressionismus im Alltag ermöglicht uns die Aussage, daß wir jene, unter anderen auch von Brandes vertretene Kritik am Roman, wonach die Liebesgeschichte und die intellektuell-jüdische Problematik „nur unzulänglich ineinander komponiert" seien, nicht teilen.[293] Im Gegenteil, es war gerade die im Roman realisierte zeitlich-soziale Koexistenz dieser Probleme, die für diese Welt am charakteristischsten war. Andererseits wäre es auch künstlerisch ein Ding der Unmöglichkeit gewesen, diese Linien in eine organische Synthese zu bringen. Es war nämlich eine herausstechende Eigenschaft der von Schnitzler dargestellten Welt, daß diese Probleme zwar in der gleichen Raum-Zeit auftraten, sich aber bloß in dem am breitesten gefaßten, impressionistischen Weltbild vereinen ließen, welches sich eher durch seine Heterogenität als durch seine ursprüngliche organische Einheit auszeichnet.[294]

In einem Traum Wergenthins findet man folgendes Bild: „Zwei saßen sich gegenüber; jeder hielt am anderen einen Spiegel vor, darin sah der andere sich selbst mit einem Spiegel in der Hand, und in dem Spiegel wieder den anderen mit dem Spiegel in der Hand und so fort in die Unendlichkeit. Kannte da einer noch den anderen, kannte einer noch sich selbst?"[295] Schnitzler beschwört im Bewußtsein seines Protagonisten nicht die ursprüngliche Theorie Ernst Machs vom „unrettbaren Ich", von „Ichverlust" herauf, um Georg als Subjekt eines bewußt durchgeführten Vorgangs der Entpersönlichung darzustellen. (Gemeint ist Bahrs Versuch, impressionistische Eigenvorstellungen mit der Machschen Theorie in Verbindung zu bringen.)[296] Begriffe wie „Entpersönlichung", „Schizophrenie" gehören unserer Meinung nach ebensowenig in diesen Rahmen, sie wären inadäquat.[297] In diesem Zusammenhang sind die vorliegenden Phänomene eigentlich nicht pathologischer Natur, sie stammen aus der typisch impressionistischen, ritual-kultischen Beschäftigung mit ihrer eigenen Persönlichkeit. Auch die anderen wichtigen Motive des impressionistischen Universums werden von Schnitzler angeführt. Georgs Freund Nürnberger hängt den folgenden Gedanken nach: „...nicht *wir* sind's, die unser Schicksal machen, sondern meist besorgt das irgendein Umstand außer uns, auf den wir keinerlei Einfluß zu nehmen in der Lage waren, ja den wir nicht einmal in den Kreis unserer Beobachtungen einbeziehen konnten.“[298] Georgs Schicksal bestätigt das auch vollkommen. Nur wenn die Umstände entscheidend sind, kommt dem Zufall eine bedeutende Rolle zu und so auch dem „Augenblick“, diesem Alpha und Omega, Segen und Qual jeder impressionistischen Lebensauffassung. Heinrich, Georgs skeptischer, in manchen seiner Züge sogar an Karl Kraus erinnernder Freund, formuliert dies so: „Es ist ein großes Glück, daß man in gewissen Augenblicken gar nicht weiß, was einem eigentlich begegnet ist. Wenn man die Unheimlichkeit solcher Augenblicke nämlich sofort so stark empfände, wie man sie später in der Erinnerung empfinden wird, oder wie man sie in der Erwartung empfunden hat — man würde verrückt.“[299] Doch auch die reflektierte „Weltanschauung“ kommt zu Wort, die das impressionistische Denken ablehnt, beziehungsweise ihm die Welt der momentanen Eindrücke, vorübergehender Stimmungen, die Weltanschauung des ungebundenen „Lebens“, des „Augenblicks“, des Zufalls entgegensetzt. Das folgende Zitat ist in zweierlei Hinsicht vielsagend. Zunächst vom soziologischen Gesichtspunkt her, da es zeigt, in welchem Ausmaß die Sehnsucht, das Bedürfnis nach Weltanschauung schon im Wien der letzten Epoche allgemeines Gesprächsthema war. Der andere Aspekt soll uns die Stellung eines echten Wiener Impressionisten zu diesem Problem aufzeigen. Heinrich ist es, der feststellt: „Was sagen Sie übrigens zu diesem Gerede von Weltanschauung? Wie wenn Weltanschauung etwas anderes wäre, als der Wille und die Fähigkeit, die Welt wirklich zu sehen, das heißt, anzuschauen, ohne durch eine vorgefaßte Meinung verwirrt zu sein, ohne den Drang, aus einer Erfahrung gleich ein neues Gesetz abzuleiten, oder sie in ein bestehendes einzufügen.“[300]

Kein Wunder übrigens, daß die Kritik den Roman Schnitzlers bis jetzt so unterschiedlich klassifizierte. In der Tat, mit Recht könnte man den *Weg ins Freie* als den Roman der jungen jüdischen Intelligenz, als den der Ideologie oder Weltanschauung, als den der Liebe und den des Künstlertums nennen. Diese Möglichkeiten ließe uns das Werk tatsächlich offen. Faßt man aber diese Möglichkeiten zusammen, so wird man feststellen müssen, daß diese Gebiete eventuelle existentielle Wahlobjekte des Protagonisten sind. So bilden sie eine Einheit und *diese* Einheit ist jene des Wiener Impressionismus, jene der Metropole Wien. Es ist der Impressionist selbst, der auf seiner Suche nach der eigenen Persönlichkeit diese Sphären in eine Einheit verwandelt und alsdann gerade diese Suche selbst als Inhalt des Lebens auffaßt.[301)]

Der Bohemien-Impressionist Peter Altenberg

Wir wissen, wer die Züge eines impressionistischen, wienerischen Bohemiens wie „idealtypisch" in sich vereinigte: Peter Altenberg, der Schützling von Karl Kraus.[302)] Das Fehlen tragisch-existenzieller Obertöne ist jedenfalls für die frühere Generation der letzten Jahrzehnte charakteristisch; Altenberg wurde 1862 geboren. Seine Selbstbiographie ist ein „in ihrer impressionistischen Oberfläche" todernstes und tiefes Dokument über die Lebensauffassung des Wiener Impressionismus: „Jawohl, edelster, merkwürdigster aller Väter, lange habe ich dein göttliches Geschenk der Freiheit mißbraucht, habe edle und ganz unedle Damen heiß geliebt, bin in Wäldern herumgelungert, war Jurist, ohne Jus zu studieren, Mediziner, ohne Medizin zu studieren, Buchhändler, ohne Bücher zu verkaufen, Liebhaber, ohne je zu heiraten, und zuletzt Dichter, ohne Dichtungen hervorzubringen! Denn sind meine kleinen Sachen Dichtungen?! Keineswegs. Es sind Extrakte! Extrakte des Lebens. Das Leben der Seele und des zufälligen Tages, in 2—3 Seiten eingedampft. (...)

Ich möchte einen Menschen in einem Satz schildern, ein Erlebnis der Seele auf einer Seite, eine Landschaft in einem

Worte! Lege an, Künstler, ziele, triff ins Schwarze! Basta. Und vor allem: Horche auf dich selbst! Gib deinen eigenen Stimmen in dir Gehör! Habe kein Schamgefühl vor dir selbst! Lasse dich nicht abschrecken durch ungewohnte Laute! Wenn es nur die deinigen sind! Mut zu deinen Nacktheiten!!

Ich war nichts, ich bin nichts, ich werde nichts sein. Aber ich lebe mich aus in Freiheit und lasse edle und nachsichtsreiche Menschen an den Erlebnissen dieses freien Inneren teilnehmen, indem ich dieselben in gedrängtester Form zu Papier bringe.

Ich bin arm, aber ich selbst! Ganz und gar ich selbst!

Der Mann ohne Konzessionen!

Wohin bringt man es damit?! Zu 100 Gulden monatlich und einigen warmen Verehrern.

Nun, die habe ich!

Mein Leben war der unerhörten Begeisterung für Gottes Kunstwerk ‚Frauenleib‘ gewidmet!... Schönheit ist Tugend.

Auge, Auge, Rothschild-Besitz des Menschen!...

Opfere dem unerbittlichen Tage und der harten Stunde, aber wisse es und fühle es, daß deine heiligen und wahrhaften Augenblicke nur jene sind, da dein gerührtes und erstauntes Auge die schöne sanfte Frau erblickt! Wisse es, Verführter des Lebens, daß du ein Taglöhner, ein Kärrner, ein Gefangener, ein Rekrut bist, ein Selbstbetrüger und Betrogener des Lebens, und daß nur durch die ‚heilige schöne Frau‘ du ein Adeliger und ein Kaiserlicher werden könntest!

Meinen kleinen Sachen, die ich schreibe, lege ich nur den Wert bei, den Mann, welchen seine tausend Pflichten erschöpfen und aushöhlen, ein bißchen aufzuklären über dieses leibliche, zarte und mysteriöse Geschöpf an seiner Seite. Hineingefressen in die Pflichten des unerbittlichen Tages, darf er es sich nicht erlauben, die Frau als ein seltsames und unerforschliches Wesen an und für sich zu betrachten, sondern als einfache Genossin in seinen Schwierigkeiten!“[303]

Der Begriff des „Lebens“ steht auch hier im Mittelpunkt: das unerkennbare, geheimnisvolle, eigengesetzliche, aber absolut wunderbare Leben. Die Einmaligkeit des „Lebens“, sein Zauber, veranlassen P. A. — er bezeichnet sich selbst am häufigsten mit seinem Monogramm — zu Betrachtungen, und dies macht die Wahl eines „ehrlichen Berufes" von vornherein unmöglich, da es ihn den Freuden der Kontemplation entziehen würde. Er kommt sich jedoch keineswegs asozial vor. In seiner *ars poetica* behauptet er ja, „Extrakte" aus unvergleichlichen und einmaligen Augenblicken des Lebens zu schöpfen, damit auch andere seine Gefühle nachvollziehen können. Er bringt den anderen gegenüber Verständnis auf, obgleich sie ihm auch ein wenig leid tun, weil sie es sich inmitten der Pflichten des „unerbittlichen Tages" nicht leisten können, „das seltsame und unerforschliche Wesen", die Frau, „an und für sich" zu betrachten. Daraus ergibt sich die unentbehrliche und sozial unvergleichbare literarische Funktion P. A.'s. Er hält seine kontemplativ-schöpferische und schöpferisch-kontemplative Lebensform für eine Selbstvervollkommnung und versucht nicht, seine Bedeutung zu übertreiben; der nicht selten komisch anmutende, weil unbegründete Genie- und Prophetenkult der Impressionisten ist nicht seine Sache. Sein Geständnis „Ich war nichts, ich bin nichts, ich werde nichts sein. Ich bin arm, aber ich selbst!" will wörtlich genommen werden. Und selbst wenn er uns darauf nicht eigens aufmerksam machen würde, wäre es nach dem bisher Gesagten logisch, daß die genießerische Kontemplation der Augenblicke des Lebens sich notwendigerweise auf deren essentiellste Verkörperung, auf den Körper der Frau, konzentriert. Selbst wenn die Beziehung zwischen dem weiblichen Körper und P. A., der zum Beispiel im weiblichen Körper das „Kunstwerk Gottes und der Natur" sieht, noch so interessant und sogar ideengeschichtlich wichtig ist, interessiert uns vielmehr die Tatsache, daß sein Impressionismus durch die offen erklärte Philosophie des Augenblicks bestimmt wird, und zwar so sehr, daß manche seiner „Extrakte" nicht länger sind als einige Zeilen, als das Festhalten einer kurzen Szene, als ein paar Worte eines im Park spielenden Kindes, als die „Gedanken" eines im Kaffeehaus auf seinen Herrn wartenden Hundes.

Peter Altenberg, dessen *ars poetica* wir soeben kennengelernt haben und dessen „soziale Funktion" in seiner Stadt so vollkommen und erfolgreich war, galt auch als „Phänomen" für den Inbegriff der eigentlichen tieferen Velleitäten Wiener Lebensart und Lebensauffassung. Es war vielleicht Karl Kraus' Identifizierungsgabe, in dem jungen Altenberg diesen Typ entdeckt zu haben, der den von so vielen vertretenen Wiener Impressionismus in essentieller Weise verkörpert. Er (Kraus) formuliert dies so: „... nichts steht heute fester in unserem Geistesleben als dies Schwanken, nichts ist klarer umrissen als diese knitterige Physiognomie, nichts bietet besseren Halt als diese Unverläßlichkeit."[304] Daß die Grundlage dieser einmaligen Identität Altenbergs mit Wien völlig paradox ist, resultiert nicht daraus, daß diese Entsprechung eine Paradoxie wäre, vielmehr daraus, daß sowohl Wien als auch Altenberg die gleichen, wir könnten hinzufügen, die gleichen impressionistischen Paradoxien in sich trugen. Kraus zitiert einige Beispiele hiefür: „Treue im Unbestand, rücksichtslose Selbstbewahrung im Wegwurf, Unverkäuflichkeit in der Prostitution."[305]

„Die Gleichung mit sehr vielen Veränderlichen"
Der impressionistische Prophet: Hermann Bahr

Fand die wienerische, die österreichische (ja vielleicht die österreichisch-ungarische) Gesellschaft in Peter Altenberg ihre Neigung zur Verewigung der unbarmherzig davonlaufenden Augenblicke des Lebens verkörpert, so war es ihr gegeben, auch im Werk bzw. in der Persönlichkeit Hermann Bahrs einen ihrer wesenseigensten geistigen Züge wiederzufinden: den Kultus des Neuen, und zwar ergänzt durch das unwiderstehliche Bedürfnis, sich mit diesem Neuen gleich restlos zu identifizieren.

Hermann Bahr ist jene Gestalt der letzten Epoche Wiens, die jede neue geistige Strömung mit geradezu meteorologischer Genauigkeit vorausgesehen, vorausgesagt und mitgemacht hat. Er war großdeutsch (dies behauptet er in seinem während des Weltkriegs geschriebenen Buch, in dem er erzählt, auf den persönlichen Rat Bismarcks nach Wien gekommen zu sein, da Deutschland in Österreich-Ungarn einen starken Partner brauchte),[306] Ästhet, Impressionist und Expressionist, Tolstojaner, Monarchist, dann Anhänger der unabhängigen Republik Österreich, Nietzscheaner, aber auch Sozialist und Katholik. Die extremen Kapriolen in Bahrs Laufbahn haben für seine Generation sicherlich repräsentativen Charakter. An seinem Schicksal kann man plastisch sehen, was es bedeutete, wenn ein junger Mann als Bismarck-Verehrer um 1890 eine Zeitlang größte Chancen hatte, in kulturellen Angelegenheiten leitender Ideologe der deutschen Sozialdemokratie zu werden.[307)] Bahr erinnert sich an diesen Scheideweg seines Lebens interessanterweise so, daß er gleich ein vollständiges kleines Selbstporträt hinzufügt: „Ich machte ja stets alle geistigen Moden mit, freilich nur solange sie noch nicht Mode waren, um mich dann, wenn sie's wurden, gleich wieder einer anderen zuzuwenden, die es erst zehn Jahre später wurde... Das Haus in der Berggasse (Victor Adlers Wohnung — E. K.) war auch eine Station; ein Jahr darauf, in Paris, wurden die Pferde gewechselt und Baudelaire und Flaubert eingespannt, statt Marx und Engels; schließlich ist die Hauptsache, daß man vorwärtskommt."[308)] Da wir nicht in erster Linie Bahrs einzelne Zielsetzungen und Bekenntnisse hinterfragen wollen, sondern seinen im Vergleich zu Altenberg wahrhaft nach allen Seiten projizierten Impressionismus, wählen wir als repräsentatives Beispiel eine 1917 erschienene Sammlung, die Bahrs bis dahin verfaßte Vorträge, Kritiken und Feuilletons über Goethe enthält. Die Heraufbeschwörung des Weimarer Riesen ist in diesem Zusammenhang insofern charakteristisch, als, obwohl die Wege der deutschen und der österreichischen Entwicklung unterschiedlich waren, die klassische Literatur, die klassische Tradition aus den einfachsten kulturellen und sprachlichen Gründen auch in Österreich unter anderem durch die Weimarer Klassik vertreten war. Wir wählen hier eine Methode, in der nicht nur die zahllosen Entwicklungsphasen des „Objektes" (Bahr), sondern auch die ebenso unendlich vielen Schattierungen eines von ihm gewählten „Gegenstandes" (Goethe) die augenblicklichen Verschiebungen bzw. Gestalten des Bahrschen Impressionismus sichtbar machen können. Für uns deuten die „mikroskopischen" Vergrößerungen des Bahrschen Impressionismus zweifellos auch auf die problematischen und später von den Gegnern des

Impressionismus nicht ohne Recht hervorgehobenen Seiten dieser Denkweise hin. Um so mehr Aufmerksamkeit verdient es, daß ein Rationalist wie Musil, der selbst noch einen Sigmund Freud und einen Karl Kraus wegen Unklarheit der Gedankenführung bzw. der Attitüde verurteilte, den Bahrschen Impressionismus, im konkreten gerade die Goethe-Arbeiten durchaus ernst nimmt: „Bahr sagt von Goethe: ‚... er hat gewußt, daß zu jedem Ja sein Nein gehört und daß sich aus beiden zusammen immer erst die hinter beiden verborgene, in beiden gleiche Wahrheit ergibt.' Das ist die Erkenntnistheorie, die sich aus der Denkpraxis des Künstlers folgern läßt... Bahr erweitert sie ins Allgemeine und schließt: Die Wahrheit steht fest, — aber irgendwo drüben und nicht für uns hier."[309)]

Wie erscheint also Goethe in den Augen Hermann Bahrs? Natürlich vor allem als Impressionist, und zwar im wienerischen Sinn. Der erste Aufsatz mit dem Titel *Der böse Goethe* exponiert das Bild drastisch: „Der Goethe, den wir in der Schule lernen, der olympische, ungetrübt strahlende, niemals verzagende, ruhig erhabene, dieser unmenschliche Goethe muß wirklich jeder tieferen und sehnsüchtigen Natur verdächtig sein."[310)] Das Olympische an Goethe, das ungetrübt Strahlende, usw. erscheint Bahr nicht einfach fremd, sondern sogar verdächtig. Er weint nicht einer verlorenen Harmonie nach, als er auf das „Griechische" bei Goethe stößt[311)] (wie zum Beispiel der Lukács der *Theorie des Romans* oder Thomas Mann), davon hat er im wahrsten Sinne des Wortes keine Ahnung. Die Situation ist aber trotzdem nicht hoffnungslos für impressionistische Sehnsucht und Tiefe. Denn wir können Goethe selbst zitieren: „Übrigens aber ist der Mensch ein dunkles Wesen, er weiß nicht, woher er kommt, noch wohin er geht, er weiß wenig von der Welt und am wenigsten von sich selber. Ich kenne mich auch nicht, und Gott soll mich auch davor behüten."[312)] Eine Welle der Erleichterung durchströmt Bahr, denn wenn man solches von Goethe zitieren kann, so kann auch der Wiener Impressionismus, als ein weit vom Baum gefallener Apfel, Goethe als eben diesen Baum beanspruchen. Die Sehnsucht nach dem impressionistischen Goethe wird zum unerwarteten Bekenntnis: „Der olympische der Germanisten kann uns nicht helfen. Wir begreifen ihn nicht, wir empfinden nur das eigene Leid desto härter. Aber der böse mag uns trösten: denn er lehrt, wozu den Menschen die Qual gegeben wird...“[313] Die Sehnsucht der Wiener Impressionisten kann das Denkmal des impressionistischen Goethe noch mit anderen Eigenschaften ergänzen: „Er hatte eine wahre Passion, sich umzuwandeln; und dies mit einer Entschiedenheit, vor der sich die anderen entsetzten; denn dann verleugnete er wild, was ihm eben noch wert gewesen war.“[314] Es gehört allerdings ein gerütteltes Maß an gesundem Selbstbewußtsein dazu, die Verwandlungsfähigkeit Goethes mit der geradezu zum Ritus und zum Verhaltensmuster erhobenen Zerstreutheit der Wiener Impressionisten, die eine selbstverständliche Konsequenz ihrer Erlebnisweise der Wirklichkeit ist, zu identifizieren. Übrigens wollen wir die Verwandlung des Impressionismus nicht einmal im Vergleich zu Goethe abschätzig beurteilen. Gerade diese Verwandlungen waren zum Teil mit ein Grund, daß (auch) die Wiener eine so außerordentliche Sensibilität für das „Neue“ an den Tag legten; angefangen von den Strömungen der Literatur und der darstellenden Kunst bis zur Ideologisierung philosophischer Strömungen. Als solche können wir auch den Einfluß Nietzsches werten, der bei den Impressionisten zu beobachten war. Nietzsche spielte für die impressionistische „Alles-ist-relativ“-These eine ebensolche Rolle wie später für Denker, die, gegen den Impressionismus, aus dem Chaos durch Umwertung eine neue Ordnung schaffen wollten.[315] Dieses theoretisch verkündete und praktisch erlebte stete Anderswerden kann — wie es gerade der Fall Altenberg zeigt — eine vollständige Identität zur Folge haben. Die Dimensionen der steten Wandlungen können eine Schwelle übertreten, nach welcher sie sich selbst in etwa aufheben. Es wird den Leser sicherlich nicht mehr überraschen, daß Hermann Bahr (und einige andere junge Impressionisten, so zum Beispiel der junge Hofmannsthal) auf die Theorien das Naturwissenschaftlers Ernst Mach aufmerksam wurde und sich Machs These vom „unrettbaren Ich“ zu eigen machte. Aus den folgenden, oft zitierten Worten Bahrs geht eindeutig hervor, wie er sich die „Unrettbarkeit“ des Ich konkret vorstellt und in welchem Ausmaß auch hier der ungebrochene

Emanzipationswille des Impressionisten aus ihm spricht: „Das Ich ist unrettbar.“[316] Merkwürdig steht die Leidenschaft des „das Ich ist unrettbar“ im Gegensatz zu einem Rückblick Bahrs, in dem er deutlich akzentuiert, daß „der Leser einen Philosophen aus ihm (Mach) gemacht“[317] oder „der Leser (...) in Mach das Ende der Metaphysik hinein(las).“[318] Diese Relativierung auch des (eigenen) Pathos veranlaßt ihn aber nicht dazu, auch die Radikalität dieser (sichtlich sehr eng interpretierten) Wendung zu relativieren: „Damit war nun auch noch das Ich abgesetzt und der letzte Götze (!) schien zerbrochen, die letzten Schranken gefallen, die höchste Freiheit gewonnen, das Werk der Verneinung vollbracht. Es blieb wirklich nichts mehr übrig.“[319] Was Goethe betrifft, fällt es Bahr im weiteren nicht schwer, seine impressionistischen „Verwandlungen“ mit dessen naturwissenschaftlichen Gedanken und auch der „Veränderung“ als ewigem Naturgesetz in Beziehung zu setzen: „... immer ist es doch nur wieder dieselbe Erkenntnis, um die er ringt: daß nirgends, weder in der Natur noch in der Kunst noch in der Gesellschaft, etwas vom Himmel fallen kann, sondern alles nur immer aus dem Einen sich durch Verwandlung erhebt, daß dieses Eine, Ewige, Göttliche in allen Erscheinungen lebt, aber den Erdenmenschen nur an ihnen, niemals für sich erscheinen kann, und daß alles, Keim und Frucht, Inhalt und Form, Charakter und Schicksal, so verflochten und so dasselbe ist, daß man sie nicht trennen und nicht einmal sagen kann, wo dieses aufhören, jenes beginnen soll.“[320] Wir wollen aus diesem Zitat den Standpunkt Bahrs hervorheben, der für die Wiener Impressionisten so typisch ist, nämlich, daß letzten Endes alles unerkennbar bleibt, da alles wirklich mit allem zusammenhängt, aber diese Zusammenhänge doch so kompliziert beschaffen sind, daß wegen ihrer „Hoffnungslosigkeit“ keine Notwendigkeit (aber auch keine Möglichkeit) für eine über die Betrachtungen, Stimmungen usw. hinausgehende Erkenntnisform besteht.

Nicht weniger fundamental ist die über Goethes Tasso geschriebene Theaterkritik Bahrs. Ihre grundlegende Beobachtung lautet: „Tasso wie Orest sind Menschen in hysterischen Zuständen. Von so heftigen Leidenschaften angefallen, daß im

Momente ihr ganzes Wesen ausgelöscht wird.“[321] Schon die Tatsache, daß Tasso und Orestes von Bahr als Hysteriker beschrieben werden, zeugt von der Projizierung der eigenen Gehalte in die Gestalt Goethes. Noch aussagekräftiger aber ist, daß Bahr einen hysterischen Helden (obwohl Tasso kein solcher ist) in einer Tragödie nicht nur für natürlich hält, sondern die von ihm vorgeführte hysterische Haltung für eine typisch menschliche Antwort auf das „Leben“ hält. Er sagt ausdrücklich, daß mit der Gestalt des „hysterischen“ Tasso wir alle gemeint sind: „Von uns allen handelt das Stück und jeder, in den Logen oder im Parterre, hat sich, bewußt oder dumpf, einmal dasselbe fragen müssen: Wie findest du dich in der Welt? Und leise, bange: Ist sie es dann auch wert? Und: Was aber bleibt dann zuletzt von dir?“ Er stellt also noch vor der Erörterung der Problematik des hysterischen Helden die drei Grundfragen des Wiener Impressionismus: „Wie findest du in die Welt? Ist sie es denn auch Wert?“ (vermutlich nicht); und schließlich: „Was bleibt dann zuletzt von dir?“, worin für die impressionistische Lebensbetrachtung ein zutiefst charakteristischer Zusammenhang liegt. Trotz all ihrer ins Schwanken gekommenen Relativität stellt die impressionistische Persönlichkeit einen Wert an sich dar, in ihrer Gehalt- und Stofflosigkeit muß sie sogar aus dem Grunde auf der Hut sein, sich nicht zu verlieren (!). Denken wir nur an den Roman Schnitzlers, in dem die impressionistische Persönlichkeit einerseits ihre Leere empfindet und sich nach einer substantiellen Menschlichkeit sehnt; als sich jedoch eine solche Möglichkeit ergibt, flüchtet sie, denn „was bliebe danach noch von ihr“? Eine Konkretisierung bzw. Selbstverwirklichung der impressionistischen Persönlichkeit ist ebenso eine Gefahr wie der Verlust derselben!

Die wirklich „erschütternden“ Feststellungen Bahrs folgen aber erst jetzt: „Tassos Problem ist allgemein. Seine Erotik ist eine ganz besondere.“[322] Und wenn wir vorhin über Mach festgestellt haben, daß er gewiß nicht an eine Bahrsche Interpretation seiner Lehre dachte, so hätte sich wohl auch Goethe gewundert, wenn jemand „Hysterie“ — was die allgemeine Problematik ist — und „Erotik“ — das besondere Problem — für die wesentlichen Züge seines Helden gehalten hätte. Worin das „Besondere“ der „Erotik“ Tassos besteht, könnten wir sogar soziologisch aktualisiert interpretieren; da Tasso in eine Fürstin verliebt ist, „verwandelte sich der soziale Rang in erotische Anziehungskraft“.[323)]

Sehr charakteristisch für Bahrs in eigenartigen Feststellungen stets reicher werdendes Goethe-Bild ist auch noch folgender Zug. Solange Goethe der Dichter des „Nebligen“, der „Verwandlungen“, der „Erotik“, der „Hysterie“ bleibt, ist dieses Bild für Bahr anziehend. Gegen eine Interpretation jedoch, die in dem seine Dämone bändigenden Goethe das dämonenlose Philistertum erblicken würde — und deswegen die Dämonen wirklich aus ihrer Flasche befreien wollte —, wehrt sich Bahr auf das entschiedenste: „Wir hier in Wien sind der Meinung, daß es mit dem Dämonischen nicht soviel auf sich hat, lieber wollen wir dem Apoll huldigen.“[324)]

Es ist vielleicht nur eine Ironie der Redaktion des Auswahlbandes, gibt doch Bahrs nächste Goethe-Schrift — *Goethisch* —, die ebenfalls 1910 entstand, ein fast diametral entgegengesetztes, viel „konstruktiveres“ Goethe-Bild als alle vorangehenden: „Wir achten nur, was uns kräftiger, rascher und entschlossener im Handeln, freudiger, reicher und dankbarer im Genießen macht, was uns eine Kraft im Tun und Leiden gibt. An dieser messen wir, nach dieser schätzen wir die Dinge. Auf ein schönes Sein (sic!), auf ein großes Tun ist unser Trachten gespannt; das bloße Wissen, das leere Denken will uns nicht mehr genügen. Was nicht in uns selbst zu eigenem Leben werden kann, mit uns verwachsend, bedeutet uns nichts mehr. (...) Wir wollen nichts Fremdes mehr in uns haben, wir wollen uns Alles aneignen! Was helfen uns Kenntnisse? Wir wollen Erlebnisse... Nicht auf das Kennen vieler Dinge, nein, auf das Können des Lebens nur kommt es an!“[325)] Die impressionistische Lebensbetrachtung wird mit diesen Überlegungen um einen Gedanken erweitert, nämlich um jenen des „begrenzten“ Irrationalismus. Wir werden im späteren versuchen, eine breitere Skala der modernen irrationalistischen Strömungen mit dem Wiener Impressionismus und damit historisch und sozial mit der letzten Epoche der österreichisch-ungarischen Monarchie in Zusammenhang zu bringen. Die vorhin erwähnte —

kulturfeindliche — Art, sich das Leben „zu eigen zu machen“, wobei er sich namentlich auf Paul de Lagarde beruft, hindert ihn nicht darin, in seiner ebenfalls 1900 erschienenen Schrift gegen die Befreiung der Dämonen zu wettern! Im großen und ganzen setzen wir für das gesamte impressionistische Denken einen eigentümlich *impressionistischen Irrationalismus* voraus, den man am besten durch die dichterisch-philosophische Verallgemeinerung der existentiellen Situation des impressionistischen Menschen erschließen könnte. Es ist dies jedoch ein gemäßigt-harmloser Irrationalismus, eine in schwerwiegende Worte gekleidete Verteidigung der „Erotik“, der „Hysterie“ und des Ästhetizismus gegen den letztlich nicht zu brechenden Widerstand der bürgerlichen Welt, der Gesellschaft. Es ist ein „Irrationalismus gegen den Philister“. Das gute Verhältnis zwischen den Bürgern des „unerbittlichen“ (Arbeits-)Tages und jenem das „Leben“ für sie in „Extrakte“ dichterisch zusammenfassenden Peter Altenberg gehört nun schon mehr oder weniger der Vergangenheit an. Der sich als Kunst profilierende Wiener Ästhetizismus versucht anfangs nur seine eigene Wichtigkeit und Bedeutung, seine philosophischen Tiefen durch die Heraufbeschwörung der Transzendenz unter Beweis zu stellen. Diese „unbekannten Welten“ gelten somit in erster Linie als Legitimation für die Auslotung der impressionistischen Existenz. Bahrs Jagd nach dem Neuen ist zweifellos ein Extremfall. Das Neue war aber auch bei ihm eine durchschlagskräftige Legitimation der „Moderne“. Auffallend ist in manchen Fällen, wie zum Beispiel in den theoretisch-kritischen Schriften Otto Wagners, daß der gedankliche Hintergrund seiner Vorstellungen in der ungebrochenen Lobpreisung bzw. Verkündigung des „Neuen“ gegenüber dem „Alten“ bestand.[326)] Die Propagierung des Neuen blockierte oft die Energie für eine konkretere Ausarbeitung bzw. Bestimmung desselben, oft erwies sie sich als leer. Diese Tatsache weist auf die sozialen Kämpfe hin, welche sich im Hintergrund abspielten. Hören wir jetzt P. A., der einen jüngeren Modernen so vorstellt: „Dieses Stück (Hasenclevers) bietet etwas ganz Neues, ich sage vorläufig nicht Besseres, aber Neues, N e u e s. Also, da es etwas Neues bietet, hat man dieses Neue nicht wieder mit dem Alten, dem Bisherigen, dem Hergebrachten zu vergleichen. Sondern: Worin besteht also eben dieses Neue, und was sind seine Vorzüge?!“

Die Tragik des Impressionismus
Otto Weininger

Dem Anschein nach bereitet die Konzeption des Weiningerschen Hauptwerkes *Geschlecht und Charakter* (1903) gewiß keine nennenswerten Interpretationsschwierigkeiten. In einer kaum überbietbaren Explizität ist seine Angriffsrichtung gegen „das Weib“ sowie gegen „den Juden“ nicht zu verkennen. Geht man aber von einem anderen Standpunkt aus, so findet man — im Gegensatz zur radikalen Eintönigkeit der Endthesen — eine erstaunliche Vielfalt philosophischer Hinweise. Von Plato bis Kant, von der Physiologie bis zur Genetik, vom Geniekult bis Schopenhauer, von der „Romantik“ bis zum soziologisch fundierten „Realismus“ reicht die Skala der unschwer identifizierbaren Quellen. Diese Vielfalt und Vielseitigkeit des geistigen Universums des Werkes spricht aber unerwarteterweise nicht gegen die Eindeutigkeit der Aussagen. Die Ambivalenz zwischen der kaum zu übertreffenden Eindeutigkeit der Schlußthesen und dem philosophiegeschichtlich relevanten Reichtum führte bis heute eher zu Deutungsversuchen, die bei der inhaltlichen Eindeutigkeit des Werkes verharrten und die Vielfalt der geistigen Anregungen höchstens als Nebenerscheinungen auffaßten. Bei dem Versuch, dieses Werk zu interpretieren, mußten wir bald erkennen, daß weder seine fast brutal eindeutige Aussage genügt, die Vielfalt seines geistigen Universums zu erklären, noch seine zahlreichen Quellen ausreichen, die thesenhaften Aussagen restlos zu untermauern. Im Verlauf unseres Interpretationsversuches wurde immer klarer, daß Weiningers Hauptwerk *ein einzigartiges Unterfangen ist, welches man nur sinnvoll interpretieren kann, wenn seine wesentlichsten Züge mit dem impressionistischen Denken, und sei es auch mit den trivialen Komponenten desselben, in Verbindung gebracht werden.*

Otto Weininger ist jener Impressionist, der alle im Impressionismus enthaltenen Motive existentiell erlebt, erleidet und bis ins Extrem steigert. In seiner Jugend, am Ende der neunziger Jahre, war der Impressionismus bereits die zweifellos allein herrschende geistige Strömung für die Jugend Wiens. Dazu, daß der Impressionismus in seinem Fall in eine Trägödie mündete, trug auch seine vielleicht nicht ganz bewußte Konzeption bei, den Impressionismus zur kohärenten ,,Philosophie", d. h. in den Rang einer lückenlosen Metaphysik, zu erheben. Dies war ein Vorhaben, vor dem selbst Bahr, dieser ,,Bannerträger der Moderne", sich gehütet hätte. Von einem anderen Gesichtspunkt aus kann man es auch so formulieren: Weiningers Werk steht *an der Spitze* einer langen Reihe von Versuchen in der österreichisch-ungarischen Ideengeschichte, die ihre tiefe (im Impressionistischen wurzelnde) *existentielle* Problematik nicht essayistisch oder literarisch formulieren, sondern zu diesem Zweck eine höchst entwickelte und durchaus komplizierte wissenschaftliche oder gar philosophische Methodik in Anspruch nehmen. Damit wollen sie — bewußt oder unbewußt — jene neokantianische Trennung nicht akzeptieren, wonach die Problematik der Existenz (neben vielen anderen Seinsbereichen) ,,innerhalb der Philosophie" nicht formuliert werden kann. Man denke beispielsweise an den jungen Georg Lukács oder an sein Vorbild Rudolf Kassner. Eigenartig ist, daß dieser Ansatz erst einige Jahre später und auch dann in der ersten Linie eben *im Prozeß der Überwindung des Impressionismus* auflebt. Weiningers Pionierrolle bei der Überwindung des Impressionismus läßt sich also auch auf diesem Wege klar unter Beweis stellen: er will seine existentielle Problematik unter Zuhilfenahme aller nur möglichen szientistischen und philosophischen, inhaltlichen und methodischen Mittel zum Ausdruck bringen. Uns scheint es notwendig, folgendes Faktum nochmals nachdrücklich zu betonen: die Vereinigung der existentiellen Problematik mit den ,,härtesten" methodischen Forderungen, die größtenteils ebenfalls zu den geistigen Errungenschaften Österreich-Ungarns gehört, galt der damaligen, vor allem neokantianischen, aber auch anders gefärbten Kathederphilosophie als Stein des Anstoßes. So bei Weininger.[327)]

Welche Leitmotive — von denen wir die meisten bei Bahr in Form der impessionistischen Publizistik, d. h. in einer „vorszientistischen Form" schon kennengelernt haben — waren es also, die das Wien der Jahrhundertwende beherrschten und die Weininger dementsprechend für zum Teil schon gefestigte und erhärtete wissenschaftliche und philosophische Ergebnisse, zum Teil für weiter zu erforschende Probleme hielt? Zunächst akzeptierte er rückhaltlos die Bedeutung des „Augenblicks" als der einzig erfaßbaren Form der Existenz: „... es gibt nicht zwei Momente des individuellen Lebens, die einander ganz gleichen..." — stellt er an einer Stelle fest.[328] Der (schon bei P. A. besprochene impressionistische) „Augenblick" ist also auch bei Weininger das einzig wirkliche Moment des Lebens. Dieses nunmehr ins *Philosophische* übertragene Problem des „Augenblicks" zeigt deutlich die Problematik der Weiningerschen Annäherung. Während zum Beispiel Altenberg oder Bahr sich selbstvergessen der Feier des Augenblicks überlassen, lautet die „wissenschaftliche" Erklärung Weiningers folgendermaßen: „Auf dem empirisch-psychologischen Boden selber ergibt sich ihr allmählich die Unzulänglichkeit aller empirisch-psychologischen Philosophie..." Dann: „Ihre Ehrfurcht vor der Erfahrung wird hievon nicht beeinträchtigt, denn stets wird für diese der Sinn nur erhöht und nicht zerstört, wenn der Mensch in der Erscheinung — freilich dem einzigen, das er erlebt — jene Bestandteile bemerkt, die es ihm zur Gewißheit machen, daß es nicht bloß Erscheinungen gibt, wenn er jene Zeichen in ihr wahrnimmt, die auf ein Höheres, über ihr Gelegenes weisen. Daß ein solcher Urquell ist, läßt sich feststellen, auch wenn kein Lebender je zu ihm vordringen wird. Und bis in die Nähe dieser Quelle will auch dieses Buch leiten und nicht eher rasten."[329] Dieses Zitat zeigt beispielhaft, wie sich der „impressionistisch" verstandene „Augenblick" in einen „szientistischen" verwandelt. Die aufgehobene impressionistische Deutung ist leicht zu erkennen, da die neukantianische Trennung zwischen „Ding an sich" und „Erscheinung" mit dem Hinweis auf die inhaltliche Bestimmtheit des Augenblicks beseitigt wird.

Wozu wird also der „Augenblick" bei Weininger? Ein

empirisch-psychologischer Zugang zu den philosophischen Problemen (d. h. zu den auch Weininger quälenden existentiellen Fragen) ist für ihn nicht befriedigend, doch kann die Bedeutung der Erfahrung nicht herabgemindert werden, da sie ja eine während des „Augenblicks" der Erscheinung des „Einzigen" erlebbare Erfahrung ist. Aber wenn sich das Wesen während des Augenblicks in der Erscheinung offenbart, muß es auch eine Urquelle haben, und diese Überlegung führt auf geradem Weg zu jenem modernen Neoplatonismus, der eine recht verbreitete, wenn auch keine selbständige, vielmehr eine in Kombination mit anderen Ansätzen auftretende philosophische Strömung war. Wenn es nämlich nur den „Augenblick" gibt, dann weist dies auf die Existenz der unbeweglichen, statischen, platonischen Ideenwelt als der anderen Seite der „impressionistischen Medaille" hin. Als Beispiel läßt sich in charakteristischer Weise der tatsächliche Einfluß der impressionistischen Denkweise auf die „wissenschaftliche" Fragestellung anführen: Weiningers Kampf für die inhaltliche Bestimmtheit des „Augenblicks", seine Ablehnung des neokantianischen Formalismus induziert den vorhin beschriebenen Platonismus.

Der wichtigste Gedanke Weiningers — zu dessen Bestätigung er nicht nur philosophiegeschichtliche und psychologische, sondern auch biologische Argumente ins Felde führt — ist jener, daß sich die weiblichen Zellplasmen grundsätzlich von den männlichen unterscheiden, was nicht nur bedeutet, daß die männliche Sexualität von der weiblichen abweicht, sondern auch sämtliche überhaupt vorstellbare Fragen der menschlichen Gesellschaft und Geschichte erklärt und löst. Weininger ging von der damals anerkannten Auffassung aus, daß jede Zelle eines Lebenwesens die Merkmale der jeweiligen Geschlechtlichkeit trägt.[330] Das Problem der weiblichen und der männlichen Sexualität sieht er folgendermaßen: „W (das Weib — E. K.) ist nichts als Sexualität, M (der Mann — E. K.) ist sexuell und noch etwas darüber."[331] „Das Weib ist *fortwährend,* der Mann nur *intermittierend* sexuell."[332] Wir müssen wohl nicht betonen, daß Weininger hier evidente Vorstellungsgehalte des Impressionismus und seiner Zeit überhaupt verallgemeinert, und zwar streng „wissenschaftlich". Noch interessanter ist die Aufzählung jener Lösungen, die Weininger im Geiste seiner Grundthese für die großen Fragen findet. Wenden wir uns zunächst der Frage der Begabung und der Genialität, der „großen Persönlichkeit“ und ganz allgemein der menschlichen „Größe“ zu. Jeder Wiener Impressionist trug „den Marschallstab der Genialität“ in seinem Tornister. Weininger geht direkt an diese Frage heran: „Genie, Genialität! Was hat dieses Phänomen nicht bei der Mehrzahl der Menschen für Unruhe und geistiges Unbehagen, für Haß und Neid, für Mißgunst und Verkleinerungssucht hervorgerufen, wieviel Unverständnis und — wieviel Nachahmungstrieb hat es nicht ans Licht treten lassen!“[333] Die Problematik bzw. die Möglichkeit der Genialität findet in unzähligen Dokumenten der damaligen Zeit ihren Niederschlag. Auch der soziologische Hintergrund der Frage ist nicht unbedeutend; als eher seltener Fall der Geschichte, traten diese Ambitionen vorwiegend auf literarischem, künstlerischem, wissenschaftlichem Gebiet zutage, gleichsam als Folge bzw. Reaktion auf die statischen Verhältnisse der vorausgehenden Epochen der Monarchie. Sowohl die Verlängerung bzw. Fortsetzung der grundsätzlichen Dynamik der Industrialisierung als auch der politische Wille zur Emanzipation sowie die Tatsache, daß dieser politischen Emanzipation Schranken gesetzt sind — diese äußerst heterogenen, ja, gegensätzlichen Motive trugen gleichzeitig zum charakteristisch österreichischen Geniekult bei. Wenn auch bereits die Zeitgenossen selbst sich voll der Ironie über diesen allgemeinen Ehrgeiz äußerten, darf man dessen Rolle bei der Entstehung bedeutender geistiger Schöpfungen keinesfalls unterschätzen. Zwar wollten nicht alle „die Welt unmittelbar erlösen“, die Ambitionen vieler gingen jedoch beinahe soweit. Die Sensibilität für das „Neue“ wäre nicht so weit verbreitet gewesen, wäre dahinter nicht der schon fast verkrampfte Wille mehrerer Generationen gestanden, jeden Widerstand zu bekämpfen: „Es gibt kein besseres Dokument der jüdischen Situation jener Zeit als die Anfangskapitel des Zweigschen Buches (*Die Welt von Gestern* — E. K.). Und sie geben ein sehr eindrucksvolles Zeugnis davon, wie Ruhm, Wille zum Berühmtwerden die ganze Jugend dieser Generation beherrschte. Ihr Ideal war das Genie, das ihnen auch in Goethe verkörpert schien. Jeder jüdische Junge, der auch nur einigermaßen reimen konnte, versuchte den jungen Goethe, jeder, der auch nur einigermaßen zeichnen konnte, den künftigen Rembrandt, jedes musikalische Kind den dämonischen Beethoven zu spielen. Und je kultivierter das Elternhaus dieser Wunderkinder war, desto mehr wurde die Imitation gepflegt. Die Imitation beschränkte sich nicht nur auf die Dichterei. Sie dominierte in der Gestaltung des gesamten persönlichen Lebens, man fühlte sich erhaben wie Goethe, ahmte seine ‚olympische' Abgekehrtheit von der Politik nach, sammelte jeden Fetzen, der einem von früheren berühmten Männern in die Hände fiel, versuchte mit jedem berühmten Mann persönlich in Berührung zu kommen; als ob dadurch auch ein kleiner Abglanz des Ruhmes auf einen selbst übergehen könnte, oder als ob man sich vorbereitete und in die Schule der Berühmtheit ginge."[334] Die soziologische und historische Relevanz dieses Textes beschränkt sich in unseren Augen nicht nur auf das Judentum. Uns scheint, als wäre dieser „kompetitive" Charakter des jüdischen Schicksals in weiten Gebieten auch für die anderen Bevölkerungsteile Österreich-Ungarns kennzeichnend gewesen, hätte das Staatsgebilde weiter bestanden. Die Problematik der „großen Persönlichkeit" drängte sich freilich auch aus vielen anderen Quellen dem Interesse des Zeitalters — und Weiningers — auf. Nach den bisherigen Voraussetzungen kann über die Lösung Weiningers eigentlich kein Zweifel bestehen; allein der Mann kann genial, sogar universaler Genius sein. Jeder höhere Wert, von der eigentlichen „Erkenntnis" über Talent und Erinnerung bis hin zu Logik und Ethik, ist den Männern zu eigen. Wie wortwörtlich Weininger seine Theorie nahm, zeigt die Tatsache, daß er im selben Haus Selbstmord beging, in dem Beethoven gestorben war. In seinem Hauptwerk führt er Beethoven als hervorragendes Beispiel des männlichen Genius an.

Der zum Genius führende Weg setzt bereits bei der Konstitution des Ichs ein. Denn die fundamentale Funktion des Ichs besteht darin, sich aus Gefühlspartikeln — die Weininger „Heniden" nennt — zu organisieren und sich dadurch ein Bild von der Objektivität der Welt zu schaffen. Ein bei Weininger wichtiges Motiv liegt darin, daß er ein impressionistisches Cliché auf die Höhe der gedanklichen Abstraktion hebt und zugleich die Theorie Ernst Machs über den Ichverlust in einer ganz anderen Funktion verwendet. So werden alle Probleme der Welt im „bipolaren“ System Weiningers lösbar, seine „Schwerpunkte“ — von der Rolle des „Augenblicks“ bis zur Problematik des „Genius“, von der weiblichen Sexualität bis zum „sich selbst organisierenden Ich“ — sind die am meisten verbreiteten, gängigsten Elemente des Wiener impressionistischen Selbstbewußtseins.

Wir haben bereits die entscheidende Rolle der inneren Erfahrung gegenüber der empirisch-psychologischen Methode erwähnt. Als ebenso wichtig, ja beinahe unerläßlich für die Entstehung des Weiningerschen Werkes erweist sich die Gleichsetzung der Bedeutung von Kunst und Wissenschaft. Beides ist Erkenntnis, der Unterschied besteht nur darin, daß das, was in der Kunst das Symbol, in der Wissenschaft der Begriff ist. Die Annahme des grundlegenden Gegensatzes (Mann—Weib) führt unmittelbar zu den wesentlichsten Fragen der „Menschheit“ und der „Kultur“.[335] Weininger schafft hiermit ein bipolares System, das mit dem Anspruch einer umfassenden Welterklärung auftritt. Von der eigentlichen Perspektive unserer Untersuchung her kommt dem „Weltanschauungs“-Begriff Weiningers noch größere Bedeutung zu. Jene Weltanschauung, die mit der Philosophie oder den Konsequenzen der Wissenschaft nicht identisch ist und trotzdem ein wichtiges menschliches Bedürfnis befriedigt, hätte als Theorie nirgends anders als in der Doppelmonarchie entstehen können. Zur Genese dieses Begriffs der „Weltanschauung“, die an sich „produktiv“ ist und in gewissem Zusammenhang sogar mehr als „Wissenschaft“ bedeutet, müßten auch die Probleme erörtert werden, die ihrerseits wieder zum größten Teil durch die Übermacht der neokantianischen Methodik zugespitzt waren. *Der „Impressionismus“ suchte seine Evidenzen „philosophisch“ zu legitimieren, während die philosophische Methodik diesen Versuch zu vereiteln drohte.* Jedenfalls war die in reflektierter Form auftretende „Weltanschauung“ selbst ein wichtiges und überraschend weitverbreitetes Phänomen der letzten Epoche der

Monarchie. Charakteristisch für ihren Bekanntheitsgrad ist die Tatsache, daß sie durch Houston Stewart Chamberlain[336] verbreitet wurde — auch Weininger übernimmt von ihm diesen Begriff —, sie erscheint aber auch in der „Entwicklungsgeschichte des modernen Dramas" des jungen Lukács als der letzte Grund der Inhalte und der Struktur des Kunstwerkes: „Dieser letzte Grund kann nur ein Gefühl sein, das Gefühl des Schriftstellers gegenüber der Welt — jener Welt, die er in seinem Drama darstellen wird —, sein Denken, seine Sicht, seine Wertung; deren Anordnung und das Bestimmen seines Tempos und des Rhythmus'; mit einem Wort — auch wenn das Wort es vielleicht nicht ganz treffend ausdrückt — seine Weltanschauung... Der Weltanschauung gegenüber kann man Forderungen nur in bezug auf die Form erheben..."[337]

Weininger ist sich dessen ebenfalls bewußt: „Weltanschauung — das nämlich, was diesen Namen verdient — ist nichts, das einzelner Erkenntnis je könnte hinderlich werden; im Gegenteil wird alle besondere Einsicht von tieferer Wahrheit durch sie erst hervorgetrieben. *Weltanschauung ist an sich produktiv;* nie aber kann sie, wie dies jedes Zeitalter nur empirischer Wissenschaft glaubt, aus einer noch so großen Summe speziellen Wissens synthetisch erzeugt werden."[338]

Weiningers Gesamtwerk relativiert die folgende Feststellung Edmund Husserls über die Weltanschauungsphilosophie: „Die Weltanschauungsphilosophie... betrachtet jede Fachwissenschaft als Schatzkammer der objektiven Wahrheit, und insofern sie sich darauf ausrichtet, nach Möglichkeit jene Ansprüche zu befriedigen, die sich auf eine alles umfassende und verstehende Erkenntnis ausrichten, sieht sie die Fachwissenschaften als ihr Fundament an."[339] Es ist wiederum die Einstellung des Systematikers gegenüber dem Reichtum der historischen Phänomene, die diese Relativierung begründet: Husserl denkt nicht an Weininger, dessen „Weltanschauung" nicht nur aus dem „Schatz der objektiven Wahrheit" schöpft, sondern — kreativ und produktiv — den Gang der Forschung befördert und den Weg zu neuen Entdeckungen öffnet. Weininger ist sich in der Tat vollkommen bewußt, warum er eine „Weltanschauung" braucht. Diese „Weltanschauung" organisiert die einzelnen konkreten Kenntnisse in produktiver Weise. Keine empirische Wissenschaft kann dies aufgrund von eigenen Erkenntnissen zustande bringen.

Wir konnten nicht alle Motive der Tragödie Weiningers ausweisen, den Weg aufzeigen, im Verlaufe dessen eine strenge und methodische Entfaltung der an sich punktuellen impressionistischen Kernwahrheiten zur Katastrophe führte. Ein allgemeiner Grund lag auf jeden Fall darin, daß die reflexivtheoretisch unvereinbaren Elemente des impressionistischen Denkens bei Weininger explosiv kollidierten. Hierzu gehörte beispielsweise die „theoretische“ Gleichrangigkeit von „Augenblick“ und „Genius“. Beide Motive können in einer „philosophischen“ Konzeption nicht von gleicher Bedeutung sein. Ähnlich unvereinbar war die Tragik das Mann-Weib-Verhältnisses (vor allem wegen der Entdeckung des neuen Phänomens der weiblichen Sexualität) mit dem auch für den Impressionismus typischen „therapeutischen Nihilismus.“[340] Hier können wir auch den Gegensatz zwischen dem sich nach einer eigenen Persönlichkeit sehnenden impressionistischen Menschen und einer in für gleichrangig gehaltenen Gegensatzpaaren denkenden Weltsicht erwähnen, und zwar weil deren unverrückbare Anerkennung die Selbstbestimmung des Individuums buchstäblich unmöglich macht und zum gefürchteten und gelittenen Relativismus führt. Wir gehen vermutlich nicht falsch in der Annahme, wenn wir die wahre Tragik des Impressionismus bei Weininger in dessen eigenartiger Vorstellung sehen, daß er die kritizistische Relativität, den positivistischen Empirismus sowie seinen Drang nach dem Absoluten nicht in Einklang bringen konnte.

Hinter der sich zur Unerträglichkeit steigernden Spannung können wir unschwer jene *Grundproblematik* entdecken, als deren Protagonist in der Geschichte der österreich-ungarischen Philosophie sich Weininger erweist: *die Grundproblematik der gleichzeitigen Betonung der existentiell-lebensphilosophischen, und zwar kompromißlosen Radikalität und dem hochgeschraubten methodischen Perfektionismus.* Kein Wunder, daß die unmittelbaren Zeitgenossen Weiningers *philosophische Bedeutung* kaum begriffen, ihn sogar für einen ausgesprochenen

Dilettanten hielten, *während einige Jahre später gerade seine Philosophie die größte Anziehungskraft ausübte.* Gewisse Stellen im Werk des jungen Lukács, die Weininger-Arbeit von Carl Dallago (1912), aber auch die Tatsache, daß es Weininger gelang, etwa das philosophische Interesse Hans Kelsens zu wecken, bestätigen diese Behauptung.[341)]

Nach all dem ist es wahrhaft bezeichnend, daß gerade Weininger, der jene Theorie, die wir hier in ihren wesentlichsten Zügen wiedergaben — und aufgrund derer er weltweit als Frauenhasser galt und immer noch gilt —, über das weibliche Geschlecht aufstellte und „wissenschaftlich" auswies, gleichzeitig in den konkret-historischen Formen der weiblichen Sexualität das Problem des Sklaventums, die Ausbeutung der Frau durch den Mann wahrnahm. *Seine bisherige These, abgesehen von dem Tatbestand der Vereinigung der unvereinbaren Elemente des Impressionismus, erleidet im ethischen Bereich am deutlichsten Schiffbruch,* da der „Mann so in der Frau die in ihr lebende Idee der Menschheit verletzen muß".[342)] Dies macht klar, „...*daß der Mann das ethische Problem für seine Person nicht lösen kann, wenn er in der Frau die Idee der Menschheit immer wieder negiert,* indem er sie als Genußmittel benützt. *Der Koitus ist in allem Asiatismus die Bezahlung, welche der Mann der Frau für ihre Unterdrückung zu leisten hat.*"[343)]

Während bei Peter Altenberg der weibliche Körper (erinnern wir uns: „Gottes Kunstwerk") den einzig würdigen Gegenstand der impressionistischen Betrachtungsweise liefert, ist er für Weininger das Sinnbild der Tragik des Lebens. Sein Gleichgewicht gerät an seinem empfindlichsten Punkt aus den Fugen, in der Sphäre der keineswegs konventionell aufgefaßten Ethik und Moral.

Das Denken Weiningers ist für uns darüber hinaus auch von der Methode her sehr wichtig; er ist einer der ersten und radikalsten Philosophen, die das Leibniz-Herbartsche Modell durch ein bipolares ablösten. Selbstverständlich soll diese Akzentuierung des „Bipolarismus" Weiningers alle anderen wissenschaftlichen, philosophischen und weltanschaulichen Eigenschaften keinesfalls in den Schatten stellen.

Die beiden Pole, das Gegensatzpaar, mit dem man innerhalb einer solchen Konzeption alles erklären kann, ist bei ihm der Gegensatz zwischen Mann und Weib. Obwohl das Leibniz-Herbartsche Modell auch später noch Anhänger finden sollte, wird nun dieses bipolare Modell mit dem bis dahin herrschenden, den Kosmos der „allgemeinen Weltordnung“ abbildenden Modell gleichrangig.

Es ist für uns auch wichtig, daß Weininger in seiner „Menschenwissenschaft“ das bipolare Modell bewußt anwendet: *„Endgültig bedeutet also einen Menschen verstehen soviel als: ihn und sein Gegenteil in sich haben.“*[344] Oder: „Daß sich ganz allgemein stets Gegensatzpaare im selben Menschen zusammenfinden müssen, um ihm das Bewußtwerden auch nur *eines* Gliedes von jedem Paare zu gestatten, dafür liefert die Lehre vom Farbensinn des Auges mehrere physiologische Beweise, von denen ich nur die bekannte Erscheinung erwähne, daß die Farbenblindheit sich immer auf beide Komplementärfarben erstreckt; ... dieses Gesetz gilt im Geistigen überall, es ist das Grundgesetz alles Bewußtwerdens.“[345]

Weiningers *Geschlecht und Charakter* ist gewiß eines der wichtigsten Bücher des besprochenen Zeitalters. Es ist eine Enzyklopädie der Wiener Jugend, während die sehr verbreiteten Probleme mit unerhörter, im wahrsten Sinne des Wortes „selbstzerstörerischer“ Ambition angepackt werden. Auf einer Ebene versuchte Weininger, aus den wichtigsten Gedankensplittern des Wiener Impressionismus eine kohärente Materie zusammenzuschweißen, wobei er diesen Willen auch methodisch mitreflektierte. Auf einer anderen Ebene versuchte er, die positivistische und die kritizistische Denkweise mit der existentiellen Problematik zu vereinen. Das Scheitern dieses Versuches ist kein Argument gegen ihn. Im Gegenteil, es handelt sich hier um einen Versuch, der schon allein aufgrund seines experimentellen Charakters neue Wege öffnete.

Die Wiener Secession

Dialog mit der Gesellschaft

In unseren vorangehenden Betrachtungen haben wir versucht, eine für uns richtungsweisende Logik in der Darstellung des Wiener Impressionismus zur Geltung zu bringen. Eingeleitet wurde diese Charakterisierung mit Schnitzler, der mit großer innerer Identifikationskunst die impressionistische Alltagswelt Wiens zum einen schon zum Gegenstand seiner Werke machte, diese Lebenshaltungen zum anderen aber auch weiterzuvermitteln half. Die auf den „Augenblick" gerichtete Intention desselben Impressionismus fand bei P. A. ihre vollkommenste Entfaltung. Hermann Bahr verwirklichte mit beinahe ebenso klassischer Geschlossenheit die *extensiven* Möglichkeiten des Impressionismus, so daß sein steter (impressionistischer) Wechsel vom „alten" Gegenstand zum „neuen" eine fast ebenso mustergültige und vollendete persönliche Identität ergab, wie wir dies bei P. A. erlebten. Endlich erkannten wir den Schlüssel zur Deutung des Weiningerschen Lebenswerkes nicht in den sonst ins Auge springenden gegenständlichen Motiven (Frauenhaß bzw. jüdischer Selbsthaß), sondern darin, daß er die heterogenen und atheoretischen Motive des impressionistischen Denkens in eine geschlossene, ja sogar logisch-wissenschaftlich kohärente Einheit zusammenzuschweißen suchte. Ist diese Logik haltbar, so müßten wir an dieser Stelle die Überwindung bzw. die Opposition dieses Impressionismus weiter ausführen. Wir wollen statt dessen jetzt eine Analyse der *Wiener Secession* einschieben, die zwar ihrem Wesen nach kaum etwas mit dem Wechsel zwischen dem Impressionistischen und dem Postimpressionistischen zu tun hat, *sozialgeschichtlich* aber auf der gleichen gesellschaftlichen Dynamik wie der Impressionismus aufgebaut ist.

Nimmt man die Secession als künstlerische Artikulation vorwiegend der neuen Klasse des unternehmerischen Bürgertums, so ist es kein Wunder, wenn sie in Österreich-Ungarn, insbesondere und ursprünglich aber in Wien, eine so bestimmende Rolle zu spielen vermochte. Soziologisch gesehen ist die hier exponierte Gesellschaftsschicht in groben Zügen die Generation der Söhne, die jene Generation der gründenden und positivistischen Väter im geistigen Leben ablöste. Schon der österreichische Positivismus verbreitete sich, wie in dieser Arbeit bereits oft erwähnt, vor allem anfangs erstaunlich rasch, was in erster Linie die direkte Folge seiner unmittelbaren und dimensionssprengenden Konfrontation mit den herrschenden Schemata der Harmonistik war. Das erstaunlich glückliche Verhältnis zwischen dem neuen Österreich und dem *Jugendstil* entstand in ähnlicher Weise daraus, daß dieser Stil die erste wirklich selbständige Artikulation der österreichischen Kultur in diesen Kunstrichtungen war, die neben vielen anderen Faktoren zweifellos auch mit dem Wachsen Wiens zu einer wirklichen Großstadt in Verbindung zu bringen ist. In der „ersten“ großen Welle der europäischen Moderne spielte Österreich kaum eine wichtige Rolle — obwohl gewisse Ansätze im österreichischen Geistesleben schon in den siebziger Jahren vorhanden waren, wie dies etwa mit den Versuchen des sogenannten *Lesevereins,* mit den intellektuellen Anfängen von so bedeutenden Persönlichkeiten wie Victor Adler oder Sigmund Freud sowie mit der damaligen, also zur *gleichen Zeit erfolgenden Rezeption* Nietzsches dokumentiert werden kann. Österreichs Eintritt in die europäische Moderne fiel demnach fast zur Gänze mit der *zweiten* großen Periode derselben Moderne zusammen. Daher kommt es, daß Rilke, Hofmannsthal, Klimt und all die anderen Künstlerpersönlichkeiten geradezu emblematisch für die Vorgänge in Europa stehen könnten. Das zur Metropole gewordene Wien wurde dadurch zu einem der wichtigsten Schauplätze der europäischen Moderne sowohl in der Dichtung als auch in der Malerei, der Architektur bzw. der Kunsttheorie. Mit der Sonderstellung der Wiener Moderne hängt es auch zusammen, daß hier die Secession den Impressionismus nicht „ablöst“, sondern vielmehr mit der Wiener Form desselben, mit dem sich vorwiegend in der Sphäre des Denkens und der alltäglichen Vorstellungswelt realisierenden Impressionismus in einer merkwürdigen Wechselbeziehung steht. Beide Strömungen sind Ausdruck desselben Zeiterlebnisses und derselben sozialen Verschiebungen — nur gehen sie grundsätzlich von entgegengesetzten Aspekten aus. Der literarische (und denkerische) Impressionismus ist, wie wir bereits gezeigt haben, schicksalhaft an den relativen *Augenblick* gebunden, während sich die Malerei der Secession — ähnlich wie wir dies bei Rilke und den anderen Überwindern des Impressionismus sehen werden — die künstlerische *Verewigung* der Wiener Existenz zum Ziel setzt.

In der Geschichte der Kunst und Theorie der Wiener Secession läßt sich der Kampf zwischen dem „Alten" und dem „Neuen" ebenso exemplarisch verfolgen wie das in der impressionistischen Literatur der Fall war. Den sozialgeschichtlichen Hintergrund zu dieser Kontroverse liefert die umfassende, sich auf alle Sphären der Gesellschaft beziehende Rivalität zwischen dem neuen unternehmerischen Bürgertum und den traditionellen herrschenden Gruppen um die direkte Hegemonie in Gesellschaft und Kultur. Es ist eigenartig, wie fern von den sachlichen Gehalten dieser Kampf zwischen dem „Alten" und dem „Neuen" ausgefochten werden konnte. Nimmt man beispielsweise Otto Wagners Werk *Die Baukunst unserer Zeit* (ursprünglicher Titel: *Moderne Architektur,* 1895), welches als zusammenhängende Arbeit über die neuen Bestrebungen schon bald als Lehrbuch Verwendung fand, so erkennt man, daß der bloßen Bewußtmachung der Notwendigkeit des Neuen, d. h. *der Artikulierung des Anspruchs auf eine neue Lebenskultur und Baukunst* viel breiterer Raum gewidmet ist als der konkretsachlichen Beschaffenheit (und Begründung) dieser neuen Formen. Es resultierten also sowohl positive als auch negative Folgen aus der Tatsache, daß die Secession ebenso Summa und Inbegriff des gesamten *sozialen* Kampfes zwischen dem „Alten" und dem „Neuen" wurde wie beispielsweise bedeutend früher der Impressionismus in Frankreich. Das Bedürfnis nach „Neuem", der Wunsch, sich vom „Alten", vom Historisch-Traditionellen loszulösen, entstand in Österreich deutlich *früher* als die einzelnen Gehalte selbst. Geradezu paradigmatisch ist daher der Umstand, daß Otto Wagner die eigentliche Triebfeder bei der Konzeption des Neuen nicht in zwangsweise aufbrechenden neuen „künstlerischen Ideen" sieht, sondern vielmehr die Forderung nach dem Neuen mit „technologischen

Notwendigkeiten“ begründet, mit den Konsequenzen der umfassenden technischen Modernisierung, mit dem Entstehen „neuer Strukturen, neuer Stoffe, neuer menschlicher Aufgaben und Ansichten“. Ebenso charakteristisch ist auch die folgende Definition: „Was nicht praktisch ist, kann nicht schön sein.“ Vielsagend ist die *negative* Form, nicht allein die Stärke der Aussage. Sie erreicht zwar noch nicht die spätere Maxime „Was praktisch ist, muß schön sein“, doch fehlen eindeutig konkrete künstlerische Gehalte.

Diese deutliche „Leere“ in der frühen Konzeption Otto Wagners bei einer gleichzeitigen radikalen Verurteilung der traditionellen, vor allem historischen Formen ist jedoch nur der Ausgangspunkt. Die Wiener Secession — darin ihren europäischen Entsprechungen sehr ähnlich — entfaltet sich förmlich in einem *Dialog* zwischen dem Künstler (bzw. Theoretiker) und dem Publikum. In allen Ländern, wo ein derartiger Dialog stattfand, erlebte der *Jugendstil* seine Blütezeit. Wiens *Jugendstil,* die Secession, erwies sich als besonders dialogfähig: so schrieb die Wiener Gesellschaft den Künstlern etwa ihre Bedürfnisse vor, während die Künstler ihrerseits wiederum einen entscheidenden Beitrag zur Bewußtwerdung und Selbstidentifizierung eben dieser Gesellschaft leisteten.

Die Wiener Secession ist — soziologisch gesehen — das Ergebnis eines äußerst erfolgreichen Dialoges zwischen einer homogen werdenden „Gesellschaft“ und ihren Künstlern. Die Gesellschaft trägt den Künstlern ihre Selbstartikulation auf, um dann auf Grundlage der geschaffenen Visualität ihre Identität entfalten und inhaltlich weiterbestimmen zu können. „Glücklich“ muß man Wien jedenfalls nennen, wenn man vergleicht, daß sich beispielsweise die Entwicklung des deutschen Jugendstils, wo die einander widersprechenden und soziologisch auch rivalisierenden Erwartungen die Eindeutigkeit der künstlerischen Aussage maßgeblich verunsicherten, als bei weitem nicht so fruchtbar erwies. Daß hinter diesen widersprechenden Erwartungen letzten Endes tatsächlich die Rivalität zweier großer sozialer Gruppen stand, unterstreicht die Relevanz einer kunstsoziologischen Annäherungsweise. Während in Deutschland der Jugendstil *auch* von den traditionellen politisch führenden Schichten stark unterstützt wurde (und das unternehmerische Bürgertum ihn in bewußtem Wettkampf förderte), galt diese Richtung in Wien ausschließlich als die Bewegung der aufbrechenden Jugend, die eigentlich mit jener Jugend identisch war, welche als Trägerin des Wiener Impressionismus gelten kann. Schon eine flüchtige Gegenüberstellung der Nacktheit bzw. deren Funktion bei Klimt und Schiele kann diesen Dialog mit der Gesellschaft einigermaßen erklären. Klimt will „ursprünglich" nicht die „Wirklichkeit" malen: er will „visualisieren", wie eine sich immer homogener entfaltende soziale Schicht sich sehen *wollte. Das Unwirkliche ist wirklich geworden,* weil die „Welt" Klimts als soziales Vorbild tatsächlich mit großer Effektivität ausstrahlte. Klimts Frauen sind auch in ihrer Nacktheit „bekleidet" — sie artikulieren eine Menschlichkeit, die von einer *sozialen* Identität im strengsten Sinne des Wortes nicht zu trennen ist — sie wollen repräsentativ für ihre Schicht, für ihre Klasse sein, sie haben ihre Freuden und *Ressentiments,* sie *wollen* immer sie selbst sein. Vergleicht man nun die Kunst Schieles mit dieser Darstellung der Nacktheit, so wird man sehen, daß die *Kreatürlichkeit* hier ebenfalls *soziologisch,* wenn auch *negativ* determiniert ist. Es handelt sich nicht um die Artikulation der Vorstellungswelt einer mehr oder weniger homogenen gesellschaftlichen Gruppe, sondern um die Artikulation einer neuen Existenzweise, die schon außerhalb des gegebenen sozialen Rahmens fällt. Es geht nicht darum, daß Klimts Stilisierung einfach verschwindet, sondern vielmehr darum, daß eine soziologisch-dialogisch vorbestimmte Stilisierung einer sozial wie künstlerisch gleichzeitig *unstilisierten* und künstlerisch deshalb nie von allein einer *deformativen* Existenz weicht. An diesem Beispiel läßt sich ausgezeichnet verfolgen, wie sich der soziale Auftrag, der Dialog mit der Gesellschaft, künstlerisch auswirkt. Weil bei Schiele diese Bezugnahme auf eine soziale Sphäre entfällt, wird bei ihm Kreatürlichkeit *monadisch* und *absolut*, der dialogisierende Gestus weicht dem Schrei, die zweite Welle der Moderne wird von der dritten abgelöst.

Der Secessionismus Klimts praktiziert in jeder seiner Äußerungen das darstellerische Verfahren der *partialisierten* Mimesis. *Die Werke sagen sich von den mimetischen Prinzipien nicht gänzlich los, während der Künstler diese Prinzipien der Logik eines künstlerischen Gedankens unterordnet.* Das Verfahren der partialisierten Mimesis besteht, kurz gesagt, gerade darin, daß der künstlerische Gedanke das Bild „organisiert" (oder, wie Arnold Gehlen es ausdrückt, die „Bildrationalität" ausmacht). Es ist nicht mehr das mimetische Prinzip, welches die Bildgehalte bestimmt, sondern der jeweilige künstlerische Gedanke, wobei das Prinzip der Mimesis nicht ganz aufgegeben wird (es kommt dann in der *abstrakten* Malerei zur Anwendung). Die einzelnen künstlerischen Gedanken können dabei ganz unterschiedlich sein, aber eben dieser jeweilige Gedanke organisiert dann die im einzelnen Werk angewendeten mimetischen Operationen. Der künstlerische Gedanke von Munchs „Verwandlung" muß jenem von Segantinis „Die bösen Mütter" inhaltlich keineswegs ähnlich sein. Das Verfahren der partiell gewordenen Mimesis führt also bei Klimt einerseits zu den Darstellungen, die zur Wiener Gesellschaft des unternehmerischen Bürgertums in jenem eben dargestellten, zur wechselseitigen Befruchtung beitragenden Dialogverhältnis standen; andererseits unternahm Klimt aber auch den Versuch, die partialisierte Mimesis auf eine zusammenhängende Weltdeutung, auf die Darstellung eines umfassenden Weltbildes auszudehnen.

Sein Gemälde „Der Kuß" (1907—1908) kann als Beispiel für die künstlerisch wie soziologisch so bedeutende Art der Artikulation der modernen bürgerlichen Lebenskultur genannt werden. Wie für seinen Dialog mit der Wiener Gesellschaft überhaupt, so ist auch für das Zentrum dieses Bildes eine aufrichtige und geradezu brutal anmutende Zielbewußtheit kennzeichnend, die vom ersten Augenblick an in scharfem Kontrast zur Ornamentik und Zierhaftigkeit der Peripherien steht. Dieser Gegensatz schafft wie ein Auftakt eine kaum mehr zu überbietende Spannung, deren Intensität bereits die gefrorenen Aufschreie des Expressionismus antizipiert. Wie bei den meisten Gemälden Klimts, so ist es auch in diesem Fall fast unmöglich, das Geschehen außerhalb des fundamentalen *Dialogverhältnisses* deuten zu wollen. Das Bild schöpft seine Suggestionskraft vor allem aus der Tatsache, daß bis heute ein gewisses soziales Milieu aus der visuellen Darstellung herausstrahlt. Wie allgemein in der Malerei der Secession, hängt die optimale Darstellung weitgehend davon ab, *wie erlebbar die Hauptgestalten die abgebildeten Verhaltensmuster bzw. Einstellungen vermitteln können.* In der partialisierten Mimesis ist diese sozial und intellektuell lebensnotwendige „Erlebbarkeit" eine der wichtigsten künstlerischen Forderungen. Wird nämlich die von einer Hauptgestalt verkörperte Einstellung nicht optimal oder überhaupt nicht erlebbar, so verliert das Gemälde gerade die Möglichkeit der Realisierbarkeit des zugrundeliegenden künstlerischen Gedankens, in diesem Fall die schon zum einen wirkliche, zum anderen erst noch Wirklichkeit werdende Existenzproblematik der Klimtschen Frauengestalten. Es muß kaum eigens betont werden, wie eindeutig Klimts Frauengestalt auf diesem Bild diesen ganz neuen Typ weiblichen Verhaltens „erlebbar", nachvollziehbar macht und dadurch den konkreten künstlerischen Gedanken verwirklicht.

Gewiß ist es etwas übertrieben, wenn Schorske den Widerstand der Wiener Universität gegen Klimts Fresken unmittelbar durch die innere Widersprüchlichkeit des österreichischen Liberalismus zu erklären trachtet. Alle drei Entwürfe unterscheiden sich so sehr von jeder Konvention der repräsentativen Wandmalerei, sie sind in einem solchen Ausmaß „nackt", daß der Widerstand gegen sie alles andere als unverständlich ist. Ob diese Ablehnung auch auf anderen, mehr inhaltlich determinierten Motiven beruhte, können wir im Moment nicht restlos klären. Es ist durchaus vorstellbar, daß Klimts Versuch, die mit drastischer Offenheit formulierte Lebensproblematik unter Anwendung der Methodik der partialisierten Mimesis darzustellen, den Auftraggebern auch inhaltlich ein Dorn im Auge war. Diese Transponierungsversuche wären mit universitären Bildungskonventionen auch nicht in Übereinstimmung zu bringen. Ja, man könnte es sogar „Umwertung" nennen: *Was visuell dargestellt wird, ist eine „Umwertung" klassischer Bildungsinhalte.* Klimt erfüllt nämlich die Ausgangskategorien „Medizin", „Philosophie" und „Jurisprudenz" mit seiner, man könnte wohl auch sagen, persönlichen Interpretation dieser Vorstellungen. Das die Philosophie verkörpernde „Wissen“ ist kaum sichtbar, seine Umrisse liegen in dem engsten Sinne des Wortes „tief“, es erscheint als plastische Verunsicherung des Gedankens, der *hinter* den bunten und vitalen, mit der impressionistischen Lebenswelt zweifellos identisch gedachten stilisierten Gestalten der „Oberfläche“ seinen Sitz hat. Die uralte Metapher der „Oberfläche“ bzw. der „Tiefe“ wird in der Darstellungsweise der partialisierten Mimesis zur effektiven Grundlage einer visuellen Konzeption gemacht. Uns scheint es keine überstrapazierte Analogie, wenn die auf diesem Bild *verwirklichte* Beziehung zwischen der reichen und leidenschaftlichen Vitalität der Oberfläche bzw. der kaum sichtbaren, jedoch alles schauenden, sogar alles durchdringenden Tiefe *paradigmatisch* für die Gesamtheit des Wiener Impressionismus von Bahr bis Weininger und von Schnitzler bis Altenberg steht. Der leitende Gedanke bei der Abbildung der „Medizin“ ist nicht weniger aktuell wie es vorhin jener der Philosophie gewesen ist. Die Gestalt der Hygieia gilt als viel wichtiger denn jene der Medizin — weil sie die Macht über Leben und Tod in ihrer Hand hält, wird sie auch mythologisch. Schließlich beugt auf dem Bild der „Jurisprudenz“ der kreatürliche Mensch vor seinen Richtern sein Haupt — Hinweise auf das Barock und dessen Vorstellungswelt der Kreatürlichkeit erübrigen sich von selbst.

Jenseits des Impressionismus

Hofmannsthal, Rilke, Kassner

Unser Versuch hatte die Zielsetzung, den Wiener Impressionismus in erster Linie als eigentümliche und ausgeprägte *Lebens-* und *Denkweise* zu erfassen, die, wie angedeutet, tief soziologisch verankert war und sich in den verschiedensten Objektivationen fruchtbar erwies. Als Lebens- und Denkweise überschreitet sie beispielsweise bei Weininger die Schwelle der Philosophie, wird allein herrschend in den Feuilletons und in der Kunstkritik, wird nachweisbar im Lebensstil und der Alltagsphilosophie. Ihre Stellung zum Positivismus ist mehrschichtig:

sie erbt viele Eigentümlichkeiten des österreichischen Positivismus, der — als eine Richtung, die gegen den noch nicht erschütterten Universalismus auftreten mußte — erstaunlich farbenreich und aussagehungrig ist und keineswegs einzig mit szientistischer Eindimensionalität abgetan werden kann. Die impressionistische Denkweise läßt sich jedoch nicht auf den Positivismus beschränken, ihre Freiheit geht nicht selten über ihn hinaus. Der Wiener Impressionismus ist die Artikulation der ersten modernen Generation Wiens *par excellence* und steht als homogen werdende Denk- und Lebensweise im Hintergrund zahlreicher anderer Objektivationen.

An diesem Berührungspunkt des Impressionistischen bzw. der Überwindung desselben ist es geboten, die Frage nach der grundsätzlichen *Relation zwischen Konkretem und Universalem im Impressionismus* zu stellen. Denkt man an Altenberg, Bahr, Schnitzler oder Weininger, so wird es einsichtig, daß bei ihnen *das Konkrete in seiner eigenen Qualität gleich zu Universalem wird und die beiden praktisch identisch werden.* Der Augenblick wird zum Gesetz, zur Metaphysik schlechthin, die einzig sinnvoll zu setzende Gestalt des Lebens. Um das jeweils Konkrete ohne Vermittlung gleich als Universales zu erleben, bedarf es freilich einer Atmosphäre, ja sogar eines sozial relevanten Konsenses der impressionistischen Lebensanschauung. Daß die Entstehung eines solches Konsenses *möglich* war, zeigen die Dokumente der geistigen Geschichte Wiens mehr als ausreichend. Rein theoretisch ließen sich zwei fundamentale Einwände gegen diese Auffassung des Impressionismus zur Geltung bringen. Der eine richtet sich gegen das Motiv des Zufalls bzw. der Relativität, indem er das endlich zustande gekommene Universale als nicht *bestimmt* genug erlebt. Der zweite Einwand nimmt an dem fehlenden *persönlichen* Beitrag zu diesem Universalen Anstand: *der große Mann der Kunst, der Politik oder der Wissenschaft ist beim Aufbau des Universalen solcherart nicht mehr vonnöten.* Kein Wunder, wenn die wichtigsten Überwindungsversuche beide Momente enthielten, der ,,Augenblick" wird stark angegriffen und menschliche Größe grenzenlos akzentuiert.

Als Ausgangspunkt einer Interpretation der Überwindung

des Impressionismus kann die gleichzeitig soziologisch und ästhetisch relevante Tatsache dienen, daß sowohl Hofmannsthal als auch Rilke und Kassner direkten Anschluß an die europäische Moderne fanden und dadurch die unmittelbar vital bestimmende Ebene der Wiener Lokalität hinter sich ließen.[345a)] Selbstverständlich waren die bis jetzt angeführten Wiener Impressionisten auf vielfache Weise in die sich gerade in jener Zeit universal ausdehnenden Strömungen der europäischen Moderne eingeschaltet. Trotzdem läßt sich sagen, daß der Wiener Impressionismus in diesen drei Lebenswerken seine ausschließliche „geistige" Lokalität einbüßt und neue, zum Teil anti-impressionistische Qualitäten annimmt. Merkwürdigerweise kommt es dazu, weil jene Gehalte der europäischen Moderne, die sich diese Autoren zu eigen machten und die wir als die „zweite Welle" der Moderne bezeichneten[346)], in manchen Zügen *gegen* die Selbstverständlichkeiten des Wiener Impressionismus wirkten.

Der Wiener Impressionismus war weitgehend untrennbar mit der Relativität, der „Existenz in Augenblicken", den tagtäglich neu reproduzierbaren Sensationen des Alltags verbunden. Sein Ästhetizismus blieb ein Ästhetizimus des Alltags. Hofmannsthal und die anderen wollten aber Ewiges in der Kunst (bzw. in der Kritik) schaffen, sie vertraten allein durch ihre Ambitionen eine Opposition gegen die impressionistische Relativität. Wie wirkliches Verhalten, stilisiertes Verhalten und der Stil selbst beim Impressionisten eine kaum auseinanderzuhaltende Einheit ausmachten, ebenso erfüllte das *Verhalten* bei diesen Künstlern eine integrierende Funktion. So läßt sich sagen, daß das „Verhalten" aller drei Dichter bzw. Kritiker das *„Absolute", „Zeitlose"* zum Ausdruck bringen will, einen im *Ewig-Ästhetischen* verankerten Rang, welcher *dem Künstler* (bzw. im Falle Kassners *dem Kritiker) eine geradezu gottähnliche Kreativität und Bedeutung gewährt.* Bei Hofmannsthal geschieht dies mit der Methode der historisierenden, allegorischen und ins Parabolische führenden *Verallgemeinerung* der jeweiligen Ausgangssituation. Hofmannsthal erprobt eigentlich jede mögliche Art der Befreiung vom Relativen, und obwohl er vielen Einzelheiten der ursprünglichen impressionistischen Problematik Wiens die Treue hält, objektiviert er dieselbe völlig zielbewußt als gültige Aussage eines Kunstwillens, der nach eigengesetzlicher und vollgültig selbständiger Artikulation strebt. Obwohl Stefan George zweifellos eine bedeutende Hilfe für den jungen Hofmannsthal bedeutete, die ursprüngliche Wiener Problematik der Existenz in die Sprache der aufkommenden übernationalen europäischen Moderne zu transponieren, fand er bei der Verwirklichung dieser Absicht doch nicht jene Unterstützung wie Rainer Maria Rilke, der sich beinahe von Anfang an diese europäische und gleichzeitig aufs Ewige, Zeitlos-Künstlerische gerichtete Ausbreitung seines dichterischen Weltbildes zum Ziel setzte. Das Lebenswerk Friedrich Nietzsches, die persönliche Verbindung zu Lou Andreas-Salomé, die Reisen nach Rußland und die Kontaktaufnahme mit der damaligen russischen Kultur, mit Tolstoj an der Spitze, das Paris-Erlebnis, die Malerfreunde in Worpswede, seine Beziehung zu Rodin, seine Vorliebe für Skandinavien (Kierkegaard, Jacobsen), seine Liebe zu Italien usw. ermöglichten es Rilke, sich auf der höchsten überhaupt erreichbaren Ebene der aktuellen Moderne zu bewegen. Aus diesen Beziehungen ließe sich die Mehrheit der Konzeptionen der sogenannten „zweiten" Welle der europäischen Moderne beinahe restlos rekonstruieren.

Äußerungen wie die folgenden müssen in diesem Zusammenhang gelesen und wortwörtlich verstanden werden: „Daß Rußland meine Heimat ist, gehört zu jenen geheimnisvollen Sicherheiten, aus denen ich lebe", sowie „Rußland (...) wurde in gewissem Sinne die Grundlage meines Erlebens und Empfangens (ebenso wie, vom Jahre 1902 ab, Paris) ... zur Basis für mein Gestaltenwollen geworden ist."[347)]

Die Gottähnlichkeit der *Schöpfung,* das *Absolute des künstlerischen Schaffens, aber auch des Werkes selbst, treten bei diesen drei Persönlichkeiten als bereits konkretisierte Überwindung der impressionistischen Relativität auf.* Auch der Impressionismus will den Augenblick, den Lebensstrom auf seine Art verewigen. Er bleibt aber mit dem sozialen Boden, mit den atmosphärischen Eigenschaften des Wiener Lebens verbunden und entschließt sich nie, den Schritt in ein Jenseits der autochthonen ästhetischen Werte zu wagen.

Es scheint paradigmatisch, daß Hofmannsthal, Rilke und Kassner bei diesem Schritt deutliche intellektuelle Hilfe aus dem damaligen „geistigen“ Europa bezogen, einem Europa, das in manchen Zügen bereits Nietzsches Träume von einer Existenz der „guten“ Europäer zu verwirklichen schien. Kassner beispielsweise wertete in seinen Essays durchaus viele (prinzipiell und latent: alle) geistige Bewegungen der Vergangenheit und der unmittelbaren Gegenwart in diesem Geiste um.

Solange Hofmannsthal das „Leben“ selbst ins allgemeine erheben will und zu diesem Zweck die verschiedenen Experimente der Stilisierung unternimmt, tut sich bei Rilke eine riesige Kluft zwischen Leben und Kunst, insbesondere aber zwischen „Leben“ und „Werk“ auf. Es geht nicht nur darum, daß das „Werk“ wichtiger als das „Leben“ wird, sondern noch mehr: es geht darum, daß die „Welt“ dazu da ist, Kunstwerk zu werden. Ein grundsätzlicher Gegensatz zum Impressionismus liegt darin, *daß sich „das Leben“ auch als Fremdes, als „Phänomen“ vor dem Dichter auftut*. Der echte Impressionist generalisiert großzügig seine eigene Problematik und würde nie mit Rilke folgendes behaupten: „Denn so geheimnisvoll der Tod sein mag, geheimnisvoller noch ist das Leben, das nicht unser Leben ist, das nicht an uns teilnimmt und, gleichsam ohne uns zu sehen, seine Feste feiert, denen wir mit einer gewissen Verlegenheit, wie zufällig kommende Gäste, die eine andere Sprache sprechen, zusehen.“[348] „Die Welt“ oder „das Leben“ werden in der Kunst nicht nur *im allgemeinen* als Ausgangspunkt des künstlerischen Formungsprozesses genommen (der bei Rilke große Ähnlichkeit mit der phänomenologischen Methode Husserls aufweist), sondern die monumentale Bearbeitung alles Seienden zum Zwecke der Kunst nimmt bei jedem einzelnen Gegenstand ihren Anfang. Eine schöne, in jeder ihrer Einzelheiten anti-impressionistische Stelle zu dieser Problematik lautet: „Das Ding ist bestimmt, das Kunst-Ding muß noch bestimmter sein; von allem Zufall fortgenommen, jeder Unklarheit entrückt, der Zeit enthoben und dem Raum gegeben, ist es dauernd geworden, fähig zur Ewigkeit (!). Das Modell *scheint,* das Kunst-Ding *ist.* So ist das eine der namenlose Fortschritt über das andere hinaus, die stille und steigende Verwirklichung des Wunsches zu sein, der von allem in der Natur ausgeht. Damit fällt der Irrtum, der die Kunst zu dem willkürlichsten und eitelsten Gewerbe machen wollte, aus..."[349] Rilkes Anweisungen an einen jungen Dichter sprechen dieselbe Erfahrung wie die langen Beschreibungen des *Malte* aus: Das „Leben" dient dazu, daß man Kunstwerke schafft, während dasselbe für den Dichter auch Quelle der Paradoxien wird: er selbst kann das Leben nicht einmal so leben wie die anderen. In diesem Lichte wird Rilkes folgender Brief bedeutend. Er will sich nicht einer psychoanalytischen Kur unterziehen, da die Gefahr besteht, daß er am Ende — gesund wird: „Ich weiß jetzt, daß die Analyse für mich nur Sinn hätte, wenn der merkwürdige Hintergedanke, *nicht mehr zu schreiben,* den ich mir während der Beendigung des Malte öfters als eine Art Erleichterung vor die Nase hängte, mir wirklich ernst wäre. Dann dürfte man sich die Teufel austreiben lassen, da sie ja im Bürgerlichen wirklich nur störend und peinlich sind, und gehen die Engel möglicherweise mit aus, so müßte man auch das als Vereinfachung auffassen und sich sagen, daß sie ja in jenem neuen Beruf (welchem?) sicher nicht in Verwendung kämen."[350] Man darf daraus aber keineswegs folgern, daß der so entstehende künstlerische Schaffensprozeß nur ein *negativer* Faktor in der künstlerischen Persönlichkeit sein kann. Der folgende, über Rodin verfaßte Text stellt sehr plastisch den *positiven* Gegenpol dar: „Und je mehr die Dinge um ihn wuchsen, desto seltener waren die Störungen, die ihn erreichten; denn an den Wirklichkeiten, die um ihn standen, brachen alle Geräusche ab. Sein Werk hat ihn beschützt; er hat darin gewohnt wie in einem Wald, und sein Leben muß schon lange dauern, denn was er selbst gepflanzt hat, ist ein Hochwald geworden."[351]

Während Hofmannsthal und Rilke „das Leben" auf ihre Art anerkennen und bejahen, auch wenn sie es nur als Ausgangspunkt betrachten, entfaltet Kassner dem „Leben" gegenüber eine äußerst merkwürdige und komplizierte Einstellung. Bei ihm artikuliert sich ein deutliches *Ressentiment* gegenüber allem „Trivialen". Rilke und Hofmannsthal streben ebenfalls vom Alltag weg, wollen aber doch die menschliche Existenz in ihrer Ganzheit aufheben. Kassner erklärt dem Alltäglichen, dem Impressionistischen den ungehemmten Krieg. Er fordert zumindest, daß der Künstler etwas Absolutes und Entschlossenes vor Augen habe, die Radikalität der inhaltlichen Momente ins Extrem steigere und im allerengsten Sinne des Wortes *rücksichtslos* die innere Logik eines gegebenen Problems bzw. Gegenstandes zur Geltung bringe. In der Tat gelangen wir hier an eine Grenze, die oft nicht genügend reflektiert wird. Nicht das Leben wird als Maßstab des Werkes genommen (wie dies bei Rilke und dem Dramendichter Hofmannsthal zumeist geschieht), sondern das (in seiner künstlerischen oder sonstigen Logik rücksichtslose) Werk wird zum Maßstab des Lebens. Und obwohl diese Anschauungsweise „rein ästhetisch“ zu einem großen Fortschritt in den einzelnen Kunstgattungen führen kann und tatsächlich auch führte, übertritt hier der Ästhet, der Kulturkritiker und Kulturphilosoph einen Rubikon des gattungsgemäß naturgegebenen Humanismus und legt im Namen des „absoluten“ Kunstwerkes ein deutliches *Ressentiment* gegen das „nur“ Humane bzw. das unästhetisierte Menschliche an den Tag. Diese Einstellung kann ihrerseits ebenfalls auf Vorläufer verweisen. Neben den (ursprünglichen) französischen *décadents* scheint uns das Vorbild Oscar Wildes am prägnantesten gewesen zu sein.[352] Dieses Phänomen wäre einer eingehenden Untersuchung wert. Jedenfalls kann faktisch nachgewiesen werden, daß der Drang nach innerer Logik, Kompromißlosigkeit und Radikalität bei Kassner mit einem deutlichen *Ressentiment* nicht nur gegenüber dem Impressionismus, sondern gegenüber dem Alltäglich-Humanen überhaupt einherging. Diese Einstellung ist im geistigen Universum Österreich-Ungarns durchaus selten und bereitet kaum zu bewältigende Schwierigkeiten, wenn diese leidenschaftliche Abneigung gegen jede (soziale) Normalität in politischem Kontext ausgesagt wird.

Die *Kunst* erwies sich bei der Betrachtung dieser drei Beispiele gleichzeitig als eine Instanz, die dazu bestimmt ist, die schicksalhafte Relativität der inneren und sozialen Wirklichkeit aufzuheben. Die grundsätzliche Beziehung zwischen dem *Konkreten* und dem *Universalen* zeigt sich unter diesem Aspekt auch anders. Es ist keine äußerliche Überlegung, die uns an dieser Stelle eine Reflexion dieser Beziehung geradezu vorschreibt. Das Konkrete wird bei Hofmannsthal ebenso wie bei Kassner und Rilke gesichtet, geordnet und in seiner Ursprünglichkeit verworfen. So wird es mit einem Schlag zum *Universalen,* wobei es nicht auf bereits prä-existent Transzendentes hinweist, sondern seine Universalität in sich trägt. Dieses Universale ist aber nichts Ideelles oder Systematisches, es weist gleich wieder auf Konkretes zurück. Bei Hofmannsthal findet man den Versuch, in den zeitlos gemachten menschlichen Situationen immer wieder das Lebendige deutlich zu machen. In den ins Licht der Universalität gerückten menschlichen Ereignissen Rilkes erkennt man einen ähnlichen Willen zur Konkretisierung, sogar Personifizierung, aber auch zur Singularität und Individualität. Auch bei Kassner ist es nicht viel anders: ihm ist es prinzipiell gleichgültig, welche konkrete Gestalt diese Radikalität in seinem Lebenswerk annimmt: das Universale entsteht durch die *Form* aus dem Konkreten.

Auch bei der Überwindung des Impressionismus bei Hofmannsthal, Rilke und Kassner ist die Neuregelung des Verhältnisses zwischen Konkretem und Universalem entscheidend. *Im Gegensatz zum Impressionismus wird der Akzent darauf gelegt, daß das „Universale" nicht „problemlos" im Konkreten ruht, sondern erst geschaffen werden muß und im Vergleich zum „Konkreten" eine ganz neue, inkommensurable Qualität bedeutet.* Bei Hofmannsthal und Rilke wird vor allem der Absolutheitsanspruch der Kunst diesem Ziel vorgespannt, während bei Kassner das Problem des Impressionismus durch die abstrakt-allgemeine Auffassung der Form ins Direkt-Philosophische übergeht.[353] Hier schaltet sich der junge Georg Lukács in die Weiterentwicklung der geistigen Problematik Österreich-Ungarns ein.

Der junge Lukács und die Schicksalswenden des Impressionismus

Will man die intellektuelle Entwicklung des jungen Lukács nachzeichnen, so ist es unvermeidlich, gleich anfangs die fast unüberwindlich anmutenden Schwierigkeiten zumindest kurz anzudeuten. Bei der Niederschrift einer Ideengeschichte Österreich-Ungarns ist dies deshalb unerläßlich, weil — wie wir noch beweisen wollen — der junge Georg (György) Lukács oder, wenn man will, Georg von Lukács, einer der bedeutendsten Denker und Kritiker dieser Kultur war. Würde sein Lebenswerk, sagen wir, mit der *Theorie des Romans* enden, so bestünde kein Zweifel, daß er in unseren Tagen neben Wittgenstein, Musil, Kraus oder Broch eine *Neuentdeckung* des philosophischen Allgemeinbewußtseins wäre. Die erste der angedeuteten Schwierigkeiten besteht darin, beim jungen Lukács nicht ausschließlich oder nicht unbedingt nur nach den „Anfängen" des späteren Denkers zu forschen. Eine weitere Schwierigkeit ergibt sich aus der Qualität des Werkes selbst. Der junge Denker ist nicht nur entschlossen, aus vielen einzelnen Wissensgebieten und inhaltlichen Richtungen eine Synthese zu schaffen, er hat auch den Willen, diese Synthese *methodisch* auf der exaktesten erreichbaren Ebene zu untermauern. Dies bewirkt, daß jeder beliebige Querschnitt durch sein Jugendwerk von überdurchschnittlicher Komplexität ist. Nimmt man eine Kategorie dieser Periode heraus, beispielsweise jene des *„Schicksalsaugenblicks"*, so wird zweifellos deren metaphysisch-lebensphilosophische Dimension mit dem gleichen Nachdruck deutlich wie gleichzeitig die ästhetische und persönliche Anwendungsmöglichkeit. Diese einzige Kategorie bezieht sich auf drei oder vier voneinander methodisch und traditionell getrennte Bereiche des Wissens bzw. der Wissenschaft. Dieser Kampf um eine philosophisch gültige Anschauung, in der — wenn es der *Gegenstand* verlangt — die zu unterschiedlichen Wissensgebieten gehörenden Annäherungsweisen in selbständiger Synthese vereint sind, wird beim jungen Lukács durch die kontinuierliche Setzung der *existentiellen* Dimension seines Philosophierens ergänzt. Die Philosophie hatte schon früher manche Möglichkeit der philosophischen Artikulation der *modernen* existentiellen Problematik von der Romantik bis Kierkegaard und Nietzsche verwirklicht. Mit gewisser Übertreibung könnte man Lukács' Eigenart in dieser Entwicklungsreihe so formulieren, daß er Eigenschaften all dieser Vorbilder des existentiellen Philosophierens in sich vereinigt. Trotz prinzipieller Nähe ist Lukács' Formulierung der *existentiellen* Problematik dem späteren Existentialismus eines Jaspers oder Heideggers kaum ähnlich. Ihre alles entscheidende Eigenart sehen wir in jenem Motiv, das ohne Zweifel in der österreichisch-ungarischen Kultur der dargestellten Zeit seinen Ursprung findet (und welches wir bei der Analyse Weiningers schon einmal beim Namen nannten), nämlich dem Versuch, die tiefste existentielle Problematik auf die höchste erreichbare, methodisch komplex ausgebaute Ebene zu heben. *Die Gleichzeitigkeit des existentiellen Anspruchs und der höchsten erreichbaren philosophisch-methodischen Bewußtheit* ist in unseren Augen die charakteristischste Eigenart der österreichischen Philosophie jener Zeit, die direkt mit dem Impressionismus bzw. mit dessen Überwindung in Verbindung gebracht werden kann. In einer groben Vereinfachung ließe sich sagen, *daß das Existentielle in groben Zügen dem „Impressionismus", die methodischen Ansprüche der „Überwindung des Impressionismus" entsprechen.*

Lukács' Entwicklung steht der inneren Entwicklungslogik Kierkegaards am nächsten. Ohne diese Hypothese erhärten zu wollen oder sie gar als Schlüssel bei der Interpretation in Anspruch nehmen zu wollen, sollte auch auf den merkwürdigen Zusammenhang hingewiesen werden, daß sich beim jungen Lukács die Kierkegaardschen Stadien eigentümlich wiederholen. Dies beginnt zweifellos mit einem vorherrschend *ästhetischen* Stadium, dessen Objektivation *Die Seele und die Formen* ist. Bei den Essays dieser Sammlung läßt sich übrigens auch *ganz allgemein* grundsätzlich untersuchen, wieso Kierkegaards ästhetisches Stadium zur Bibel des Wiener Impressionismus werden konnte. Diesem Stadium folgt eine deutliche ethische Wendung, und wieder zeigt sich bei Lukács in vieler Hinsicht deutlicher als bei den anderen, daß Kierkegaards *ethisches* Stadium genau der *Überwindung* des Impressionismus entspricht und auch als solche aufgefaßt wurde. Es ist hinreichend bekannt, daß Lukács' daraus resultierender Messianismus dem Kierkegaardschen *religiösen* Stadium äußerst verwandt ist, so daß seine geistige Entwicklung in der Tat die Bahnen der Kierkegaardschen Stadium-Theorie durchläuft. So schematisch diese rekonstruierte Linie auch sein mag, sie stützt sich zweifellos auf nachweisbares Material.

Was die *entwicklungsgeschichtliche Stellung* des jungen Lukács anbelangt, so soll diese zunächst *geographisch* und erst dann *historisch* bestimmt werden. Sein geistiges Umfeld bietet ein eigentümliches Bild: im Kern finden wir das *ungarische,* in der ersten umliegenden Sphäre das *österreichische,* eigentlich das *wienerische,* in der zweiten das *deutsche* und in der dritten das modern-*europäische* Geistesleben. Diese Schichten gehen tausendfach ineinander über. Unsere Arbeit richtet sich auf die Erforschung der möglichen Beziehungen zum zeitgenössischen österreichischen oder, was damals von außen her gesehen praktisch dasselbe bedeutete, zum Wiener Geistesleben. Das oben angeführte Schema der geistigen Orientierung zeigt bereits *die Bedeutung und ständige Präsenz der österreichischen Kultur im geistigen Horizont* des jungen Denkers an, was auch erklärt, warum wir ihn eingangs als einen der bedeutendsten Denker und Kritiker der österreichisch-ungarischen Kultur jener Zeit nannten.[354] Wien, Berlin und „Europa" funktionieren wie drei parallel tätige Prismensysteme, durch die ihn die Flut zeitgenössischer geistiger Gehalte erreicht. Setzt man die Rekonstruktion der entwicklungsgeschichtlichen Stellung des jungen Lukács fort, so muß ein Zusammenhang hervorgehoben werden, der vielleicht am entscheidendsten dazu beiträgt, diesen Entwicklungsgang historisch in seiner künstlerischen und philosophischen Gesamtentwicklung zu situieren. Da dieser Zusammenhang sich eigentlich auch auf einen Großteil der damaligen österreichischen Kulturprominenz bezieht, können wir ihn auch vom Gesichtspunkt unseres Vergleiches „Lukács und das österreichische Denken jener Zeit" her ins Auge fassen. Der junge Lukács, als Vertreter der sogenannten „zweiten" Welle der Moderne, lebt *inmitten einer neuen, immer einheitlicheren gesamteuropäischen Kultur.* Diese „klassische" Moderne läßt sich mit Persönlichkeiten wie Ibsen, Nietzsche, Zola, Baudelaire, Strindberg, Tolstoj, Dostojewskij, Hauptmann und anderen identifizieren. Das Auftreten und die Verfestigung dieser klassischen Moderne stellt für die meisten Schichten, also für den Großteil der Gesellschaft, die aktuell zu bewältigende Aufgabe dar. Während dieses gewaltigen Aneignungsprozesses der Modernisierung tritt bereits eine *neue* Generation auf den Plan, welche das eben jetzt zu Assimilierende schon als Selbstverständliches und zum Teil auch Abgeschlossenes ansieht und ihren eigenen Weg, nicht selten sogar gegen diese Strömung, sucht. Wie alle Angehörigen seiner Generation, muß auch der junge Lukács keinen besonderen Abschied vom Vergangenen nehmen. Im problemlosen Besitz einer neuen Kultur genießt er aber nicht einmal das Bewußtsein eines Siegers. Für ihn sind die Errungenschaften der ersten Welle der Moderne Selbstverständlichkeit, die eigengesetzliche Muttersprache geistiger Existenz, die in der Gesellschaft aber noch keineswegs verankert ist. Diese ringt mit den neuen Gehalten, lernt sie als „Moderne" zu identifizieren (in vielem gilt *bis heute* als „modern", was in der hier besprochenen Zeit dafür gehalten wurde)[355] und wird durch die strenge Arbeit der Assimilierung der neuen allseitigen intellektuellen Identifikationsmöglichkeiten zur Gänze in Anspruch genommen. Eine weitere bestimmende Tatsache ist, daß die Modernität im Sinne Ibsens und Nietzsches bald in die vorderste Linie auch der sozialen Auseinandersetzung gesellschaftlicher Gruppen rückte. Die jeweilige Stellungnahme zu Fragen *dieser* Richtung errang dadurch auch eine soziale Relevanz heute kaum mehr vorstellbaren Ausmaßes.[356] Die Ibsen-Nietzsche-Zolasche Modernität bricht herein und *setzt bald an, alles Bestehende und Absolute zu relativieren*. Dies verstärkt nur die Anstrengungen, die die Gesellschaft unternehmen muß, um die für sie in ihrer Gesamtheit bis jetzt unfaßbare, jedoch unvermeidlich scheinende moderne Kultur zu assimilieren und ihre Vorstellungen dementsprechend *umzuwerten*. „Hinter" diesen Prozessen stehen aber schon die ersten Vertreter der neuen Generation, die sich bereits mit der Muttermilch aneigneten, was der Öffentlichkeit so schwierige Assimilationsprobleme bereitete. Man muß unterstreichen, daß es auch im Falle Lukács' keineswegs um modische, affektierte Überwindungsversuche ging. Ob reif oder nicht, er war in der Tat *im Besitz* des besagten Materials.[357]

Bei dieser These angelangt, finden wir uns gleich inmitten

der Problematik der damaligen Wiener Jugend. Die Generation von Hofmannsthal und Schnitzler, von Beer-Hofmann und Kassner ging von den gleichen Voraussetzungen aus. Darin liegt die wichtigste Gemeinsamkeit zwischen dem Wiener Impressionismus (zum Teil auch dessen Überwindung) und dem jungen Lukács. Dazu bedarf es aber auch einer anderen Grenzziehung. Lukács wie auch die Wiener Impressionisten waren von den späteren Wogen des „Avantgardismus" noch meilenweit entfernt, der für sie praktisch nicht vorhersehbar und nonexistent erscheinen mochte.[358] *Nach* der Vollendung der Modernisierung im Sinn Ibsens und Nietzsches und *vor* dem eigentlichen Avantgardismus in der Kunst muß der Historiker ein umfassendes Übergangsstadium annehmen. Umfassend soll hier heißen, daß viele Inhalte auftreten, die sich vor allem *negativ* exakt beschreiben lassen und die *nichts mehr* mit der Erneuerung nach Ibsen und Nietzsche , aber auch *noch nichts* mit dem im modernen Sinn genommenen Avantgardismus zu tun haben. Geht man von dieser Annahme aus, so wird gleich eine Erklärung der Verwandtschaft zwischen dem Wiener Impressionismus (bzw. den ihn überwindenden, in vielem aber auf dem gleichen Boden bleibenden Strömungen) und dem jungen Lukács auf breiterer Basis möglich.

Vor diesem Hintergrund erscheint es gewiß nicht mehr so paradox, wenn zunächst einer der wesentlichen ästhetisch-philosophischen Gedanken des jungen Essayisten heraufbeschworen wird, der fast in derselben Form auch bei Wiener Impressionisten als „konkretes" Problem, sogar als echtes Werkstattproblem auftaucht: es geht um die *Darstellung des Nicht-Darstellbaren,* die mit der Darstellung bzw. theoretischen Konzipierung der *existentiellen* Problematik eng zusammenhängt. Über Maeterlinck schreibt Lukács: „Er schildert die über uns lebenden, über uns herrschenden Gewalten, die wir nicht kennen, wir fühlen aber, daß sie existieren. Wir erwerben niemals eine gewisse Nachricht über sie, wir sind aber trotzdem Puppen in ihren Händen..."[359] Würde man einen Schritt weitergehen, so käme man zu einer direkt „metaphysischen" Anschauung, einem grundlegend einigenden Band zwischen dem Wiener Impressionismus und dem jungen Lukács. Noch verwirrender wird es im Falle des ungarischen Ästheten (wie auch im Werk seines Vorbildes Rudolf Kassner), da er diese die Gegenstände auf ihre ,,metaphysischen" Dimensionen hin untersuchende Annäherung nicht unmittelbar, sondern *durch die Vermittlung der Kritik anderer Kunstwerke* zu artikulieren suchte. Die grundsätzliche Frage kehrt sich somit um und lautet jetzt: Wie ist es möglich, ,,Daseinsmetaphysik" künstlerisch erlebbar zu machen, wenn man unter ,,Daseinsmetaphysik" letzten Endes Konflikte bzw. Probleme eines Allgemeinheitsgrades versteht, der sich seinem Wesen nach einer mehr oder weniger sinnlich-konkreten künstlerischen Betrachtungsweise entzieht. Dichter wie Paul Ernst oder Béla Balázs deuten diesen Kunstwillen an. Die ästhetische Problematik einer *Darstellung des Nicht-Darstellbaren,* deren Hintergrund in dem vorhin angedeuteten Sinne *daseins-metaphysisch* ist, aktualisiert die Verwandtschaft bzw. Parallele Wien—Lukács. Eine Daseinsmetaphysik ist *sowohl* im Impressionismus *als auch* bei den Überwindungsversuchen desselben gleich möglich.

Fragt man nach den Motiven der Lukácsschen Anknüpfung an Rudolf Kassner, so werden zumeist einmal Elemente sichtbar, die sich als Fortsetzung einer früheren, noch ,,problemlos impressionistischen" Periode erweisen. Zunächst sei von der *existentiellen Bedeutung der Kunst,* des Ästhetischen die Rede. Daß Kunst für den Impressionisten die selbstverständliche Lebensform war, gehört zu den Trivialitäten der Epoche. Kassners Begriff jenes Lebens hingegen ist schon nicht mehr mit dem ,,Alltagsleben" oder ,,Lebensalltag" der Impressionisten identisch. Das sich in wahllosen und trivialen Akten offenbarende Alltagsleben betrachtet er mit einer Ablehnung, die nicht selten an politischen Konservativismus grenzt. Kulturkritik und Politik kommen einander bei Kassner gefährlich nahe, ohne daß er als politischer Denker bezeichnet werden könnte.[360] Weitere Motive der Annäherung Kassners an die Lebensproblematik sind gewiß schwieriger zu umschreiben. Erstens deshalb, weil sie in weiten Gebieten durch die Negation des impressionistischen Lebensbegriffes konkretisiert werden. Zweitens ist dieser Begriff aristokratisch, wenn auch nur in geistig-ästhetischem Sinn. Es geht nicht mehr um die maßgebende existentielle Bedeutung der Kunst *für alle,* sondern *für wenige.*[361] Trotz der Schwierigkeiten, die sich daraus ergeben, daß sich auch Kassner in ästhetischen Koordinaten bewegt und Lukács sich über die möglichen aristokratisch-konservativen Implikationen des Weltbildes Kassners kein klares Urteil bildet, bleibt die existentielle Bedeutung der Kunst unverändert erhalten.[362]

Die Abkehr von der (teilweise unbewußten) Vergöttlichung des (ebenso unbewußt) ästhetisierten Alltags zeigt sich auch darin, daß Lukács Kassner den „einzigen aktiven Kritiker" nennt: „Er ist in der Reihe der Jetztlebenden der einzige aktive Kritiker; der einzige, der seine Altäre selber aufsucht, der selber auswählt, wem er opfern will, damit er Geister nur solcher Menschen heraufbeschwöre, die seine Fragen beantworten können; *er ist keine lichtempfindliche Platte für die vom Zufall ihm hingespielten Eindrucksmöglichkeiten. Kassner ist ein ganz souverän positiver Kritiker.*"[363] An dieser Stelle wird deutlich, daß Lukács einen auf den ersten Blick jedenfalls abenteuerlich anmutenden Versuch unternimmt: angeregt durch Kassner, versucht er, aufgrund der gegebenen literarischen Stoffe einen eigenen Kosmos — philosophisch oder ästhetisch — aufzubauen. Es geht also um eine ihrer Tendenz nach *philosophisch werdende Objektivation,* die ihren Stoff aus geschriebenen Kunstwerken bezieht und deren Legitimation einzig *die in der Kunst und im Leben gemeinsame existentielle Fragestellung* ist. Es muß freilich nachdrücklich betont werden, daß unter der *existentiellen* Bedeutung der Kunst (Ästhetik) nicht die *biographisch*-persönliche Dimension verstanden werden darf, obwohl diese beiden Ebenen beim Lukács jener Jahre zusammenfallen könnten. So wird die beabsichtigte existentielle Bedeutung des Ästhetischen in der Gestalt des *Platonikers* vertreten: „... muß der Platoniker, wenn er von sich sprechen will, durch die Schicksale anderer hindurch und zwar solcher, in denen das Gegebene, das aus dem Leben bereits Gebildete, das ewig Unabänderliche besonders reich ist, zu den verborgensten Intimitäten seiner eigenen Seele gelangen: denn sein alles zergliedernder Blick kann nur an so starken Realitäten haftend im gewissen Grade Menschen aus Fleisch und Blut sehen."[364] Der Anspruch auf *selbständige* philosophische Formulierungen allein kann erklären, warum auch die Tatsache zu einem Lob wird, daß Kassner (und der Platoniker) den Mut hat, viel Konventionelles, Triviales *nicht* zur Kenntnis zu nehmen.[365]

Wie bewußt es Lukács in seiner Darstellung um ein mögliches Ausbrechen aus dem Impressionismus geht, zeigen die folgenden Sätze: „Hinaus aus den Zufälligkeiten! Das ist das Ziel, dahin mühten sich Werther und Friedrich Schlegel und Benjamin Constants Adolphe (nach Kassner [!] Kierkegaards Vorläufer), und sie alle waren schön und interessant und aus echtem Holz geschnitzt, im ersten Akte ihres Lebens, wo es noch genügte, interessant, eigenartig und geistreich zu sein; sobald sie aber zu dem allgemeinen, dem Vorbild schaffenden Leben sich *(auch das sind nur andere Worte für den Begriff Form)* emporhoben, zerfielen oder sich verflachten, wurden sie Selbstmörder oder sie verkamen innerlich."[366] Auch dieser Begriff der Form hat eine zweifache Bedeutung: die Form des *Kunstwerkes,* die es erst ermöglicht, daß die im Kunstwerk angedeutete, aber als Vorbild „reale" *Lebenshaltung* klassisch wird. *Die ästhetische und die existentielle Bedeutung fallen auch im Falle dieser Kategorie zusammen.* Vielsagend wird dies dadurch unter Beweis gestellt, daß im vorhergehenden Zitat *Romanhelden* (Werther, Adolphe) *mit Philosophen* (Schlegel) *in einem Zuge genannt werden! „Seele"* und *„Form"* — diese beiden Kategorien sind verschiedene Namen für dieselbe Zweischichtigkeit. In diesem Zusammenhang erwähnt Lukács zwei Namen, die als Beispiel für einen produktiven Ausbruch aus dem Impressionismus gelten. Kein Zufall, daß die eine Persönlichkeit gerade jener von Kassner „entdeckte" und in den Mittelpunkt des Wiener Impressionismus gestellte Kierkegaard ist.[367] Über ihn, seinen baldigen Leitstern, bemerkt der junge Lukács folgendes: „Kierkegaard... gelangte zu einer hohen glaubensstrengen, auf platonistischer Grundlage ruhenden Lebenseinrichtung, und um dahin zu gelangen, mußte er in sich den Ästheten, den Poeten besiegen... *Für ihn war das Leben das, was für den Poeten die Dichtung ist...*[368] Der erste aufgezeigte Weg zur Lösung dieser existentiellen Problematik der

Kunst bestand also etwa darin, *aus dem Leben ein Kunstwerk zu machen.* Der andere Weg wird durch Robert Browning angedeutet (die folgende Charakterisierung gibt im übrigen auch Aufschluß über die Voraussetzungen, mit denen sich Lukács dann bei der Dramaturgie von Paul Ernst und Béla Balázs auseinandersetzte): „Seine (Brownings) niemals haltmachende Natur fand nirgends im Leben einen fixen Punkt; es gab keinen Ausdruck, den er für endgültig zu halten gewagt hätte, keine Schrift, in der Platz gefunden hätte, was er erlebte und fühlte; bis er schließlich in einem eigenartigen *abstrakt-lyrischen* und *impressionistisch-abstrakten* psychologischen Drama... seinem Platonismus die Musik fand, die Lyrik *der seltenen, der großen Augenblicke,* durch welche das rein Zufällige seines Lebens symbolisch und notwendig wurde.“[369] Hier wird nicht das Leben zum Kunstwerk gemacht, vielmehr wird ein Kunstwerk konzipiert, welches die Intention hat, die ganze impressionistische Problematik in ihrer existentiellen Bedeutung zu erfassen, so unendlich schwierig dies auch „rein“ *ästhetisch* sein kann.

Kassners Sehnsucht nach „Dogmen“, nach Form und geschlossenen Zusammenhängen, die etwa von Anfang an die Möglichkeit des Impressionismus zum Scheitern verurteilen könnten, erwies sich in der Tat als „siegreich“; die von ihr ausströmende Atmosphäre antiquierte den Impressionismus erfolgreich. Es ist dabei klar ersichtlich, daß in diesem Willen zu Dogmen eine problematische Ambivalenz steckt. Lukács betont jedenfalls in diesen Jahren nicht so sehr die *positive* Sehnsucht nach Dogmen, vielmehr Kassners *negatives* Verhalten gegenüber jeglichem Impressionismus.

Fragt man nach seiner Beurteilung Schnitzlers, so findet man die Bestätigung dessen, was in dem vorangehenden Abschnitt über sein durchaus vieldeutiges Verhältnis zu Kassner angesprochen wurde. Der Impressionismus des Werkes *Der Weg ins Freie* liefert ihm geradezu ein Musterbeispiel für den Wert dieser Denkweise, da die bei Kassner so lebenswichtige „Überwindung“ nicht einmal am Rande vorkommt und der Wiener Impressionismus in seinem ursprünglichen Wesen erlebt wird. Lukács betont schon zu Beginn seiner Besprechung, daß gegen dieses Werk ausschließlich „prinzipielle Einwände“ zu erheben sind. Das Werk, so stellt er fest, gibt eine „Kritik der nur impressionistischen Lebenseinrichtung“.[370] Was er an diesem Werk auszusetzen hat, rührt wiederum aus seiner tiefen Identifizierung mit dem Kassnerschen Ansatz her: In wortwörtlicher Übereinstimmung mit diesem sieht er den Mangel Schnitzlers in der „heutigen, absoluten Formlosigkeit“, die auch bei Romanciers vorherrscht, die ansonsten sehr künstlerisch „fühlen“.[371] Obwohl ein solcher Plan bestand, nahm Lukács seine Schnitzler-Besprechung letzten Endes in *Die Seele und die Formen* nicht auf. Aber auch hier bleibt er seiner Ansicht über Schnitzler treu: er hält ihn für eine *klassische* Erscheinung des Wiener Impressionismus, die aber die Immanenz desselben nicht sprengen kann. Sein „Universum“ charakterisiert er folgendermaßen: „... die Welt des Alles-Genießens und des Nichtbehalten-Könnens, wo Wirklichkeit und Traum ineinanderfließen, und jene Träume, die dem Leben aufgezwungen wurden, gewaltsam vergehen...“[372]

Die dritte Persönlichkeit, welche in der „essayistischen“ Periode des jungen Lukács das Wiener Kulturmilieu vertritt, ist Beer-Hofmann. Seine Kritik enthält zahlreiche weitere Schattierungen der ihn quälenden Impressionismus-Problematik. Man muß sich vergegenwärtigen, daß Lukács seine Überzeugung von der dringenden Notwendigkeit einer Überwindung des Impressionismus nicht mehr aufgibt. Die Stärke seiner immer noch anhaltenden inneren Ergriffenheit äußert sich darin, daß er in dem Beer-Hofmann-Essay eine emphatisch vollständige Beschreibung der wienerischen impressionistischen Lebenshaltung *par excellence* gibt, die vielleicht die erschöpfendste Darlegung derselben in seinem ganzen Lebenswerk ist. So kommt er zur Formulierung einer *Metaphysik des Impressionismus,* die sowohl eine sachliche Paradoxie als auch eine richtige Tatsachenfeststellung enthält.[373] Beer-Hofmann wird wegen der Akzentuierung des ethischen Indifferentismus des Impressionismus gelobt, und eben *dies* führt dann in dieser Arbeit zur Abrechnung mit ihm. Der Grund für die Notwendigkeit der Überwindung ist also ein anderer als in dem Kassner-Essay: hier spielt der andere Mensch, die Verantwortung für diesen, die Unmöglichkeit, den andern zu verstehen, eine entscheidende Rolle.[374]

Die Bedeutung des Wiener Impressionismus und der sich in diesem Zusammenhang herauskristallisierenden Problematik wird dadurch noch deutlicher unterstrichen, daß die existentielle Problematik, mit der die Kunst bis zur Unkenntlichkeit verschmolzen war, in dem Beer-Hofmann-Essay zu *literaturtheoretisch-gattungspoetischen* Konsequenzen führt. Die künstlerische Darstellbarkeit, die gattungspoetische Möglichkeit der „Nachahmung“ dieser Problematik wird offen thematisiert, und dies leitet schon auf das Gebiet der Ästhetik über. Auch die persönlichen Verbindungen des jungen Lukács mit dem Wien seiner Epoche mehren sich, als *Die Seele und die Formen* auf deutsch erscheint (etwa Herbst 1911). Er unterhält einen Briefwechsel mit Franz Blei, Martin Buber,[375] macht sich mit der Psychoanalyse bekannt und lernt Beer-Hofmann auch persönlich kennen.[376] Hiezu kommt noch, daß sein Freund Leó Popper kurz vor seinem (Poppers) Tod die persönliche, vielversprechende Bekanntschaft von Karl Kraus macht, und zu dieser Zeit scheint es nicht unmöglich, daß Lukács auf diesem Wege auch mit Kraus in Verbindung kommt.[377] Man muß jedoch klar sehen, daß Lukács schon irreversibel antiimpressionistisch eingestellt ist, so daß diese Annäherungen auch dann nur fragliche Früchte getragen hätten, wenn die angesprochenen Persönlichkeiten positiver reagiert hätten als dies tatsächlich der Fall war. Uns ist, als ging Lukács in seiner essayistischen Periode fast von den gleichen Voraussetzungen aus wie der Wiener Impressionismus und dessen Überwindungsversuche. Gewiß ist jedenfalls, daß sich Lukács — so bedenklich dies auch klingen mag — dieser Nähe kaum bewußt war. Indirekt beweisen dies die vor allem in seinen Briefen an Popper niedergelegten Vorsätze über die Reihenfolge und den Aufbau des späteren Werkes *Die Seele und die Formen,* wo nicht vermerkt wird, wer Österreicher ist und wer nicht, sondern stets eine gewisse umfassende Logik den Aufbau des Werkes diktiert.[378]

Die tatsächliche Nähe zum Wiener Impressionismus und die *energische Ablehnung* dieser Nähe werden in der Kritik Mihály Babits' der ungarischen Ausgabe von *Die Seele und die*

Formen miteinander konfrontiert. Babits, selbst auch bedeutender Akteur der damaligen geistigen Modernisierung Ungarns, rückt dies entschieden in den Mittelpunkt: „Diese Bildung (in *Die Seele und die Formen)* ist typisch deutsch oder vielmehr wienerisch (!); es ist die Bildung des Wiener Ästheten, über die er (Lukács) an einer Stelle auch schreibt. Die Schriftsteller, über die er (Lukács) etwas vorträgt oder die er nur nebenbei erwähnt, sind, ob alt oder neu, alle Wiener oder heute in Wien modische Schriftsteller."[379] Lukács wird also explizit jene Auffassung nachgewiesen, die auch in unserer Arbeit vertreten wird, ihm wird dadurch noch einmal die Möglichkeit gegeben, öffentlich und zusammenfassend über seine Beziehung zur Wiener Kultur zu sprechen. In seiner Antwort an Babits weist er neuerlich diese Annahme deutlich zurück, und es besteht kein Grund, an seiner Aufrichtigkeit zu zweifeln: „Sie (er meint Babits) placieren mich in Wien — obwohl weder die, über die ich spreche (Storm stammt aus Holstein, Novalis war Sachse, George Rheinländer, von Kierkegaard und Sterne ganz zu schweigen), Wiener sind, noch Kassner oder Beer-Hofmann, die in Wien geboren wurden, heute in Wien ‚modisch' sind, wie sie dies schrieben (kein einziges Stück von Beer-Hofmann wurde noch in einem Wiener Theater aufgeführt; Berliner Schauspieler spielten es einmal dort als Gäste), aber auch meine Arbeitsmethode ist nicht wienerisch. Kassner ist der einzige aus Wien kommende Schriftsteller, den ich mit Genuß las — und er ist in seinem wahren Wesen einer, der auch die mittel- und norddeutsche Philosophie fortsetzt (was an ihm wienerisch ist, kann ich nicht genießen)".[380]

Die Kritik, daß Lukács in *Die Seele und die Formen* „wienerisch" schrieb, beinhaltete keineswegs, daß Babits etwas gegen Wien oder Österreich hätte. Der Einwand richtete sich dagegen, daß Lukács' Stil in diesen Essays „deutsch", d. h. überflüssigerweise kompliziert, nicht klar und übersichtlich war, sowie gegen die mangelnde ungarische Identität. Lukács wehrt sich gegen diesen Angriff auch nicht, weil er Wien oder Österreich an sich zu hoch oder zu niedrig einschätzt, *ihm ist scheinbar in der Tat nicht ganz klar, wie nahe seine Problematik jener der Wiener Welt steht.* Der gewiß nicht ganz ressentimentfreie Angriff stellt Lukács' tiefe Verbundenheit mit der Wiener Kultur seiner Zeit fest, er selber, der Betroffene, weiß nichts davon. Diese Situation in ihrer Dualität ist durchaus charakteristisch sowohl für die Zeit als auch für die Struktur und Ausstrahlung des Wiener Impressionismus.

Von den neubestimmten Elementen zum neuen System der Dinge

Elemente und Komplexe

Ernst Mach

Nach dem Impressionismus bzw. dem energischen Prozeß seiner Überwindung entstand in Österreich-Ungarn eine neue Denkweise, welche die aktuellen und auch heute noch nicht historischen philosophischen und wissenschaftlichen Gegenstände durch eine radikal neue Sichtweise zu erfassen suchte. Vereinfacht ließe sich dieses Verfahren vorerst so beschreiben, daß diese Methode mit dem Anspruch auftrat, *die Elemente der einzelnen Gegenstandsbereiche neu zu bestimmen und mit Hilfe der so gewonnenen, wissenschaftlich einwandfrei verifizierten Elemente den Versuch zu machen, ein neues Ganzes aus ihnen aufzubauen.* Es ist geboten, diesem Verfahren bzw. dieser Anschauungsweise vorerst noch keinen Namen zu geben, der richtungsweisend werden könnte. Diesem Verfahren begegnen wir in so vielen und zum Teil erheblich unterschiedlichen Versuchen, daß seine Qualifizierung vor der analytischen Darstellung der einzelnen Ansätze verfrüht wäre. Wir müssen kaum besonders betonen, daß dieses Verfahren *auch die Relation des Konkreten und des Universalen in den einzelnen Bereichen vollkommen neu regelt.* Als erster Schritt wird die Ebene der Elemente je eines gegebenen Bereiches neu definiert. Das so entstehende und neu bestimmte *Konkrete* macht dann in seiner Totalität und funktionalen Ganzheit das *Universale* aus.

Von zahlreichen Eigentümlichkeiten des österreichischen

Positivismus war in dieser Arbeit bereits oft die Rede. Für uns war der Nachweis dessen um so wichtiger, weil derartige Einsichten in die Entwicklung des Positivismus jenes bereits festgefahrene, eindimensionale Bild modifizieren könnten, wonach das Augenmerk in diesem Prozeß fast ausschließlich auf die Ablösung der „Metaphysik" gerichtet war. In Bereichen, wo der Positivismus nicht gegen die „Spekulation", vielmehr direkt gegen die Harmonistik auftrat (und das war in Österreich-Ungarn der Fall, obwohl der Hegelianismus in Ungarn schon früher hoffnungsvoll vertreten war),[381] übernahm er auch viele philosophische Aufgaben, die in anderen Kulturen die Philosophie Hegels lösen wollte. Man denke beispielsweise an die Erforschung historischer Komplexe, an die methodische Ausarbeitung einer bipolaren Denkweise, an die Begründung empirischer Forschungswege, die Ausdehnung des wissenschaftlichen Antianthropomorphismus, usw. Uns scheint aber, als hätte der österreichische Positivismus nicht nur Aufgaben übernommen, die in anderen Philosophien der Hegelianismus artikulierte, sondern *auch solche, die in anderen geistigen Kulturen vom schottischen, englischen oder gar kantianischen Kritizismus ausgearbeitet wurden.* Das Spezifische dieses österreichisch-ungarischen Positivismus sehen wir zusammenfassend darin, daß er — im Gegensatz zum Positivismus Comtes — keine „Furcht vor der Geschichte" und dementsprechend vor der Wirklichkeit hatte.[381a] Diese Tendenz verkörpert in der österreichischen Wissenschaftlichkeit erstmals und in einer bis heute gültigen Art und Weise Ernst Mach. Er nimmt einen durchaus schwer lokalisierbaren Platz zwischen Physik, kritischer Erkenntnistheorie und früher positivistischer Wissenschaftstheorie ein. Er ist *Kritizist im Kantschen Geiste,* ohne sich sämtliche Kantschen Ansätze zu eigen gemacht zu haben.[382] Er knüpft direkt an Hume an,[383] erfüllt aber Humes Kritizismus mit der zielstrebigen wissenschaftlichen Mentalität des positivistischen Naturforschers, er will also mit Humes Waffen die *Wissenschaftlichkeit überhaupt* durch die Kausalität nicht demontieren bzw. destruieren.

In dieser Form des Positivismus *erreicht die Wissenschaftlichkeit ihr kritizistisches Extrem,* und bisher nicht klar gewordene fundamentale Schwierigkeiten werden deutlich. *Es ist der Positivismus selbst, der die Wissenschaft, und zwar auch methodisch vollkommen wissenschaftlich, kritizistisch destruiert!* Dieser Tatbestand erklärt, daß Mach nicht nur für den österreichischen Positivismus von besonderer Bedeutung ist, sondern für die Geschichte des Positivismus überhaupt.[384] Auch die Wissenschaftsphilosophie bzw. -theorie unserer Tage sieht ihn mit vollem Recht als ihren eigenen Vorläufer an.[385]

Mach gelangt im Laufe einer streng positivistischen, methodisch durchwegs einwandfreien Untersuchung zu seinen grundsätzlichen Einsichten. Er will die Entwicklung der physischen (mechanischen) Weltbilder bzw. Konzeptionen von den „alten Griechen" bis zur Gegenwart verfolgen. In Ausführung dieser Arbeit wird er sich bewußt, daß die jeweiligen interpretatorischen Verfahren der Mechanik die Wirklichkeit nicht so erfassen können, wie sie ist, sondern sie auf ihre eigene, wissenschaftliche Art nur *interpretieren.* Dies führt bei ihm zu keinen anti-szientistischen Resultaten. Das Wesentliche ist der Selbstbegrenzungsversuch der wissenschaftlichen Annäherung. Die Vorgangsweise orientiert sich dabei an einer konsequenten Linie der Desanthropomorphisierung, ein Nachweis dafür, daß die Wissenschaft die Naturvorgänge mit Hilfe ihrer eigenen Kategorien erklärt, deren Existenz in der Wirklichkeit nicht nachweisbar ist. Es gibt nur eine Naturwirklichkeit, aber (wie die Geschichte der Mechanik unter Beweis stellt) mehrere mechanische Weltbilder: „Relativ sind die Bewegungen im Weltsystem, von dem unbekannten und unberücksichtigten Medium des Weltalles abgesehen, dieselben nach der ptolemäischen und nach der kopernikanischen Auffassung. Beide Auffassungen sind auch gleich richtig, nur ist die letztere einfacher und *praktischer.* Das Weltsystem ist uns nicht *zweimal* gegeben, mit ruhender und mit rotierender Erde, sondern nur *einmal,* mit seinen allein bestimmbaren Relativbewegungen."[386]

Mach hielt, wie zahlreichen seiner Äußerungen zu entnehmen ist, den Gedanken des Denkökonomismus für den *positiven* Gehalt seiner Philosophie der Naturwissenschaften. Mit wahrhaft erstaunlicher Zähigkeit hebt er immer wieder diese Idee aus dem eigenen Werk hervor. Die Denkökonomie wird *pragmatisch* motiviert: angefangen vom Schulunterricht bis zu den höchsten Aufgaben der Wissenschaft entsteht die Motivation des „denkökonomischen" Wissens durch die Forderungen des Alltags. In unseren Augen gilt hingegen *der Gedanke der Relativität der physischen Erkenntnis als Kern der Philosophie Machs*. Die historische Untersuchung der Geschichte der Mechanik führte in der Tat zur Annahme der im physischen Sinne korrekt verstandenen Relativität in der Geschichte der Wissenschaft, was dann auch zur selben Annahme hinsichtlich der zeitgenössischen Wissenschaft überleitete. Es fehlt nicht an späteren Hinweisen, die Machs Anspruch auf die Mitkonzipierung der Relativitätstheorie enthielten, wie etwa bei Machs Sohn,[387] und es ist kein Wunder, daß auch Einstein zu Mach Stellung beziehen mußte.[388] Im Lichte seiner Bedeutung für die Entstehung der Relativitätstheorie gesehen, verwundert es, daß Mach nicht klar erkannte, daß das Prinzip der Denkökonomie in seiner Abstraktion zwar stichhaltig, nichtsdestoweniger aber allgemein genug ist, um die Grundlage einer neuen Interpretation der physischen Erkenntnis abgeben zu können. Machs spätere Versuche, die „Empfindungen" zu analysieren oder „Wahrheit" von „Irrtum" zu trennen, scheinen in die Richtung zu weisen, daß er das Prinzip der Denkökonomie durch minutiöse gegenständliche Analysen der sinnlichen Empfindung ins einzelne gehend erhärten will.

Untersucht man Machs *Mechanik*, so muß man eingestehen, daß sowohl der Gedankenschatz als auch die Anschauungsweise der Relativitätstheorie in ihr größtenteils tatsächlich enthalten sind. Dies ist somit der wichtigste Schritt nach vorne, den der zum Kritizismus neigende österreichische Positivismus durch Mach gemacht hat. Die philosophiegeschichtliche Analyse seiner Verfahrensweise ist jedoch alles andere als eindeutig, zum Teil auch deshalb, weil Ernst Mach in vielem den philosophischen (oder den über die Philosophie bestehenden) Vorstellungen seiner Zeit verhaftet blieb. Er betrachtete es als eine der wichtigsten Aufgaben seines kritizistischen Positivismus, seinen unermüdlichen Kampf gegen jegliche Metaphysik fortzusetzen.

Kein Geringerer als Rudolf Carnap setzt Machs anti-metaphysische Einstellung in folgenden historischen Zusammenhang: „Im 19. Jahrhundert vertraten einige deutsche Physiker, z. B. Gustav Kirchhoff und Ernst Mach, die Meinung, daß die Naturwissenschaft nicht ‚Warum?' fragen sollte, sondern ‚Wie?'... Dieses Verbot der Frage ‚Warum?' muß man in seinem historischen Zusammenhang verstehen. Der Hintergrund war die deutsche Philosophie jener Zeit, welche durch den Idealismus in der Tradition von Fichte, Schelling und Hegel beherrscht wurde... Man war gegen Warum-Fragen, weil sie gewöhnlich metaphysische Fragen waren."[389] Mit diesem ins Uferlose gehenden Kritizismus dürfte wohl zusammenhängen, daß er auch gegenüber der Physik seiner eigenen Zeit, die Relativitätstheorie miteingeschlossen, durchaus skeptisch gewesen ist. So kam eine Wertungsweise zustande, welche die immanente Relativität der Naturerkenntnis, den Interpretationscharakter der physischen Theorien vertrat, ohne dem gegenständlich-materiellen Gehalt der neueren Theorien größere Aufmerksamkeit zu widmen. Gerade *weil* er diese Skepsis auch gegenüber den neueren Theorien aufrechterhielt, verlor er schrittweise den Kontakt zu der weiteren Entwicklung seiner Wissenschaft. Diese Einstellung führte andererseits *zum weiteren Ausbau des Denkökonomie-Prinzips,* das er in seinen großen Werken *Analyse der Empfindungen* und *Erkenntnis und Irrtum* auszuführen suchte.

Im Rahmen des denkökonomischen Ansatzes entfaltet Mach seinen „Empirio-Kritizismus", in dem er exemplarisch das eingangs beschriebene Verfahren der Neudefinition der „Elemente" bzw. des Aufbaus neuer Ganzheiten durchführt. Die Elemente definiert er als „letzte Bestandteile, die wir *bisher* nicht weiter zerlegen konnten."[390] Aus den neu definierten Elementen baut er im engsten Sinne des Wortes ein *neues* Universum auf: „Das Ding, der Körper, die Materie ist nichts außer dem *Zusammenhang* der Elemente, der Farben, Töne usw., außer den sogenannten Merkmalen."[391]

Hier beginnt die allgemein bekannte „Theorie" Machs mit der berühmten These von dem „unrettbaren Ich", mit der Identifizierung von Psychischem und Physischem. Wir können uns hier nicht mit einer eingehenden Analyse dieser allgemein bekannten „Philosophie“ Machs beschäftigen, ebenso wie es unmöglich ist, hier die ursprüngliche Prä-Relativitätstheorie Machs mit dessen Denkökonomie zu konfrontieren. Das Wesentliche für uns ist, daß er der erste, kritizistisch veranlagte Positivist war, der *das Verfahren der Neuregelung der Elemente und des Aufbaus eines neuen Ganzen mit einer kaum mehr zu vergegenwärtigenden Ausstrahlung und Intensität formulierte.*[392)]

Das Lebenswerk Ernst Machs faßt eigentlich sämtliche spezifischen Eigenschaften des von uns als philosophisch so selbständig und original angesehenen österreichischen Positivismus zusammen. Sein wohl wichtigster Gedanke, der auch weiter wirkte, ist die Relativität der wissenschaftlichen Interpretation. Bestimmend für die letzte Periode wurde aber Mach mit seiner Bestrebung, *das philosophisch Konkrete* neu definiert und jede weitere mögliche Konstitutionsarbeit erst auf Grundlage der so verstandenen Beschaffenheit des Konkreten legitimiert zu haben.

Der radikalste Kritiker der Sprache

Fritz Mauthner

Die Problematik der Sprache hängt auch bei Mauthner mit seiner spezifisch monarchie-internen Existenzform zusammen: Er sprach gleich gut (oder schlecht) deutsch, tschechisch und jiddisch. Mauthner wurde Schriftsteller, Redakteur, dann Parodist. Er zählte zu den vielversprechenden Jungen der deutschen Literatur (nicht der österreichischen); in diesem Zusammenhang schreibt zum Beispiel Adolf Silberstein-Ötvös im *Pester Lloyd* in den neunziger Jahren über ihn. Er ist es, der, entsprechend den Traditionen der Sprachkritik, eine die Wirklichkeit legitim benennende Rolle der Sprache am radikalsten in Zweifel zieht. Er spricht von sprachlichen „Fetischen“, von „Aberglauben“, die den Menschen daran hindern, sich ein objektives Bild von der Welt zu schaffen.[393)]

Die systematische und historische Bedeutung seiner

Sprachphilosophie besteht vor allem in der Gründlichkeit und der Vielfalt seiner Kritik. Die jeweils die Wirklichkeit eigentümlich widerspiegelnde Rolle der einzelnen Wortarten — so vor allem der Zeitwörter, Hauptwörter und der Adjektive — ist sicherlich eine Konzeption, die zweifellos weiter ausgebaut werden könnte. Am ehesten besitzen noch die Adjektive ,,Objektivität", denn daß etwas grün sei, bezeichnet trotz aller Ungenauigkeit der Sprache eine bestimmte Qualität. Im Hauptwort sieht er ein Mittel der falschen und unbegründeten Begriffsschöpfung; man faßt auf diese Weise die verschiedenen konkreten Gegenstände unter einem Begriff zusammen, und das Denken nimmt die selbständige Existenz dieser Begriffe an. Vor allem die Existenz der abstrakten Begriffe ist es, wogegen Mauthner den Kampf aufnimmt. Eine nicht weniger irreführende Wortart ist seiner Ansicht nach das Zeitwort, mit dessen Hilfe man auf die Erscheinungen der ,,objektiven" Welt die Zweckmäßigkeit projiziert. Wir drücken zum Beispiel in dem Satz: ,,Der Regen fällt" ein Ereignis, das von Naturgesetzen abhängt, als zielbewußte Tätigkeit eines Subjekts aus. Mauthner will das menschliche Denken auf den ,,sicheren" Wahrheiten der Naturwissenschaften aufbauen, und die alles antropomorphisierende Sprache erscheint ihm dabei als schicksalhaftes Hindernis. Mauthners Sprachkritik äußert sich nicht in ihrer ,,philosophischen" Formulierung am stärksten. Uns scheint ein wesentlicher Zug derselben seine auf Nietzsche zurückgreifende Radikalität, *mit welcher letzterer die damaligen Grenzen der gegenüber jeglichem Anthropomorphismus neu formulierten Kritik in wahrhaft unerhörtem Ausmaß ausdehnte.* Richtigerweise beginnt auch Johnston sein Kapitel über Mauthner mit dem Hinweis auf Nietzsche, doch auch Mauthner selbst machte nie ein Hehl daraus, daß gerade diese Radikalisierung der desanthropomorphisierenden Kritik sein entscheidendes Jugenderlebnis war. (Eine andere Frage ist, ob die Nietzsche-Forschung diesen Nietzsche, der die Grenzen in diesem Zusammenhange bis zum Allerletzten ausdehnte, schon zur Kenntnis nahm.) Der andere konstitutive Zug der Mauthnerschen Sprachkritik ist, daß er einen glücklichen Ausweg aus seiner gerade in ihrer grenzenlosen Desanthropomorphisierung problematisch werdenden Position gefunden hat. Eben diese Radikalität der Kritik hätte nämlich dazu führen können, daß die einzelnen Probleme ihre Konturen bzw. ihren Sinn verlieren, *wenn* die zugrunde liegende Objektivation (wie in diesem Falle die Sprache) sich als anthropomorphisierend erweist. Mauthners Ausweg ist sein Beitrag zur Bestimmung der wirklichkeitsrelativen Funktion der Wortarten, wodurch er den Satz der grenzenlosen Radikalität der Anthropomorphisation der Sprache aufrechthalten kann und seine Sprachkritik trotzdem nicht inhaltlos oder leer wird.

Mauthner führt zahlreiche große Fragen der Philosophiegeschichte vor, um auch in diesen Fragestellungen den sprachlichen Anthropomorphismus nachzuweisen. Zum Teil stützt er sich dabei auf bereits vorhandene Überlegungen, in zahlreichen anderen Fällen gelingt es ihm, die sprachkritische Philosophie weiterzuentwickeln.

Auch bei Mauthner scheint der im bisherigen so wichtige *Begriff der „Weltanschauung"* auf, wenn auch in negativer Form. Er stellt fest, daß es etwas wie „Weltanschauung" überhaupt nicht gibt, denn diese sei mit unserer Sprache identisch, die ein einziger riesiger Antropomorphismus ist. Bedeutend — und späteres antizipierend — ist sein Hinweis auf den *sozialen* Charakter der Sprache. Die Kenntnis dieser Funktion ermöglicht die Untersuchung der Sprache vom historischen Standpunkt aus. Die Wirkung des Darwinismus zeigt sich darin, daß er die Entstehung der Sprache mit dem Kampf ums Dasein in Zusammenhang bringt.[394)] Die Sprache bzw. die Wörter seien nämlich nicht Mittel des selbständigen Erkennens der Wirklichkeit durch den Menschen, sondern Erinnerungszeichen. Was für Erinnerungszeichen also entstanden seien, hänge davon ab, welche zufällige (und menschliche) Interessen in ihrem Kampf ums Dasein welche Zusammenhänge herstellen wollten. Die darwinistisch-soziologische Dimension der Mauthnerschen Sprachkritik ist auch deshalb sehr wichtig, weil sie die effektive Arbeit an der Sprache — bei so extremem Nominalismus — überhaupt erst ermöglicht.

In seiner Radikalität geht Mauthner über den „traditionellen" Nominalismus hinaus, der die Gattungsbegriffe für unwirklich hielt; die Mauthnersche Sprachkritik betrachtet nämlich auch das „individuelle“ Ding als unwirklich.[395)]

Die Konsequenz aus Mauthners Ansatzpunkt ist seine Gleichsetzung von Wort und Begriff, Denken und Sprechen. Denn — und darin erkennen wir Machs Einfluß — nur die unmittelbar gegenwärtigen und in der Erinnerung gespeicherten Sinneseindrücke seien für uns existent.[396)]

Die Sprache ist in diesem System das Mittel und der Mittelpunkt einer *fenster- und alternativlosen Anthropomorphisierung*. Sein Ideal wäre ein echter „Weltkatalog“, in dem die Dinge in ihrem vor- bzw. außersprachlichen Zustand ihren natürlichen Stellenwert finden.

Man kann Mauthner zwar weder zu den bipolaren Denkern noch zu den Erneuerern des Leibniz-Herbartschen Universalismus oder gar zu den Impressionisten zählen, seine Sprachkritik enthält jedoch Einflüsse aus all diesen Richtungen. Seine Voraussetzungen stehen auch mit dem Verfall der „zweiten Aufklärung“ und des Liberalismus im Zusammenhang. Eine der großen Erschütterungen, die seine Sprachtheorie eigentlich erst ins Leben rief, war, daß die „göttliche Vernunft“ untrennbar ans Wort gebunden sei. Der Begriff der „Ordnung“ ist eine zentrale Kategorie auch bei Mauthner. Obwohl er feststellen muß, daß dies ebenfalls ein „menschlicher Begriff“, d. h. ein *Mythologem*, ist, hält er es für die wichtigste Frage der Erkenntnistheorie, ob es in der Natur eine Ordnung gibt oder nicht. Doch auch die Begriffe des „Zufalls“ und des „Augenblicks“ tauchen auf; vermutlich erwartete sich Mauthner von den Ergebnissen seiner Sprachtheorie die Beseitigung des Zufalls, dem er eine noch größere Bedeutung als die Impressionisten selbst beimaß.[397)]

Die zum Problem gewordene Zukunft, die — wenn auch nicht immer direkt — im österreichischen Denken stets stark präsent war, gehört nunmehr zu den endgültig verlorenen Schätzen. Wenn wir nur denken können, was die Sprache zuläßt, können wir auch nicht von Zukunft sprechen.

Bedenklicherweise stellt er sich die Bewußtseinskonstitution des Urmenschen wie jene eines wahrhaften Wiener Impressionisten vor; die ursprüngliche Funktion der Sprache sei ein Hineinprojizieren der Ordnung in die Vielfalt der gegenständlichen Wirklichkeit... Mauthner, den wir zuvor um den Vernunftkult der ,,zweiten" Aufklärung trauern sahen, zitiert Voltaire, der nicht allein die Moral, sondern auch das Recht als sprachliches Phänomen auffaßt. Die Gesetzbücher haben ,,substantivischen" (also *mythologischen),* das natürliche Rechtsgefühl jedoch ,,adjektivischen" Charakter. Es ist sowohl für den österreichischen Positivismus als auch für die Welt der ,,zweiten" Aufklärung kennzeichnend, daß ein Sprachkritiker den Begriff des Staates der sprachlichen Analyse unterzieht und zu dem Schluß kommt, daß sich die personifizierende Tendenz der Sprache auch hier verheerend auswirkte.

In Mauthner vereinen sich die positiven (wissenschaftlichen, kritischen, progressistischen, zukunftsfreudigen) Züge der österreichischen ,,zweiten" Aufklärung mit Zweifel und Pessimismus, die dann geradezu zur Verzweiflung über die Möglichkeit der Wissenschaft und des *,,Fortschritts"* überhaupt führen. Diese beiden Aspekte stehen einander ziemlich fern, ihre Koexistenz ist aber alles andere als willkürlich. Der Konflikt ergibt sich grundsätzlich aus der sozialen Position des aufklärerischen Bürgertums in der Struktur Österreich-Ungarns.[398)] Dies ist aber bei weitem noch nicht alles. Die Spannung der sich gegeneinander richtenden Gehalte wird erst dann wirklich tragisch, wenn das Problem des Judentums als weiteres Motiv miteinbezogen wird. Es ist bekannt, daß die tragende soziale Schicht sowohl der ,,zweiten" Aufklärung als auch der Industrialisierung zum Teil jüdisch war. Es fällt freilich schwer, gewaltige Prozesse in Kürze zusammenzufassen: jedenfalls ist es eine fundamentale Tatsache, daß der politische Antisemitismus um so stärker wurde, je mehr das unternehmerische Bürgertum seine eigene Mission erfüllte.[399)]

Es scheint, als wollte Mauthners — nihilistische Forderungen nahelegendes — System den Niedergang des verfallenden Liberalismus noch vervollständigen, denn er läßt nicht den geringsten Hoffnungsschimmer aufkommen. In Anbetracht der erwähnten Ereignisse steht er unter der Wirkung des Darwinismus, sogar noch des Hobbesschen ,,Kampfes aller gegen alle".

In einer ebenfalls sprachkritischen Argumentation stellt er die Entfremdung des Menschen von den Menschen fest. Es könne keine echte zwischenmenschliche Kommunikation geben, wenn dieselben Wörter für jeden einzelnen Menschen Erinnerungszeichen für ganz verschiedene, konkrete Sinneseindrücke sind.

Das negative Ergebnis seiner Sprachkritik konnte Mauthner keineswegs befriedigen, und da er die Sprache als ein Hindernis der Erkenntnis verwarf, stieß er *auf einen gnostischen Mystizismus,* wo Worte nicht mehr nötig sind. Dieser Gnostizismus war jenem des Ungarn Jenő Henrik Schmitt sehr ähnlich, mit dem er auch in Verbindung stand. Als Schmitt aus seiner Stellung in Ungarn entlassen wurde, richtete Mauthner einen Brief an ihn. Dies ist einer der Fälle, wo wir von einer persönlichen Verbindung zwischen einem ungarischen und einem Wiener (Prager) Philosophen wissen.

Die Relevanz Mauthners in dem Paradigma des österreichischen Positivismus bzw. der „zweiten" Aufklärung muß nach alldem einleuchten. Daß die Arbeit dieser Aufklärung durch Sprachkritik durchzuführen sei, mag auf den ersten Anschein sonderbar vorkommen, es ist dies aber in der Geschichte der sprachkritischen Philosophie des neunzehnten Jahrhunderts nicht allzu selten: Sprachkritik, während sie immer auf ihre Selbständigkeit pochte, spielte in der Tat immer konkrete „strategische" Rolle. Man denke an anti-kantianische, anti-hegelianische, positivistische u. a. sprachkritische Ansätze. Mauthners aufklärerische Sprachkritik gilt für uns als markanter Beitrag zur „zweiten" Aufklärung von bleibendem Wert und großem wissenschaftlich-historischem Interesse. Diese Sprachkritik ist auch ein klarer Versuch, das *Konkrete philosophisch neu zu definieren*, ein Versuch, der als vollwertiges Glied in der Reihe dieser Bestrebungen steht, auch wenn seine Neubestimmung des Konkreten eher *negativ*, d. h. *kritisch,* ist. Dies ändert nichts an seinem entschlossenen Willen, das philosophisch Konkrete mit neuen Augen zu sehen und es zu relativieren. Zuletzt sei noch hervorgehoben, daß Mauthners „Nihilismus", seine Resignation bzw. sein „Optimismus" auch reflexiv zu verstehen sind. Diese Begriffe galten nämlich bei ihm (wie auch bei vielen anderen Vertretern des österreichischen

Positivismus von reformerisch-aufklärerischem Einschlag) keineswegs als scharfe Gegensätze. Seine Verzweiflung ist deshalb so groß, weil er so sehr an die Veränderbarkeit der Welt glaubt; seine Verzweiflung ergreift ihn, nachdem er sein ganzes Leben auf Veränderung setzte. Diese Oszillation zwischen Hoffnung und Verzweiflung, zwischen der Überzeugung von der Veränderbarkeit menschlicher Lebensbedingungen und der Einsicht in deren Unmöglichkeit gesellt sich zu den wichtigsten und zukunftsträchtigsten Qualitäten des österreichischen Positivismus.

Mit der Waffe der Sprache gegen alle Übel der Welt

Karl Kraus

„Nichts ist unergründlicher als die Oberflächlichkeit des Weibes.“

„Nichts beweist mehr gegen eine Theorie als ihre Durchführbarkeit.“

„Hierzulande sind die Züge unpünktlich. Sie können sich nicht daran gewöhnen, ihre Verspätungen einzuhalten.“
„Warum ist das Publikum so frech gegen die Literatur? Weil es die Sprache beherrscht. Die Leute würden sich ganz ebenso gegen die anderen Künste verwahren, wenn es ein Verständnismittel wäre, sich anzusingen, sich mit Farbe zu beschmieren oder mit Gips zu bewerfen. Das Unglück ist eben, daß die Wortkunst mit einem Material arbeitet, das der Bagage täglich durch die Finger geht. Darum ist der Literatur nicht zu helfen. Je weiter sie sich von der Verständlichkeit entfernt, desto zudringlicher reklamiert das Publikum sein Material. Das Beste wäre noch, die Literatur so lange vor dem Publikum zu verheimlichen, bis ein Gesetz zustande kommt, welches den Leuten die Umgangssprache verbietet und ihnen nur erlaubt, sich in dringenden Fällen einer Zeichensprache zu bedienen. Aber ehe dieses Gesetz zustande kommt, dürften sie wohl gelernt haben, die Arie ‚Wie geht das Geschäft?‘ mit einem Stilleben zu beantworten.“

„Ich setze meine Feder an den österreichischen Leichnam, weil ich immer noch glaube, daß er Leben atmet.“

Wenn Wien in irgendeinem Zusammenhang *die eine Seite* ausmacht, so bildet Karl Kraus mit seiner Zeitschrift *Die Fackel* die *entgegengesetzte.* Er ist es, der nach der Generation von Popper-Lynkeus am konsequentesten und weitgehend noch unbewußt auf dem Boden der „klassischen“, aber auch der „zweiten Aufklärung“ steht. Im Namen aufklärerischer „Natürlichkeit“ bekämpft er die Schattenseiten seiner Stadt und Zeit: die Korruption, die Presse, den Hof, den Kaiser und leidenschaftlich auch viel „Modernes“, den Wiener Impressionismus mit Hermann Bahr an der Spitze;[400] aber auch Felix Salten gehört zu seinen „Lieblingen“. Es würde zu weit führen, Kraus' kritische Haltung gegenüber so wichtigen und größtenteils der „zweiten“ Welle der europäischen Moderne angehörenden Phänomenen wie dem Wiener Impressionismus, der Secession oder der Psychoanalyse ganz aufzuklären. Kraus' typische und mit seinem *métier* in völliger Übereinstimmung stehende *reaktive* Attitüde erschwert eine positive Rekonstruktion seiner Argumente. Man dürfte jedoch kaum fehlgehen, wenn man Kraus' Kritik gegenüber diesen neuen und für Wien restlos charakteristischen Erscheinungen gerade darin begründet sieht, *was im Falle des Impressionismus und der Secession als überdurchschnittliche „Dialogfähigkeit“ gegenüber der Gesellschaft dargestellt wurde.* Kraus stößt immer wieder auf Inkonsequenzen, Kompromißlertum, Untreue gegenüber der Sache und der eigenen Persönlichkeit. Es wäre überflüssig, diese Züge bei den angesprochenen Richtungen diametral zu leugnen, auch wenn Kraus an dieser „Dialogfähigkeit“ vor allem das Negative hervorhob. Er hat so viel mit den Angegriffenen *gemeinsam,* er kennt ihre Welt so perfekt, daß es manchmal zu solch mikroskopischen Perspektiven führt, die für eine breitere Öffentlichkeit kaum mehr verständlich sind.

Von den Persönlichkeiten der „klassischen“ Aufklärung steht ihm Voltaire am nächsten, fast idealtypisch wirkt sich jedoch aus, daß in ihm auch ein gutes Stück Rousseau erhalten blieb.[401] Würde es nicht wie ein Wortspiel anmuten, so müßten wir Kraus als Einheit eines kulturkritischen Voltaire und eines nicht in Kategorien der Volksweisheit, vielmehr in jenen der kreatürlichen Gleichheit denkenden Rousseau definieren. Ähnlich wie Voltaire paßt er sich dem (intellektuellen) *status quo* der Gesellschaft nicht an, bekämpft alle Mißstände. Er setzt sich regelmäßig mit dem Wiener Polizeichef Schober auseinander, dessen Namen er, wie von ihm auch prophezeit, „unsterblich" machte. Er wettert gegen die scheinheilige Prüderie und nimmt die Straßenmädchen in Schutz, während er gleichzeitig aufgrund seiner Weiningerschen Einstellung ein klassischer Frauenhasser ist.

Er ist ein Vertreter der zweiten Generation, er liebt Wien und die großen Wiener Schauspieler, er ist es, der Nestroy und Raimund wiederentdeckt, deren Werke er zusammen mit anderen klassischen und modernen Werken als Rezitierkünstler popularisiert und in seiner Zeitschrift auch abdruckt. Seine geistige Heimat sind die achtziger Jahre, als die Hoffnungen der „zweiten" Aufklärung sich in den Lebensgenuß der Wiener Bevölkerung noch konfliktlos einfügten.

Die Wirkung Karl Kraus' auf seine Zeitgenossen übertrifft noch jene Weiningers. In ihm kommen die Radikalität und geistige Kompromißlosigkeit seiner Zeit zum Ausdruck. Im Gegensatz zum Philister war Kraus geradezu geneigt, einem uferlos radikalen Standpunkt noch mehr Glauben zu schenken, nur *weil* er so radikal war. Dies galt auch für Weininger, dessen Theorie er — sowohl in ihrer Eigenschaft als Wissenschaft als auch als Philosophie — letztlich bedingungslos übernahm. Kraus' aufklärerische Natürlichkeit vermengt sich mit Weiningers biologisch motiviertem Fatalismus. Kraus nimmt, um nur ein vielsagendes Beispiel zu nennen, die menschliche Integrität jeder Frau energisch in Schutz, während er all das „positiv" in diese menschliche Integrität hineindenkt, was die Gegenspieler als „Negatives" über die Frauen aussagen. *Er nimmt alles in Schutz, was „natürlich" ist, aber er hielt an den Frauen alles für „natürlich", was Weininger für „natürlich" hielt.* Hätte man eine soziometrische Tabelle über das geistige Leben im damaligen Wien angefertigt, so hätte gewiß Kraus die meisten

„Verbindungen". Das war aber nur deshalb möglich, weil er eigentlich vollkommen allein dastand: Als Publizist, alleiniger Redakteur eines Blattes, aber auch als grimmigster Feind der Presse. Sein später Voltaireismus, sein Mut, jahrelang gegen ein ungerechtes Gerichtsurteil oder gegen polizeiliche und bürokratische Übergriffe zu kämpfen — dies waren seine typischen Tugenden. Er war ein großartiger Zeit- und Kulturkritiker, dessen Kulturkritik oft nur um Haaresbreite von der Gesellschaftskritik getrennt war. Was er an der Politik auszusetzen hatte, war eigentlich Kultur im breitesten Sinne des Wortes. Daß aber diese Kulturkritik in Wien vom ersten Augenblick an zur Politik wurde, ist ebenfalls Tatsache. Was ihn in den letzten Jahrzehnten „neu", modern und fortsetzbar machte, war seine Auffassung der Sprache. Was ihn anzog, war nicht, was wir verstehen oder überhaupt mit Worten ausdrücken können oder welche Wirkungen die Sprache auf die Erkenntnis der Wirklichkeit ausübt. *Ihn faszinierte nicht, wie die Sprache die Wirklichkeit benennt* (oder wie sie es nicht tut und ob sie es überhaupt tun kann), *sondern wie man mit der Sprache die Wirklichkeit bewußt oder unbewußt verschleiern kann.*[402)]

Heute ist man immer mehr imstande, Kulturkritik von Politik zu trennen. Wir sehen darin zwei *unterschiedliche Objektivationen* der Wirklichkeitsbewältigung, auch wenn sie in der unmittelbarsten Nähe zueinander stehen. Immer wieder wird aber versucht, sich — aus Kurzsichtigkeit oder aus kurzlebigem Interesse — Aspekte des einen auf dem anderen Gebiet nutzbar zu machen. Kulturkritische Einstellungen werden auch heute *politisch verwertet* (indem man etwa in Kraus' Kritik der Wiener Kultur einen mehr oder weniger politischen Konservativismus hineinprojizieren will). Aber nicht selten gehen von der Politik immer noch Bestrebungen aus, sich gegen kulturkritische Äußerungen *politisch zur Wehr zu setzen* und etwa Kraus' Sprachkritik als aristokratische Attitüde (im politischen Sinne) *abzulehnen.*

In minutiösen Analysen demonstrierte Kraus die zunehmende Wucherung der nichtssagenden Phrasen in der Sprache. Wenn wir in der Art eines Krausschen Aphorismus übertreiben wollten, könnten wir sagen, daß *die Sprachbetrachtung Karl Kraus' nicht darin bestand, über die Sprache zu schreiben, sondern darin, andere zu zitieren,* allenfalls im ,,Kursivieren", auf daß dem Leser diese ,,Enthüllungen" ins Auge sprangen.

Hinter der Universalität der Sprache ist es tatsächlich etwas problematischer, in Kraus' Geistigkeit den Willen wahrzunehmen, das Konkrete neu zu regeln und daraus zum Universalen zu gelangen. Weil sich hier alles um die Sprache dreht, muß man diese Akte in der Sprachkritik ausweisen. Kraus will *in der Sprache,* und zwar in der wirklich praktizierten, in der Gesellschaft tatsächlich gebrauchten Sprache alle ,,Atome" sichten und neu ordnen, alles Konkrete auf seine Identität hin untersuchen. *Sein Idealziel wäre eine Gesellschaft (ein ideales Wien etwa), in der die Sprache nur wirkliche menschliche Einstellungen gegenüber den anderen und gegenüber sich selbst aufrichtige und der kulturellen und sprachlichen Tradition entsprechende Äußerungen vermittelte.* Er will für diesen idealen Sprachgebrauch freilich keine positiven Normen vorschreiben. Er hatte aber Ohren und kämpfte gegen jedes sprachliche Vergehen und für jede sprachliche Wahrheit, für alles Konkrete, aus dem das Universale errichtet werden kann. Nur *seine Einstellung dem* (sprachlich transformierten) *Konkreten und Universellen gegenüber* erklärt vollgültig, warum er die Bestrebungen eines Loos, Schönberg oder Kokoschka mit Leidenschaft beförderte.[402a)]

Diese Art der Sprachbetrachtung ist in vielen Einzelheiten nicht ohne Vorgänger. Als ,,klassischen" Ausgangspunkt können wir Schopenhauers Werk über den Stil ansehen,[403)] aber auch Nietzsche reagierte scharf auf die Enthüllbarkeit der sich in der Sprache offenbarenden Weltanschauung.[404)] Innerhalb der österreichischen Kulturgeschichte wollen wir an Ferdinand Kürnberger erinnern. Bei ihm waren die Motive, die sich bei Kraus gegen ,,die letzten Tage der Menschheit" richteten, bereits zum guten Teil vorhanden. Kürnberger stellt das spezifisch österreichische Problem seiner Zeit mit der auch Kraus eigenen Eindeutigkeit und Vehemenz in den Mittelpunkt. Er schreibt seine wohl merkwürdigsten Zeilen über Grillparzer, der Wien das ,,Capua der Geister" nannte: ,,Seine starken Leidenschaften, seine großen Fähigkeiten rufen ihm zu: ... tritt hin vor Pharao, sprich für dein Volk, führe es aus ins gelobte Land! Dein ist diese Aufgabe, du bist der Rächer! Keiner hat ein tieferes Fühlen, keiner ein stärkeres Können. Österreich wartet auf dich! Aber in einem Winkel seines Herzens fängt nun der Österreicher zu seufzen und zu lamentieren an: Herr, schicke einen anderen! Ich fürchte mich. Ich liebe den Frieden. Ich liebe meine Ruhe... An meiner Wiege stand das Schafott der Maria Antoinette, als Jüngling sah ich den Erderschütterer Napoleon Kronen verteilen, und als Mann sah ich den Wiener Kongreß sie wieder anders verteilen. Wer bin ich, daß ich mit den Großen der Erde anbinden dürfte? Ein kleines, niedriges Bürgerkind, abhängig von Freunden und Gönnern, in grauenvollen Familienverhältnissen... wie sollte ich mich unterstehen, zu rebellieren?... Laß mich Pharaos Hofrat werden!"[405]

Kürnberger nahm auch als Sprachkritiker Karl Kraus erheblich viel voraus. Er versucht, die hinter der Sprache der Presse vermuteten Verhaltensweisen nach Gruppen einzuteilen. Eine solche größere Gruppe bildet zum Beispiel der „ritterliche Stil". Der Redakteur steht auf der „Warte", er wirft bzw. hebt den „Handschuh" auf, er bricht eine „Lanze" für irgend etwas, er hält die „Fahne" hoch und „sammelt" sich sogar um sie. Der Ritter (oder Redakteur) kämpft mit offenem „Helmvisier", um „den Preis davonzutragen", aber dazu muß er seinen Gegner „aus dem Sattel werfen". Obwohl er meist „Vorkämpfer" ist, kann er manchmal zum „Rückzug" blasen.[406] Die reine Vormärz-Figur Kürnbergers kennt freilich die aufreibende Leidenschaft noch nicht, mit der geschlagen Karl Kraus seiner Epoche hilflos gegenüberstand. Kürnberger sieht in der Sprache der Presse den Spiegel der allgemeinen Geisteshaltung des Landes. In den Augen Karl Kraus' ist jeder Stilfehler ein Attentat auf diesen Kosmos, der ein besseres Schicksal verdient hätte... *Kürnberger ist Politiker, dessen Kritik auf die Kultur übergreift, Kraus ist geborener Kulturkritiker, dessen Tätigkeit Politik wird.*

Entsprechend seinem grundsätzlichen Liberalismus erweckten nicht die einzelnen gesellschaftlich-politischen Ansichten Kraus' Zorn, sondern die Dissonanzen zwischen Worten und Taten; *der Mangel an persönlicher Integrität.* Er schwärmte geradezu für die knappen „Lebensextrakte“ Peter Altenbergs, dessen persönliche Integrität das wesentlichste Element seines Werkes bildete. *Seine allseitige Feindbekämpfung hat ihn daran gehindert, in die Reihen der bipolaren Denker oder der Erneuerer eines Denkmodells der „allgemeinen Weltordnung“ einzutreten.* Seine polemische Einstellung machte seine Arbeit vorwiegend *reaktiv,* er reagierte auf Fremdes auf einem sehr breiten Spektrum. Wenn wir versucht haben, seinen Standort dennoch auch positiv zu bestimmen, so können wir ihn am ehesten als einen verspäteten sozialkritischen Aufklärer bezeichnen. Mit einer der seinen ähnlichen Methode arbeiten heute zahlreiche Richtungen der Sprachsoziologie, und die für ihn charakteristische Sprachbetrachtung ist heute bei nicht wenigen Philosophen, Gesellschaftskritikern und Satirikern anzutreffen.[407] Die Frankfurter Schule erblickt in ihm einen ihrer Vorläufer. Mit gewisser Übertreibung könnte man sie als eine Synthese aus Marx und Karl Kraus definieren.[408]

Karl Kraus gehörte zu den bedeutenden österreichischen Persönlichkeiten der Epoche, die auch in Ungarn ein großes Echo, aber auch viele Nachfolger fanden. György Bálint schreibt über ihn: „. . ., auch jene Kräfte sind ewig, die gegen das Böse und die Dummheit kämpfen. Karl Kraus war selbst eine solche Kraft: er griff an und schlug sich ein Leben lang... Er war ein großartiger Kämpfer, aber er blieb bis zuletzt ein Bürger.“[409] Wie lebendig nicht nur die Gestalt Kraus’ in diesem Raum, sondern auch die Zusammenhänge seines Lebenswerkes waren, können Bálints weitere analytische Feststellungen unschwer bestätigen: „Jener bis zur Grausamkeit rechtschaffene und unerbittliche Kritiker, *der in der Person von Karl Kraus sich wie das mächtige Gewissen eines Schicksalsdramas auf Wien niederließ,* manifestiert sich hier am stärksten. So wie die Habsburger glanzvoll über Wien herrschten, so stand er düster und schwarz am Firmament Wiens mit seinen (berechtigten) Verwünschungen und Protesten. Mit seinem, von den Widersprüchen des Instinktlebens genährten Gewissen ähnelt er einem finsteren mittelalterlichen Wiener Prediger, der, um die Pest auszuräuchern, auf die Kanzel von St. Maria am Gestade oder der Stefanskirche trat, dem sich das Unglück jedoch entzog, derart, daß er seine Stimme verlor, als er im gewandelten gesellschaftlichen wirtschaftlichen und literarischen Leben des Wien nach dem Weltkrieg Stellung beziehen mußte.“[410]

Den Ersten Weltkrieg erlebt Kraus als persönlichen Feind, als die vorausgeahnte Apokalypse. Charakteristisch ist der Titel: *Die letzten Tage der Menschheit*. Es gibt wenige Werke, deren literarische Gattung so schwer zu bestimmen ist. Kraus verarbeitet in Dialogen und Monologen die Jahre des Weltkrieges von der Kriegserklärung bis zum Zerfall. Die enorme Anzahl an Dialogen erweckt den Eindruck eines gewaltigen Romans. Wozu er in seinem allseitigen Kampf in der „Friedenszeit“ keine Möglichkeit hatte, ist ihm hier gegeben; er läßt all die charakteristischen Wiener Figuren personifiziert auftreten, die unter ihrer einstigen Maske „die letzten Tage der Menschheit“ letztlich vorbereiteten. Sein immenses sprachliches Erinnerungsvermögen kommt ihm dabei zu Hilfe. Bürger, Journalisten, Zeitungsjungen, Minister, Kaiser, Heerführer, Kriegsgefangene werden wie in einem Panoptikum lebendig, dessen Wachsfiguren eben nicht stumm sind, sondern auf der unglaublichen Höhe der Krausschen Perfektion pausenlos reden. Der „k. u. k. Schwachsinn“, das wegen administrativer Übergriffe, Verdienstordenjagd oder eventuell nur durch „Mißverständnis“ vergossene Blut stürzt Kraus in tiefste Verzweiflung. Damals schrieb der stets skeptische, disziplinierte Musil in sein Tagebuch: „Man könnte sich mit dem Feind verbrüdern, weil man sich mit den Brüdern verfeindet.“[411] Denn — entdeckt Kraus — die Presse „schreibt“ nicht die Kriegsberichte, sondern vieles geschieht überhaupt nur, *weil* die Presse kommt. Vielleicht bilden die Frontabenteuer von Schalek, der Berichterstatterin der „Neuen Freien Presse“, jenes Motiv, das an den tiefsten, hoffnungslosesten Punkt von Krausens dantesker Wanderung führt. Während die Offiziere Schalek, die der breiten Leserschar ihres Blattes vom Standhalten „heldenhafter Soldaten“ und von ihrer „Einsatzfreude“ berichtet, mit galanter Höflichkeit umschwärmen, sterben die Soldaten ihren sinnlosen Tod.

Kraus' Verbundenheit mit Österreichs Schicksal war jedem Zeitgenossen so eindeutig, daß Wien zum Zeitpunkt der Todesnachricht von Timon (Kraus) einfach als „Athen" erscheint. Walter Benjamin, der diese Analogie formulierte, schreibt dazu: „Sehr genau wurde ich über die letzten Lebenswochen von Karl Kraus letzthin unterrichtet. Sie sind dieses großen Lebens würdig; und nachdem man von ihnen vernommen hat, erscheint einem das Ende Timons von Athen wie eine Dichtung von Freda Schanz (Lieblingsbeispiel für literarische Nichtigkeiten), verglichen mit dem Shakespeareschen Weltgeist, der das von Kraus dichtete."[412)]

Kraus' eigenartige Stellung ergibt sich aus seiner merkwürdigen Vermittlerrolle zwischen der ersten und dritten Welle der europäischen Moderne, während er — trotz vieler Ähnlichkeiten — der zweiten Welle eher feindlich gegenüberstand. Er vereinte den radikalen Umwertungsidealismus, die Entlarvung jeglicher Lebenslüge der ersten mit der generellen Neudefinition des Konkreten der dritten Welle. So entstand seine spezifische Vorstellung über die Neudefinition des Konkreten. Diese ist auch in der Hinsicht sehr wichtig, als eventuelle Kraus-Nachfolger, wie etwa Wittgenstein, ähnliche Überlegungen haben mochten. Kraus definiert das Konkrete neu, nicht weil er mit diesem weitere Operationen durchführen will. Er tut es, um das Konkrete wieder zum Natürlich-Menschlichen, zum Gattungsgemäßen, zurückzubringen. Das Konkrete ist für ihn keine abstrakte Vorstellung, in seinem Kosmos hat alles seinen natürlichen Ort. Die Neudefinition des Konkreten führt zu diesem, wohl „paradiesischen", Zustand zurück.

Der Mensch und das Gesetz

Franz Kafka

Faßt man das Lebenswerk Franz Kafkas heute, nach so vielen Jahren des intensivsten Kafka-Kultes, ins Auge, so scheint es ein immer hoffnungsloseres Unterfangen zu werden, in der Erschließung der Relation zwischen Österreich-Ungarn und

Franz Kafka neue Einzelheiten bieten zu können. Das Werk Franz Kafkas war lange Zeit hindurch Emblem und Symbol, Kennwort und Inbegriff des ausgehenden Staatenkonglomerats. Heute ist die Forschung über diesen Stand längst hinausgegangen. Kafka büßte auch seine einmalige Pionierrolle ein, ohne daß man sagen könnte, seine Vision habe an Schärfe und Prägnanz verloren. Es spricht für Kafkas Größe, daß auch noch so viele Ergebnisse und Interpretationen der Forschung den Wahrheitsgehalt und die Bedeutung seines Werkes nicht antasten konnten.

Der erste Aspekt, den dieser Versuch wählt, ist der *künstlerisch-technische.* Von der russischen formalistischen Schule der Literaturwissenschaft übernehmen wir den Begriff der *Deformation.*[413] Er bezeichnet künstlerische Verfahrensweisen, „Kunstgriffe", die ein früheres literarisches *genre* „deformieren" und ihren ästhetischen Informationswert größtenteils aus diesem Effekt beziehen. Diese Verfahrensweise rechnet mit eingeübten und routinemäßig gewordenen Einstellungen der Leser, die durch die Deformation jedoch nicht befriedigt, vielmehr geradezu gesprengt werden, wodurch eine ganz neuartige ästhetische Qualität entsteht. Franz Kafka gehört zweifellos zu den größten und im modernen Sinne auch zu den ersten Künstlern, die mit dieser Verfahrensweise arbeiteten. Trotzdem wollen wir seine eigentliche Verfahrensweise doch nicht „Deformation", sondern eher „Vereinfachung" nennen. Erstere weist eine bewußt negative Einstellung gegenüber dem Alten auf, während dies bei letzterer nicht unbedingt der Fall ist. Kafka geht es eher um die Konstituierung neuer Qualitäten als um die Destruktion der alten.

Kafkas wohl epochale künstlerische Vereinfachung besteht vor allem darin, daß er die schriftstellerische Reflexion ganz ausschaltet. Es mochte zeitgenössische Leser geradezu gespenstisch anmuten, den Ablauf des Nacheinanders der Vorgänge zu verfolgen, ohne daß auch nur eine reflexive oder wertende Reaktion des Dichters dieses Nacheinander bricht. Uns scheint dies auch rein technisch-künstlerisch eine noch größere Wende in der modernen Epik zu sein als selbst der innere Monolog.[414] Dadurch erreichte Kafka *künstlerisch* (wir wollen hier das Künstlerische *besonders* betonen, weil seine Interpretation lange Zeit eher ideengeschichtlich-philosophisch ausgerichtet war), was er zur Artikulierung seines Weltbildes brennend nötig hatte: das Aufzeigen einer Ordnung, die als allgemeine Weltordnung gilt, und die Darstellung eines Helden, der — streng unreflektiert! — den Kampf gegen diese Ordnung der Welt vehement seit dem ersten Augenblick seiner artikulierten Existenz aufnimmt.[415)]

Daß das Universum Österreich-Ungarn von vielen seiner Bewohner als *,,Weltordnung",* ,,Ordnung der Dinge" erlebt wurde, ließ sich im bisherigen bereits gründlich bestätigen. Uns interessierten jedoch in dieser Arbeit nicht so sehr diese Erlebnisweise *von unten,* sondern vielmehr jene geistigen Strukturen, die dieses äußerst zäh fortlebende Vorstellungsbild immer wieder modernisierten. Merkwürdigerweise tauchte dieser erneuerte Universalismus vor 1914 in der höchsten Abstraktion als einheitliches Weltbild auf, das alle Seinsschichten auf strukturell isomorphe Weise in sich aufhob. Der in der Vorstellung der ,,Weltordnung" enthaltene Universalismus ist grundsätzlich ein wichtiges Motiv der im Mittelpunkt unseres Interesses stehenden Neuregelung des *Konkreten* und des *Universalen.* Bei Kafka ist diese Problematik in ihrer ursprünglichen und einfachsten Form vorhanden. Es ist schwer zu entscheiden, ob Kafka durch seine Vision des Ganzen zur Neudefinition des Konkreten *(unter anderem durch die Beseitigung der schriftstellerischen Reflexion)* oder durch seine neue Sicht des Konkreten zur Neudefinition des Universalen kam.[416)]

Kafkas Welt reproduziert die Struktur einer Weltordnung auch ,,von oben". Im *Prozeß* wird sie durch die unerkennbare, dem Anschein nach aber für jeden gültige Existenz eines ganzen Systems von Gesetzen thematisiert, während diese Ordnung im *Schloß* (welches wir aus diesem Grunde für das ,,philosophisch" aussagekräftigste Werk des Dichters halten) in einer exemplarischen Situation schon mit der irdischen (vielleicht auch schon überirdischen) Ordnung der Dinge identisch wird.[417)] Nach so vielen Tausenden von ,,Parabeln" und kafkaesken Allegorien ist freilich die *Schockwirkung* dieser Darstellungsweise eines als effektive Weltordnung gesetzten Systems von Gesetzmäßigkeiten nicht mehr so elementar, wir wissen aber, daß die erste Konfrontation mit diesem Lebenswerk in den verschiedensten historischen Situationen die gleiche Erschütterung auslöste.[418] Durch seine Konzeption einer allgemeinen Weltordnung gehört Kafka zur geistigen Tradition jener, die — nicht zuletzt als Antwort und Überwindung auf die Bipolarität vieler anderer Versuche — mit einem Gesamtentwurf reagierten. Während aber die Mehrheit dieser Konzepte auf einen Wissensbereich beschränkt blieb, verstand Franz Kafka es virtuos, die ,,Ordnung" dieser einzelnen Gebiete mit jener der anderen zu *vereinen.* Die Ordnung der Gesetze im *Juristischen* deckt sich mit jener des *Existentiellen,* aber auch der *Religion* und der *Metaphysik.* Die einzelnen ,,Gesetze" schließen sich als drohende Einheit zusammen. Es entsteht eine neue Sphäre der Allgemeinheit, die nicht aus der Allgemeinheit der Darstellung, sondern aus der Tatsache kommt, *daß alles Konkrete gleichzeitig eine ethische, religiöse, juristische, existentielle Bedeutung hat.*[419] Die Ereignisse der Lebensoberfläche zeichnen die Kraftlinien der ,,einzelnen" lebensbeherrschenden Gesetze immer deutlicher nach, um später zu der sonderbaren Übereinstimmung von Konkretem und Universalem zu gelangen. Dies ergibt aber immer noch nicht Kafkas ganze Welt: ihr *Drama* entsteht, weil es immer jemanden gibt, der sich gegen das Gesetz auflehnt und (ob bewußt oder unbewußt) gegen das reibungslose Funktionieren der universalen Maschinerie arbeitet. Die Welt *des* Gesetzes wird (reflexionslos!) von jemandem erlebt, der sie nicht versteht, aber durch seine menschlichen Regungen *par excellence* als Kämpfer auftreten muß.

Der Protagonist Kafkas, dessen menschlich-anthropologische ,,Allgemeinheit" unter anderen auch mit der durchaus wirksamen Abkürzung seines Namens unterstrichen wird, konfrontiert sich auf eine kreative Weise *mit der Gegenüberstellung, aber auch dem Nebeneinanderexistieren von Konkretem und Universalem.* Joseph K. (ebenso wie K.) wird in eine Welt hineingeworfen, deren Gesetze von jedem eingehalten werden, ohne daß sie klar und öffentlich artikuliert wären. Indem der Protagonist nach den Gesetzen sucht, gerät er mit seiner Umwelt in Konflikt. Doch gilt auch das Umgekehrte: je mehr er mit seiner Umwelt in Konflikt kommt, desto mehr forscht er nach „dem" Gesetz. *Sein Kampf gegen die Weltordnung ist unmittelbar mit seinem bewußten, aber auch unbewußten, oft geradezu tastenden Forschen nach den Gesetzmäßigkeiten verbunden, die die ihm bekannte Welt eigentlich beherrschen.* Dieses Gesetz, wie schon oft darauf hingewiesen, ist ein zusammenfassendes, nichtsdestoweniger konkretes, das auf allen Ebenen der menschlichen Existenz gleichzeitig und gleicherweise gilt. *Das Gesetz existiert,* der Protagonist erkennt es aber nicht, wie große Anstrengungen in diese Richtung er auch unternimmt. Kafka läßt freilich offen, ob zu einem *authentischen* Leben wirklich ein *Wissen* um das Gesetz erforderlich ist. Die (zweifellos existierende) Weltordnung schweigt. Darin sehen wir — neben den vielen anderen und mit Recht oft erwähnten Motiven — einen weiteren Grund der Bedeutung Kafkas: *Die „Welt" ist jedem problematisch geworden.* Eine der vielsagendsten Beschreibungen dieses Tatbestandes ist die folgende, in der das Schweigen des Gesetzes mit der ganzen Vielfalt der darauf erfolgenden Reaktionen „dialogisierend" dargestellt wird: „Nun haben aber die Sirenen eine noch schrecklichere Waffe als den Gesang, nämlich ihr Schweigen. Es ist zwar nicht geschehen, aber vielleicht denkbar, daß sich jemand vor ihrem Gesang gerettet hätte, vor ihrem Schweigen gewiß nicht... Und tatsächlich sangen, als Odysseus kam, die gewaltigen Sängerinnen nicht, sei es, daß sie glaubten, diesem Gegner könne nur noch das Schweigen beikommen, sei es, daß der Anblick der Glückseligkeit im Gesicht des Odysseus, der an nichts anderes als an Wachs und Ketten dachte, sie allen Gesang vergessen ließ.

Odysseus aber, um es so auszudrücken, hörte ihr Schweigen nicht, er glaubte, sie sängen, und nur er sei behütet, es zu hören. Vielleicht hat er, obwohl das mit Menschenverstand nicht mehr zu begreifen ist, wirklich gemerkt, daß die Sirenen schwiegen, und hat ihnen und den Göttern den obigen Scheinvorgang nur gewissermaßen als Schild entgegengehalten."[420)]

In der Art und Weise, wie das Konkrete und das Universale in den großen Entwürfen Kafkas miteinander zusammenfallen, miteinander identisch werden, erblicken wir einen der weitreichendsten und historisch in der Tat effektivsten Versuche, alles Konkrete neu zu bestimmen und die Frage nach dem Universalen auf dieser Grundlage neu zu stellen. Um der Vollständigkeit willen, muß man hinzufügen, daß in der Zeit des ausgehenden Krieges, als die Lebensproblematik des mitteleuropäischen Judentums eine so grundsätzlich andere geworden war, bei Kafka neue Modelle auftauchen, die das hier dargestellte Bild der spezifisch kafkaschen Relation des Konkreten und des Universalen ebenfalls nicht unberührt ließen. Dies ändert aber nichts an der Relevanz der für uns klassischen Formulierung dieser Problematik.

Die Unmöglichkeit der Konstituierung einer Welt
Ludwig Wittgenstein

Der Ausgangspunkt Wittgensteins ist letzten Endes nicht sprachlicher Natur. Es geht um einen ähnlichen Neuformulierungsversuch des Konkreten wie bei Mauthner, Kraus oder Kafka. Wittgensteins Versuch im *Tractatus* steht dem Neupositivismus und dem logischen Positivismus äußerst nahe.[421)] Wir würden Wittgenstein in erster Linie nicht deshalb nicht für einen Positivisten halten, weil in diesem Falle die existentielle (lebensphilosophische) Dimension des *Tractatus* zu kurz kommt, sondern *weil der „Positivismus" diesem Prozeß der Neudefinition des Konkreten bzw. des Neuaufbaus des Universalen keineswegs gerecht wird.* Von der reichen philosophischen Welt des früheren Ludwig Wittgenstein würden wir wieder zu der oft getadelten Eindimensionalität des Positivismus bzw. des Neupositivismus kommen.[422)] Wittgenstein sucht aus ähnlichem Grund wie Kafka eine „allgemeine Weltordnung", „Gesetze". Entsprechend seiner kritischen Einstellung als der von den Wiener Denkern am stärksten von Karl Kraus beeinflußte, beginnt Wittgenstein die philosophische Erklärung der Welt mit der Untersuchung der Sprache. Die Sprache wird somit ebenso zum ausschließlichen Medium der Neubestimmung des Konkreten, wie dies bei Mauthner oder Kraus der Fall war. Die „Elemente" des *Tractatus* sind zunächst jene Gegenstände, welche die „Substanz der Welt" ausmachen. Das „Wort", der „Name", sind keine Bilder der Gegenstände, sondern deren Zeichen. Ein Satz ist das Abbild der Konstellation der Gegenstände. Wir können den Wahrheitsgehalt einzelner Sätze überprüfen, und so ist auch nachprüfbar, worüber wir Aussagen mit Wahrheitsgehalt machen können. Das Ergebnis der Untersuchung der Elementarsätze ist der berühmte Satz: „Wovon man nicht sprechen kann, darüber muß man schweigen." Eine Hierarchie der Elementarsätze ist unmöglich. Die empirische Wirklichkeit ist durch die Gesamtheit der Gegenstände begrenzt. Über die Elementarsätze hinaus können wir „den allgemeinen Bau der Welt" nicht verfolgen, außer wir konstruieren ihn selbst, was nicht erlaubt ist. Die so aufgebaute Welt führt nicht zu einer Aussagenhierarchie, welche die Metaphysik, d. h. die Fragen, die die allgemeine Weltordnung angehen, beantworten könnte. Das metaphysische Subjekt liegt irgendwo an der Grenze, ist „nicht ein Teil der Welt". Die Konklusion daraus ist: „Wir fühlen, daß selbst, wenn alle *möglichen* wissenschaftlichen Fragen beantwortet sind, unsere Lebensprobleme noch gar nicht berührt sind." [423)]

Die Frage ist nur, wie der Denker, an diesem Punkt angelangt, jene Fragen beurteilt, die *nicht* gestellt werden können. Antwort darauf geben das Ende des *Tractatus* bzw. wichtige biographische Aufzeichnungen (vor allem die Schriften Paul Engelmanns). Wäre es nicht nachweisbar, daß der auf der Grundlage von Elementarsätzen entstehende Weltbau ursprünglich zu einer solchen Hierarchie der Aussagen mit Wahrheitsgehalt hätte führen können und vielleicht führen sollen, die auch die Antwort auf die Fragen der „Metaphysik" beinhaltet hätte (was sich als unmöglich erwies), so wäre unsere Annahme einer Beziehung zwischen Wittgenstein und den die Relation des Konkreten und Universalen problematisierenden österreichischen Denkern problematisch. Am eindeutigsten äußert sich Wittgenstein dazu in einem Brief: „... der Sinn des Buches ist ein ethischer... Ich wollte nämlich schreiben, mein Werk bestehe aus zwei Teilen: aus dem, was hier vorliegt, und aus alldem, was ich *nicht* geschrieben habe. Und gerade dieser zweite Teil ist der wichtige. Es wird nämlich das Ethische durch mein Buch gleichsam von innen her begrenzt..."[424] Dem Adressaten des Briefes gegenüber bemerkt er noch, daß diese Sätze ihm vielleicht einen *Schlüssel* zum Verständnis des *Tractatus* bieten könnten.[425] Die Unaussprechlichkeit der Fragen, welche die Lebensprobleme des Denkers berühren, bedeutet Schweigen. „Das Unaussprechliche aber zeigt sich."

Bei der Rekonstruktion dieses Gedankenmodells befindet sich Wittgenstein in einer noch schwierigeren Situation als Kafka. Kafka hielt die Weltordnung für existent, er erklärte allein ihre Unerkennbarkeit, weil der Mensch einzig nur sein eigenes Leben als Anhaltspunkt besitze, was nicht ausreiche, um die Frage nach dem „Absoluten" zu beantworten. Wittgenstein setzt aber beim Zustand des methodischen Nichtwissens, des Nicht-Wissen-Könnens ein. So ist bei ihm am Anfang nicht nur die Vorstellung einer allgemeinen Weltordnung unbestimmt, sondern es sind auch noch keine selbständig existierenden Realien gegeben, auf welchen er das Allgemeine überhaupt aufbauen könnte. Auch die Setzung der Gegenstände ist kategorisch, und die „Gegenstände" machen aus den Bausteinen der Wirklichkeit die Setzung der Bausteine der Erkenntnis, des Denkens und der Sprache möglich, mit denen er beginnen kann, die Umrisse einer eventuell vorhandenen „allgemeinen" Weltordnung sichtbar zu machen.

Wittgenstein wählte einen eigenen, mit großen Umwegen verbundenen Weg zur Annäherung an die „allgemeine Weltordnung". Es steht fest, daß sich Wittgensteins Hoffnungen auf eine mögliche Metasprache bereits gegen Ende des *Tractatus* auflösen. Daß er am Ende nicht zum *Universalen* kam, ändert nichts an seinem Vorhaben, aus dem neu definierten Konkreten zu einem näher nicht bestimmbaren, nichtsdestoweniger aber aus vielen Motiven heiß ersehnten Universalen zu gelangen. Diese Darstellung des jungen Wittgenstein kann klar unter Beweis stellen, warum Wittgenstein Mauthner, Kraus, aber auch Loos und Schönberg so verbunden war. Jeder wollte auf seinem Gebiet eigentlich dasselbe: über die Grenzen der einzelnen Wissenschaften und anderer Objektivationen hinaus *schwebte ihnen eine völlige Umwertung der Relation des Konkreten und des Universalen vor Augen.*[426]

Während beispielsweise die Neudefinition des Konkreten bei Kraus die Wiederherstellung menschlicher Normen, bei Kafka die Klarlegung von Strukturen bedeutete, die schon die Umrisse des Universalen erkennen ließen, ist es nicht zu leugnen, daß Wittgensteins Versuch, das Konkrete neu zu definieren, ein stark szientistisch-logischer ist. Es ist dies gewiß nicht einfach ein Sonderweg, sondern — wenn man so will — eine Wende im österreichischen Denken. Geht man dieser Wende auf den Grund, so entdeckt man bei Wittgenstein eine fundamentale Vereinigung von Existentiellem und Positivistischem, eine Vereinigung, die u. a. auch bei Weininger zu sehen ist.

Konkretes und Universales in der Sphäre der Werte

Hermann Broch

Auf zahlreichen intellektuellen Gebieten kam es zu einer Neudefinition des Konkreten, einem zumindest prinzipiell zu konzipierenden absoluten Neuanfang sowie dem Aufbau eines „neuen" Universalen, dessen Vielfalt sich als Hindernis bei der Rekonstruktion dieser Aspirationen als eines zusammenhängenden Ganzen erwies. Mauthner, Kraus und Wittgenstein unternahmen diesen Versuch im Bereich der Sprache, doch interpretierten sie die Neubestimmung des Konkreten in derselben sprachlichen Sphäre grundsätzlich unterschiedlich. Mach versuchte sich in der Erkenntnistheorie, Schönberg in der Musik und Loos in der Architektur. Hermann Broch konzentrierte sich auf *die Sphäre der Werte*. Er entwarf ein zusammenhängendes Bild der tatsächlich praktizierten Wertungen seiner Zeit. Da er dies vornehmlich in seinen großen Romanen tat, ist die Bedeutung seines Entwurfes bis heute nicht genügend bekannt und anerkannt.[427] Die Neuformulierung des Konkreten in diesem Bereich hatte von Anfang an etwas Ambivalentes an sich: die tatsächlichen und die gewünschten Werthaltungen bildeten eine spannungsreiche Einheit. Es verstand sich von selbst, daß das Universale im ersten Fall überhaupt nicht gesetzt werden konnte, während dies im zweiten Falle ohne Schwierigkeiten möglich war. Auf der Ebene des Konkreten mußte Broch bei seiner Neubestimmung auf folgendes stoßen: „Unaufhaltsam meldete ein Wertgebiet nach dem anderen seine Autonomie an: der ökonomische Wert wurde zum ‚Geschäft ist Geschäft', der künstlerische zu l'art pour l'art; die industrielle Entwicklung wurde zu einem Prozeß der ‚Produktion an sich', der nichts mehr mit Bedarfsdeckung zu tun hatte, der Staat wurde zu einer Institution um des Staates willen, und jedes der auf sich selbst gestellten Wertgebiete strebt nach seiner eigenen Unendlichkeit, deren unendliche Zielsetzung bereits noumenal und damit sinnlos geworden ist."[428)]

Diese Grundeinsichten seiner Wertphilosophie motivieren auch seine Darstellung der Kulturgeschichte Wiens. Sein *Hofmannsthal*-Essay ist eine der umfassendsten und anspruchsvollsten Analysen des geistigen Universums der ausgehenden Österreichisch-Ungarischen Monarchie, auch wenn dies nicht so sehr für dessen thesenhafte Aussagen, sondern vielmehr für die Vielfalt des Materials gilt. Die Thesen sind durch die Umstände der Entstehung des Werkes entscheidend motiviert: Broch schrieb seinen Rückblick auf Österreich-Ungarn nicht nach dem Zusammenbruch 1918, sondern in seiner amerikanischen Emigration; die Welt von „gestern" erwies sich in seinem Fall nicht nur als eine von „vorgestern", sondern auch als eine Welt, die einerseits schon völlig unglaublich und „mythologisch" geworden war, andererseits aber mehr oder weniger moralisch schuld an der Macht eines Hitler war. Diese doppelte Lichtbrechung führt uns zu Brochs leitender These über Österreich-Ungarn, *in der die „ästhetischen" Werte an Stelle der „ethischen" traten*. Diese Annahme über den Wiener Impressionismus ist gewiß stichhaltig.[429)] Als alles erklärender Grundsatz des geistigen Lebens wird sie aber zweifellos überstrapaziert. Brochs reiches Material, seine tiefen Analysen und die einmalige Empathie gegenüber dem jungen Hugo von Hofmannsthal bilden das Gegengewicht zur Überanstrengung der leitenden These. Brochs vorhin angesprochenes Bild über Wien lautet: „(Wien) war nämlich weit weniger eine Stadt der Kunst als der Dekoration par excellence. Entsprechend seiner Dekorativität war Wien heiter, oft schwachsinnig heiter, aber von eigentlichem Humor, oder gar von Bissigkeit und Selbstironie war da wenig zu spüren. An literarischer Produktion war außer einem gefälligen Feuilletonismus so viel wie nichts vorhanden... mit Recht benannte die Wiener Dekoration ihren Un-Stil nach ihrem repräsentativsten Maler, dem Schönheitsvirtuosen Hans Makart: er war der große Dekorateur der Epoche, und sie wurde, zumindest in Wien, die Makart-Zeit... Wenn irgendwo, so war in Wien Dekorativität legitim, nur daß es beiläufig jene Legitimation war, die der Etablierung und Instandhaltung eines Museums zukommt. In Erfüllung seiner Traditionspflicht verwechselte Wien Museumhaftigkeit mit Kultur und... wurde zum Museum seiner selbst. Weil wundersamerweise Haydn und Mozart, Beethoven und Schubert sich auf diesem Erdenfleck zusammengefunden hatten, hier schlecht behandelt wurden und nichtsdestoweniger komponiert haben, richtete sich Wien als musikalische Institution ein... Das Museale war Wien vorbehalten, und zwar als Verfallszeichen, als österreichisches Verfallszeichen. Denn Verfall im Elend führt zum Vegetieren, und Österreich war damals noch ein reiches Land... Was Überdeckung von Armut durch Reichtum letztlich bedeutet, das wurde in Wien, wurde in seiner geisterhaften letzten Blütezeit klarer denn irgendwo und irgendwann anders: ein Minimum an ethischen Werten sollte durch ein Maximum an ästhetischen, die keine mehr waren, überdeckt werden, und sie konnten keine mehr sein, weil der nicht auf ethischer Basis gewachsene ästhetische Wert sein Gegenteil ist, nämlich Kitsch. Und als Metropole des Kitsches wurde Wien auch die des Wertvakuums der Epoche."[430]

Ein anderes Gebiet, auf dem Broch mit Hilfe des erneuerten Universalismus ernstzunehmende Resultate erzielte, ist die Literaturtheorie. Ähnlich wie Wittgenstein (der Gedanke taucht übrigens bei Broch schon vor dem Erscheinen des *Tractatus* auf) untersucht er die Wechselwirkung zwischen den „Realitätsvokabeln" und ihrer Syntax im modernen Roman. Es wird somit unmittelbar einsichtig, daß, *was bei Wittgenstein der „elementare Satz", die Sprache ist, bei Broch das „Wirklichkeitsvokabel" im Roman ist.* Broch schreibt dem schöpferischen Dichter die Rolle zu, die Syntax der ,,Wirklichkeitsvokabel" zu schaffen,[431)] er wird zum Schöpfer der ,,Ordnung", des Romans. Was der Romancier zu schaffen hat, ist nämlich keine abstrakte, aber auch keine präkonzipierte ,,Ordnung der Dinge", sondern die ,,Totalität" des Kunstwerks als *gehaltvolles Universales.* Die Kategorie der Totalität steht bei Broch ebenso im Mittelpunkt wie bei dem Ästheten Lukács.[432)]

Das bipolare und das universalistische Denken standen in einer komplizierten Wechselwirkung zueinander. Broch, ein Erneuerer des Universalismus *par excellence,* bediente sich auch der hegelschen Dialektik, ohne daß sein grundsätzliches Streben zur Schaffung eines Denkmodells — welches auf eine neue Ordnung der Dinge hinausläuft — dadurch beeinträchtigt worden wäre.[433)]

Brochs Neudefinition des Konkreten in der Sphäre der Werte bzw. der Wertungen ist sein bleibendes Verdienst. Es bedurfte eines gewissen Mutes, die Tradition der Nietzscheschen Wertphilosophie zu revitalisieren und in einer Zeit der Vorherrschaft der methodischen Voraussetzungen der neokantianischen Wertphilosophie die Aufmerksamkeit auf das unmittelbar Konkrete, auf das Existierende in der Wertung zu lenken.[434)]

Sowohl in der Wertphilosophie als auch in der Literaturtheorie versuchte Broch also, das Konkrete zu definieren bzw. neu zu definieren und mit dem Ganzen in Verbindung zu setzen. Einserseits führte dies bei ihm auf offensichtlichere Weise zur Modernisierung universalistischer Konzepte, als dies bei Kafka oder Wittgenstein zu beobachten war. Andererseits schuf Broch darüber hinaus einen mutigen eigenartigen philosophischen *Discours*, der sich lange Zeit eher negativ auswirkte und ihn in der Nähe prinzipienlosen Eklektizismus plazierte. Erst mit der post-strukturellen französischen Philosophie sind die Bedingungen geschaffen, auch Brochs philosophischen Diskurs als solchen zu verstehen. Diese Relation führt uns aus der Geschichte der Philosophie wieder in unsere aktuelle Gegenwart herüber.[435)]

Anmerkungen

1 Wir Österreicher und Deutschland (1915). In: Hugo von HOFMANNSTHAL, Gesammelte Werke in Einzelausgaben. Prosa III. Frankfurt am Main, 1952, 231. — Im zweiten Teil des Krieges sieht Hofmannsthal die beiden Gehalte, aus denen sich der österreichische Optimismus nähren kann, in der ,,Dauer des Bestandes dieses Reiches und seine(r) geographische(n) Situation''. (Die österreichische Idee, ebenda 402.)

2 Daß sowohl die Etikette ,,reaktionäres Österreich'' als auch jene einer ,,liberalen Hochburg inmitten einer Flut des (irrationalen) Nationalismus'' oft gebraucht wird, bedarf keines Nachweises. Zu einem Versuch, der auch in dieser Arbeit angesprochen wird, diese Ambivalenz aufzulösen siehe E. KISS, Ausztria-Magyarország bucsúszimfóniája, Uj Irás, 1983/84 (eine Besprechung von Oszkár JÁSZIs The Dissolution of the Habsburg Empire).

3 Die ,,Nationalbewegungen'' der einzelnen Nationen bzw. Nationalitäten beurteilten ihre Möglichkeiten bzw. Ziele durchaus unterschiedlich, so daß die Auflösung auch nicht als ein von Anfang an schicksalhafter Prozeß angesehen werden kann. István Diószegi geht in seiner Analyse der Zielsetzungen der einzelnen nationalen Bewegungen ins Detail, indem er sich die Frage stellt, ob sie ihre Ziele innerhalb oder außerhalb der Monarchie für realisierbar hielten oder nicht. Siehe I. DIÓSZEGI, Nemzet, külpolitika, dinasztia. Budapest 1979.

4 Daß dieses Österreich eine eigene Welt war, und als solche ein Schauplatz, der die spätere europäische, ja sogar weltweite Entwicklung vorwegnahm, kann aus den unterschiedlichsten Blickrichtungen interpretiert werden. Anstelle einer Interpretation wollen wir es bei dem Hinweis auf die geistigen Schöpfungen, die davon zeugen, bewenden lassen.

5 Robert MUSIL, Der Anschluß an Deutschland (März 1919). In: Gesammelte Werke, Bd. 8, Hg. Adolf FRISÉ, Reinbek bei Hamburg 1978, 1039.

6 Auf allen Gebieten der Literaturwissenschaft ist dies auch heute kaum anders. Uns scheint es aufgrund empirischer Beobachtungen, daß sich folgende Praxis herauskristallisierte: für ,,Österreicher'' werden jene Autoren gehalten, deren Hauptwerke unmittelbar eine österreichische Thematik bearbelten (Beispiel: Musil). Als ,,Deutsche'' werden fast ebenso weitgehend Autoren angesehen, die zwar in irgendeiner Hinsicht zweifellos mit Österreich verbunden sind, aus deren Werken dies aber thematisch nicht hervortritt (Beispiele: Rilke, Werfel). Zur dritten Gruppe zählen jene Autoren, die gleichzeitig ein ,,österreichisches'', aber auch ein ,,deutsches'' Antlitz besitzen (Beispiel: der Dramatiker Hofmanns-

thal wird wie selbstverständlich als Österreicher angesehen, während der Lyriker Hofmannsthal ebenso allgemein als ,,Deutscher", als Protagonist der deutschen Lyrik gelesen und aufgenommen wird).

7 Das Phänomen der ,,gleichzeitigen Aufnahme" geistiger Artikulationsformen, die *ursprünglich* Bestandteile verschiedener aufeinander folgender Etappen waren, trug erheblich zur Kreativität der aufnehmenden Kulturen bei. Wir zählen dies zu jenen Motiven, welche die geistige Bedeutung der kleinen Nationen bzw. Kulturen gerade in diesen Jahrzehnten so sehr erhöhten. In dieser Arbeit wird noch oft von den drei großen, umfassenden Perioden der europäischen Moderne die Rede sein.

8 Man denke nur an den langwierigen Prozeß, durch den überhaupt erst klar wurde, daß die Wurzeln des Lebenswerkes Franz Kafkas in diesem Gebiet liegen. Selbstverständlich änderte sich dessen Beurteilung oft. Noch 1936 ,,verteidigt" Hermann Broch Robert Musil (und dadurch indirekt wohl auch sein eigenes Lebenswerk) vor dem Verdacht, in der Literatur ein ,,Österreicher" zu sein: ,,Nichts ist falscher als Musil dem autochthonen Österreichertum zuzuzählen. Autochthonie bedeutet Mittelmäßigkeit. Er aber darf sich sein Österreichertum als ein Nebenbei, gewissermaßen als ein wagemutiges Verkleinerungsspiel leisten: seine wirkliche Heimat ist der Geist schlechthin, also jene Sphäre, die weit über jegliches Österreichertum, ja sogar weit über jegliches Europäertum hinausrecht. Sein Österreichertum ist die Form seiner Ironie. Europäisch, westeuropäisch ist seine Exaktheit." (Hermann BROCH, Schriften zur Literatur 1. Kritik, Hg. Paul Michael LÜTZELER, Band 9/1, Frankfurt am Main 1975, 96.) In unseren Tagen ist der Gehalt des ,,Österreichertums" in der Geistigkeit des 20. Jahrhunderts schon so breit und differenziert geworden, daß eine solche ,,Verteidigung" kaum mehr erforderlich ist.

9 Miksa FENYŐs geradezu ,,entdeckerische" Arbeit über Musils *Törleß* erschien 1908, und zwar in dem ersten Jahrgang des leitenden Organs der neuen ungarischen Literatur, *Nyugat* (,,Törless növendék"). Merkwürdigerweise spielt es für einen leitenden Kritiker der *Nyugat*-Bewegung keine allzu besondere Rolle, daß der Roman eben in Österreich, d. h. dem anderen Teil seines Landes, spielt.

10 Robert MUSIL, Der Anschluß an Deutschland (zit. Anm. 5).

11 Überlegt man die Anwendungsmöglichkeit dieses Aspektes auf die Geschichte Österreich-Ungarns, so kann man die Relevanz desselben zunächst in drei grundsätzlichen Beziehungen nachweisen: 1. Beziehung der Hauptstadt Wien (Prag, Budapest u. a.) zu den einzelnen und sehr unterschiedlichen peripheren Gebieten; 2. Beziehung der einzelnen Provinzzentren zu ihren Peripherien; 3. Beziehung der Zentren einer Bevölkerung zu den Peripherien derselben Bevölkerung (die nicht mit den Grenzen der Territorien zusammenfallen müssen). Dem aufmerksamen Leser wird auffallen, daß die ,,natürliche" industrielle oder landwirtschaftliche Anziehung als Beziehung in den ersten drei Punkten überhaupt nicht angeführt wurde.

12 Robert MUSIL, Der Anschluß an Deutschland (zit. Anm. 5).

13 Sipulusz's Parabel über Guttmann die Klapperschlange läßt sich *mutatis mutandis* auch auf das Selbstbewußtsein der modernen österreichischen Kultur übertragen, wie dies der gewissenhafte und in jeder Hinsicht äußerst kritische Gedankengang Musils unter Beweis stellen kann.

14 Als symbolisches Ereignis kann angesehen werden, daß der sehr junge Georg Lukács den greisen Ibsen aufsucht, aber auch Hofmannsthal sieht die Bedeutung Ibsens als führende Persönlichkeit der *ersten* Periode des europäischen Modernismus durchaus klar und definiert seine Einstellung in Anlehnung an Ibsen: ,,Es ist die Gefahr und der Ruhm unserer Zeit, an deren Schwelle der greise Ibsen steht, daß wir weit genug wiederum sind, uns im Allegorischen bewähren zu müssen.'' (Hugo von HOFMANNSTHAL, Jedermann. Das Spiel vom Sterben des reichen Mannes. In: Gesammelte Werke [zit. Anm. 1], 116). Das Zitat fand ich erstmals bei Elsbeth WESSEL, Theater zwischen Traum und Wirklichkeit (Hugo von Hofmannsthals Theaterwerke in ihrem kultursoziologischen Kontext), Oslo, 1977. In: Osloer Beiträge zur Germanistik, Heft Nr. 2., 103) — Diese Distanzierung von den beiden ersten großen Wellen des europäischen Modernismus weist unmittelbar auf einen bedeutenden Unterschied hin (Wendung zum Allegorischen). Im Falle Hofmannsthals kommt zu diesem Unterschied noch sein im späteren einleuchtender Antimodernismus hinzu, d. h. sein paradoxes Unterfangen, ein Weltbild der Moderne mit in kulturkritischer Sicht eher konservativ-traditionellen Voraussetzungen zu verwirklichen.

15 Die eingangs erwähnte eigentümliche, einmalige Beziehung zwischen dem deutschen und dem österreichischen geistigen Leben ließe sich auch im Problem des Naturalismus nachweisen. Die Identität der Sprache, die Gemeinsamkeit der großen kulturellen Tradition sowie (andererseits) die enormen Unterschiede vor allem in der Sozialgeschichte führen dazu, daß die Parole ,,Überwindung des Naturalismus'' in Österreich, wo der autochthone Naturalismus bei weitem nicht so bedeutend war wie in Deutschland, direkt zur Entstehung der österreichischen Moderne führen konnte, während sich die Überwindung des Naturalismus in Deutschland als ein sehr komplizierter und eigentlich erst in der *dritten*, avantgardistischen Periode der Moderne vollendeter Prozeß erwies. Samuel Lublinski zitiert in seinem wertvollen Werk die Einstellung eines Wiener Kritikers (Otto Stößl) zu Zola. Der Text enthält paradigmatische Motive zur österreichischen Beurteilung des klassischen (französischen oder deutschen) Naturalismus: ,,Die Neigung zur Wissenschaftlichkeit läßt ihn aus dem Leben, seinem Objekt, sich ins Graue verlieren, aber seine Leidenschaft nimmt wieder seiner Wissenschaftlichkeit ihren Sinn, taucht alles in die krassen Farben von Mord, Brand und tierischer Wollust... Das krasse Temperament eines romantischen Eroberers und der bürgerliche Drang nach absoluten und verläßlichen Werten, nach einem dauernden Eigentum von Erkenntnis und Gewißheit vereinigen sich zu einer überaus schwankenden Synthese.'' (Samuel LUBLINSKI, Die Bilanz der Moderne. Mit einem Nachwort neu herausgegeben von Gotthart WUNBERG, Tü-

bingen 1974, 50-51.) Will man Stößls Meinung in einem Satz zusammenfassen, so muß man zu dem Schluß kommen, daß sich in seinen Augen der Naturalismus nicht als echte ,,Kunst" legitimieren konnte.

16 Das vielschichtige Verhältnis des jungen Hofmannsthal zu Maeterlinck könnte ebenso paradigmatisch für die zweite Periode der europäischen Moderne (und Österreichs zentrale Stellung in ihr) stehen, wie dies vorhin mit der Überwindung des Naturalismus in Deutschland bzw. in Österreich der Fall gewesen ist. In einem Brief Hofmannsthals lesen wir: ,,Nur wenn man das Menschenleben so ansieht wie in der Maeterlinckschen Szene..., kommt einem eben die Märchenhaftigkeit des Alltäglichen zum Bewußtsein, das Absichtlich-Unabsichtliche, das Traumhafte. Das hab' ich einfach ausdrücken wollen und deswegen diese merkwürdige Unbestimmtheit gesucht, durch die man beim oberflächlichen Hinschauen glaubt, Tausendundeine Nacht zu sehen und, genauer betrachtet, wieder versucht wird, es auf den heutigen Tag zu verlegen." (Zitiert bei Werner VOLKE, Hugo von Hofmannsthal. In: Selbstzeugnisse und Bilddokumente, Reinbek bei Hamburg 1967, 59.)

17 Uns scheint, daß beim jungen Georg Lukács am besten sichtbar gemacht werden kann, welche Bedeutung hier dem generationsmäßigen Nacheinander, einfacher ausgedrückt, dem Generationsproblem zukommen kann. Der junge Lukács schaltete sich gerade in dem Augenblick in den Prozeß der Moderne ein, als die erste Periode soeben ihre Vollendung erlebte und die zweite begann, in breiteren Kreisen überhaupt zur Kenntnis genommen zu werden. Beim jungen Lukács (wie auch bei den Österreichern seiner engeren Generation) gesellt sich dazu auch noch der Umstand, daß seine eigene Kultur (hier die ungarische) *die erste Periode eigentlich nicht selbständig mitgemacht,* sondern nur aus der Ferne verfolgt hatte, er ihre Vollendung somit als pure und ,,natürliche" Tatsache hinnehmen konnte.

18 Ein paradigmatisches Beispiel dafür ist Rudolf KASSNERs Nietzsche-Arbeit aus dem Jahre 1910 (mit dem verräterischen Titel: *Der Dilettant*), in der er Nietzsches gewaltige geistige Umwälzung des europäischen Horizontes als triviale und, wie er vermuten läßt, sogar ,,philisterhafte" Tat brandmarkt. Für uns ist der Mangel an historischer Sicht das Wesentlichste, das ihn, Kassner, als Vertreter der zweiten Welle gegenüber Nietzsche, dem Vertreter der ersten Welle, auszeichnet.

19 Die zweite Periode der Moderne brachte folgende paradoxe Situation der Wiener Moderne mit sich: als dynamische Bewegung, wurde sie von einer gewaltigen sozialen Strömung getragen, während sie als ,,zweite" Periode in ihren Gehalten viel Statisches, Stilisiertes aufwies. Diese Ambivalenz erschwert oft das Verständnis dieser modernen Kunst.

20 Das Verhalten der beiden Dynastien im Hinblick auf den Modernisierungsprozeß (um die gesamte Bandbreite abzudecken, sei hier dieser nicht ganz genaue Begriff gebraucht) war ebenfalls unterschiedlich: die Hohenzollern versuchten sich bereits im 18. Jahrhundert an die Spitze der Reformen zu stellen, um ihre Macht im dynamischen Prozeß stets neu

zu bewähren, während die Habsburger lange Zeit mit wenigen Ausnahmen den Weg des starken Widerstandes wählten und sich erst nach 1848 (und auch dann noch mit vielen Widersprüchen) zu einer beträchtlicheren Liberalisierung entschlossen. Faßt man die Dynastien als selbständige politische Kräfte auf, die Langzeitinteressen haben und auf Langzeitperspektiven hin arbeiteten, so wird ihre Bedeutung für das Schicksal dieser Länder ausreichend klar.

21 Robert MUSIL, Der Mann ohne Eigenschaften. In: Gesammelte Werke, Hg. Adolf FRISÉ, Band 2, 450 – 451.

22 Im *Schwejk* ist darüber hinaus von „deutsch-ungarischen" Aufschriften in der Toilette, „deutsch-ungarischen" Postkarten sowie von anderen Gemeinsamkeiten bzw. sprachlichen Gebilden die Rede. Eine sprachliche Analyse des Romans könnte viele Einzelheiten zur tatsächlichen sozialen Wirklichkeit der im Kriege stehenden Monarchie liefern.

23 In einer 1974 verfaßten Arbeit über Hermann Brochs Darstellung des ausgehenden Österreich-Ungarns habe ich den Versuch unternommen, die wichtigsten kulturellen Vorgänge zusammenfassend mit der Formel „zweifache Krise" zu beschreiben. Darunter wurde das Zusammenfallen der historischen Agonie alter Einrichtungen, universalistischer Einstellungen, politischer Strukturen, der politischen Krise also, mit der Einwirkung führender, dekadenter, im kulturellen Sinne krisenhafter Gehalte der „zweiten" Periode der europäischen Moderne verstanden. Die damals aufgestellte Behauptung kann heute nur zum Teil aufrechterhalten werden, vor allem deshalb, weil die Symbiose vieler Gehalte, die von so verschiedenen sozialen und künstlerischen Prozessen getragen wurden, auch andere Erklärungen zuläßt (Endre KISS, A "vidám apokalipszis" szociológiája. Hermann Broch monarchia-képe, Világosság 1974/7).

24 Derselben Einstellung begegnen wir bei Hanns Sassmann, dessen Formulierung von exemplarischer Bedeutung ist: „Das Hängen (nach 1848 – 49 — E. K.) besorgte Haynau, ein der Hölle entronnenes Untier, im ‚Arader Blutgericht', das der ungarischen Revolution nachträgliche Berechtigung (!) gab." (Hanns SASSMANN, Das Reich der Träumer. Eine Kulturgeschichte Österreichs vom Urzustand bis zur Republik, Berlin 1932, 387.) Es ist klar, daß Sassmann in seiner Ideologie antiliberal und großdeutsch ist, diese Auffassung beschränkt sich aber keinesfalls nur auf diese einzige Schattierung der ideologischen Palette.

25 Gemeint ist hier vor allem ein System von Zweierbeziehungen. Das Eigentümliche war eben, daß sich das Bild, das sich die einzelnen Nationen bzw. Kulturen von sich selbst machten, deutlich änderte, je nachdem, mit welcher anderen Nation bzw. Kultur sie aktuell konfrontiert waren. Das Bild der Ungarn zum Beispiel bewahrte dem Österreichischen gegenüber lange Zeit die Züge der wilden Pußta, während dieselbe Selbstprofilierung *anderen* Völkern gegenüber gerade die kulturtragenden, traditionell zivilisatorischen, d. h. die „westlichen" Züge hervorhob.

26 Albert FUCHS, Geistige Strömungen in Österreich, 1867 – 1918, Wien 1949.

27 Arthur SCHNITZLER, Der Weg ins Freie. Erzählende Schriften von A. Schnitzler. Dritter Band, Berlin o. J., 280.

28 Sigmund FREUD, Die Widerstände gegen die Psychoanalyse. In: Selbstdarstellung. Schriften zur Geschichte der Psychoanalyse. Herausgegeben und eingeleitet von Ilse GRUBRICH-SIMITIS. Frankfurt am Main 1971, 224. — Den Kampf zwischen „Altem und Neuem" können wir im späteren an verschiedene Richtungen bzw. konkrete soziale Kämpfe knüpfen. Paradigmatisch jedoch für die Art und Weise dieses Kampfes in Österreich-Ungarn ist Meinongs folgende Aufzeichnung: „Darf man aber aus dem Nachdruck des Widerstandes auf den Grad der Neuheit schließen, dann wäre die Neuheit dessen, was ich durch das Eintreten für eine Wissenschaft der ‚Gegenstandstheorie' den Fachgenossen zur Diskussion vorgelegt habe, von mir doch ganz erheblich unterschätzt worden. Denn während ich gemeint hatte, in der Forderung einer solchen Wissenschaft alten, ja ältesten Bedürfnissen und Interessen günstigere Vorbedingungen bereitet zu haben, gleicht die literarische Aufnahme, die die Idee der neuen Wissenschaft bisher gefunden hat, in mehr als einem Falle weit eher dem Bemühen, einen lästigen Angriff auf ein wohlbeglaubigtes Herkommen abzuwehren, als einem entgegenkommenden Eingehen auf einen Versuch, Übelstände zu beseitigen, die man bereits als störend und hemmend verspürt hatte." (A. MEINONG, Über die Stellung der Gegenstandstheorie im System der Wissenschaften, Leipzig 1907, 1.)

29 Robert MUSIL, Der Mann ohne Eigenschaften (zit. Anm. 21), 16 – 17. — Was Musil hier unter „Möglichkeitssinn" zusammenfaßt, sollte Gegenstand einer eigenen Untersuchung werden. Sehr treffend beschreibt A. Meinong den Prozeß, im Laufe dessen bis dahin außerhalb der Wissenschaft liegende Gegenstände in die Wissenschaft aufgenommen werden, d. h. aus einer Möglichkeit in diesem Sinn Wirklichkeit wird: „Daß es aber ganze Klassen von Gegenständen geben sollte, die schon ihrer Natur nach außer den Bereich würdiger wissenschaftlicher Fragestellung gerückt sein sollten, und daß ein Verzeichnis von Wissenschaften für vollständig gelten dürfte, in dem für diese ganzen Klassen von Gegenständen in keiner Weise vorgesehen ist, das wird doch auch schon ohne Eingehen auf die obige Prinzipienfrage schwerlich irgend jemandes Beifall finden." A. MEINONG, Gegenstandstheorie (zit. Anm. 28), 1. Es wird deutlich, daß diese Klasse von Gegenständen ebenso „wirkliche", „gehaltvolle" Möglichkeiten umfaßt, wie dies bei Musil der Fall war.

30 Ein neuer Versuch dieser äußerst schwierigen, weil integrativen Art der historischen Reflexion ist Jenő SZÜCS, Vázlat Európa három történeti régiójáról, Budapest 1983.

31 Theodor W. ADORNO, Einleitung in die Musiksoziologie, Frankfurt am Main 1968, 174. Es ist möglich, daß Adornos Darstellung auf die Aufzeichnungen Hofmannsthals zurückgeht, die er 1932 publizierte und die als Vorarbeiten zu seinen Reden in Skandinavien dienten: „Das Homogene des Österreichers (Graf-Fiaker), analog Bayern, Baden: demokratisch." (H. von HOFMANNSTHAL, Gesammelte Werke [zit. Anm. 1], 359.)

32 Mit dieser Bezeichnung „Weltkrieg des 16. und 17. Jahrhunderts" wollen wir zum Ausdruck bringen, daß die einzelnen Wissenschaften diesen Gegenstand vorwiegend unter ihrem eigenen Aspekt untersuchen. Erst eine konzentrierte Forschung wäre imstande, diesen Gegenstand in seiner Komplexität, aber auch in seinen ebenso komplexen Gesamtwirkungen zu rekonstruieren. Damit hängt auch zusammen, daß wir der Reformation und der Gegenreformation eine viel gewaltigere historische Bedeutung zuschreiben, als dies neuerdings üblich ist.

33 Stephen F. MASON, Geschichte der Naturwissenschaft. In der Entwicklung ihrer Denkweisen. Deutsche Ausgabe unter Mitwirkung von Klaus M. MEYER-ABICH, besorgt von Bernhard STICKER. Stuttgart 1961, 219.

34 H. SASSMANN, Das Reich der Träumer (zit. Anm. 24), 154.

35 Hofmannsthals Betonung des Barock ist selbstverständlich stets mit Reflexionen über eine mögliche österreichische Identität verbunden: „... wir haben nicht die Geschichte, die uns zusammenhalte — da sind bis ins sechzehnte Jahrhundert zurück keine allen Volksteilen gemeinsamen Taten und Leiden, und auch das Geistige, das hinter den Leiden noch steht, und diese zu einem Besitz machen könnte, ist nicht gemeinsam." (Zitiert bei Werner VOLKE, Hofmannsthal [zit. Anm. 16], 140). Hofmannsthal entdeckt auch in der Theaterkunst Reinhardts barocke Züge: „In diesem Sinn lassen sich Burg und Vorstadt in eines zusammenfassen: an beiden Orten bildete der Schauspieler den Mittelpunkt, und was die Zuschauer mit ihm und dem Drama verband, war ein wirklicher Theatersinn, nicht die Bildung, die ein vager und problematischer Begriff ist... Der Begriff des Festlichen und Geselligen waren die stillschweigenden Voraussetzungen. Indem Reinhardt bewußt den Schauspieler als das Zentrum seines Theaterwesens ansah, griff er auf diese barocken Elemente zurück und entwickelte sie mit Phantasie und Liebe." (Das Rheinhardtsche Theater. In: H. von HOFMANNSTHAL, Gesammelte Werke [zit. Anm. 1], 432 – 433.) — Über Salzburg vermerkt er (im Zusammenhang mit den Festspielen): „Nirgends so wie dort (in Salzburg — E. K.) fließen die Jahrhunderte ineinander, das Barock des Mittelalters und das Barock des Jahrhunderts (des siebzehnten Jahrhunderts — E. K.)". (Festspiele in Salzburg. In: H. von HOFMANNSTHAL, Gesammelte Werke [zit. Anm. 1], 448.)

36 „... seine Gestalten sind keine Individualitäten, keine getragenen, ichtragenden Charaktere, sondern rein visuell erfaßte Typen; sie sind *der* Kalif, *der* Wesir, *der* junge Kaufmannssohn, *der* Wasserträger, sind gleichsam schwerelose, gleichsam durchsichtige, gleichsam schattenlose Glasmarionetten: sie sind Homunculi, und die Hand des Märchenerzählers... vermag sie zwar zu einem höchst wundersamen, sozusagen pseudo-sichtbaren Scheinleben zu bringen, vermag jedoch nicht die Schatten- und Schwerelosigkeit der rund belichteten, schwebenden Marionettenbühne zu überwinden..." (Hugo von Hofmannsthals Prosaschriften [dritte Fassung, 1950]. In: Hermann BROCH, Schriften zur Literatur 1. Kritik [zit. Anm. 8], 321.)

37 Allan JANIK und Stephen TOULMIN, Wittgenstein's Vienna, New York 1973, 33.

38 Fred HENNINGS, Das josephinische Wien, Wien—München 1966, 34.

39 Dasselbe formuliert Robert A. Kann nun in rein ideologischer Sicht (hinter der aber ebenfalls das Soziale klar sichtbar ist): "It is a tall order indeed to compress so conflicting an ideological heritage, so bewildering a product of diverse spiritual and sensual trends, into an even relatively homogeneous ideological picture. Nobody as yet has wholly accomplished this task satisfactorily. It is thus somewhat less than surprising that the problem becomes truly unsurmountable when the Baroque concept is expanded to include the full range of social action." Robert A. KANN, A Study In Austrian Intellectual History. From Late Baroque to Romanticism, London 1960, 2.

40 Darin offenbarte sich aber auch die von Broch so genannte „Stil-Demokratie", die ebenfalls auf Hofmannsthals Darstellung dieses merkwürdigen sozialen Phänomens zurückgehen kann.

41 Emil HORNER, Bauernfeld, Leipzig, Berlin und Wien 1900, 119.

41 Wilhelm BIETAK, Das Lebensgefühl des „Biedermeier" in der österreichischen Dichtung, Wien, Leipzig 1931, 79 – 80.

43 H. BROCH, Hofmannsthal und seine Zeit, 167 — Wie tief Broch diese Problematik durchdachte, zeigt seine Romantrilogie *Die Schlafwandler,* in der (auch) das Schicksal des „immer verdächtiger werdenden Bürgertums" (obzwar nicht in österreichischer, sondern in deutscher Umgebung) in zahlreicher Hinsicht dargelegt wird.

44 William M. JOHNSTON, Österreichische Kultur- und Geistesgeschichte, Wien—Köln—Graz 1974, 57.

45 Gyula SZEKFÜ, A három nemzedék és ami utána következik, Budapest, 1920. — Nicht die direkte ökonomische Bedeutung des Gesagten ist für uns in diesem Augenblick das Wichtigste, sondern die auch in diesen Sätzen ausgedrückte historische und politische Ungleichheit in der Relation „Hof—Gesellschaft". Dieses Kräfteverhältnis erinnert stark an jenes zwischen dem „Schloß" und dem „Dorf" in Kafkas Roman, was oft gern rein künstlerisch aufgefaßt wird. Man denke an die unterschiedliche Bedeutung der Habsburger für Österreich und der Hohenzollern für Deutschland. In der barocken Weltanschauung werden übrigens beide Motive artikuliert: *eine neue triumphale Weltordnung, doch auch ein Trost für die Besiegten; das Christentum erwies sich also neuerlich als „integrativ".*

46 Die Geschichte der geistigen Präsenz Calderons im Theaterleben Wiens wäre identisch mit einer vollständigen Aufzählung der barocken Tradition. Das von ihm inaugurierte barocke Drama erwies sich hier als geeignet, nicht nur die Gehalte des Biedermeiers, sondern auch jene der vormodernen, gelegentlich sogar modernen österreichischen Problematik aufzunehmen. Hofmannsthal, der aus den Reihen der Moderne der Tradition am nächsten stand, befaßte sich zeit seines Lebens mit Calderon.

mannsthal das Barock nach 1918 eine geradezu noch gesteigerte Bedeutung erhielt, und die wir früher, im Falle des Kunstgewerbes bereits erwähnten. Nach 1918 wollte Hofmannsthal sogar jedes Jahr (!) ein Calderon-Stück umarbeiten. Es ist auch sehr vielsagend, wie bewußt Hofmannsthal (aber auch Reinhardt!) seine größten theatralischen Konzeptionen auf dieser Tradition aufbaute. Am Ende dieses Gedankenganges sei Karl Kraus zitiert, der dazu folgenden Kommentar gibt: „... weil ein Hauch von Calderon in gleicher Weise dem Salzburger Hotelgeschäft wie der Wiener Literatur zugutekommt und weil es der Fürsterzbischof gewollt hat, daß Ehre sei Gott in der Höhe der Preise, sehe ich mich genötigt, aus der katholischen Kirche auszutreten..." (Karl KRAUS, Vom großen Welttheaterschwindel. In dieser großen Zeit. Auswahl 1914 – 25. Berlin 1971, 398.)

47 Zur Erhärtung dieser These wäre eine vollständige Statistik der Aufführungen im Wiener Theaterleben erforderlich. Das Heimischwerden fremder Autoren im Organismus einer höheren Theaterkultur ist aber auch „an sich" eine der vielsagendsten kultursoziologischen Quellen. Hierzu gehört exemplarisch die theatralische Dimension der österreichischen Aufnahme des Naturalismus, der — aus derselben kultursoziologischen Sicht — in Deutschland ebenso maßgebend war wie dessen Mangel für Österreich charakteristisch. Adalbert Schmidt schreibt: „Der Naturalismus als literarische Bewegung hat auf österreichischem Boden nie breitere Geltung genommen." (A. SCHMIDT, Dichtung und Dichter Österreichs im 19. und 20. Jahrhundert. Salzburg—Stuttgart 1964, 213.)

48 Franz MEHRING, Grillparzers „Der Traum ein Leben", Volksbühne, 3. Jg, 1894/95, Heft 5.

49 Gemeint sind die josephinische, aber auch leopoldinische Unterstützung der bürgerlich-emanzipativen Kräfte in der ungarischen Reichshälfte, die auch im praktischen Interesse der Teilung des nationalen Widerstandes durchgeführt wurden. Siehe zum Beispiel Kálmán BENDA, A magyar nemesi mozgalom 1790-ben. In: Emberbarát vagy hazafi?, Budapest 1978. — Einen weiteren Aspekt der josephinischen Nationalitätenpolitik spricht Lajos Hajdu an, indem er die speziellen Instruktionen des Kaisers für die königlichen Kommissäre analysiert (L. HAJDU, II. József igazgatási reformjai Magyarországon, Budapest 1982, 207.)

50 Die Polaritäten setzen die göttliche Vorsehung voraus, während letztere ihre logische (und Daseins-) Berechtigung aus der Existenz derselben ableitet. William M. Johnston faßt diesen Tatbestand treffend zusammen: „Hier unten ist der Mensch besessen von ungezählten Polaritäten, zerrissen zwischen Liebe und Haß, Fasten und Völlerei, Heiligkeit und Sünde... Das Wissen um diese Gegensätzlichkeiten führte den Österreicher zu gläubiger Hingabe an eine göttliche Vollendung..." (W. M. JOHNSTON, Österreichische Kultur- und Geistesgeschichte [zit. Anm. 44], 30) — Das optimale Zusammenfallen des Barock mit der Wiener Problematik ist seit langem zur bleibenden These der Literatur geworden. Siehe zum Beispiel ALLMAYER-BECK, Die europäische Funktion. In:

Imago Austriae. Herausgegeben von Otto SCHULMEISTER. Wien 1963, 219. Auf die Gegensätzlichkeit des barocken Universalismus zu der tatsächlichen sozialen Wirklichkeit weist Robert A. Kann treffend hin: "The concept of universality does not apply to Austria's geopolitical crossroads position or to her multinational composition." (R. A. KANN, A Study In Austrian Intellectual History [zit. Anm. 39], XVIII).

51 Darüber berichtet kein Geringerer als Casanova selbst in seinen Memoiren. Er erinnert sich an Wien folgendermaßen: „Wie konnte man wissen, ob das Mädchen zu einem Mann ging, um sich trösten zu lassen, oder daß sie auf der Straße einen Tröster suchte? Das war doch nicht so einfach. Ein Spion — die Polizei bezahlte ganze Scharen von solchen — folgte ihnen von fern, und da diese Schurken keine Uniform trugen, konnte man sie nicht erkennen... Wenn ein Mädchen in ein Haus eintrat, wartete der sie verfolgende Spion unten an der Tür, hielt sie an, sobald sie wieder herauskam, und nahm sie ins Verhör." (Rokoko. Das galante Zeitalter in Briefen — Memoiren — Tagebüchern. Gesammelt von Rudolf PECHEL, eingeleitet von Felix POPPENBERG. Berlin—Leipzig—Wien—Stuttgart 1913, 341.)

52 Wir denken an die berühmte Parallele des Hofmannsthal-Essays zwischen dem Deutschland der Gründerzeit und der entsprechenden Periode Österreichs. Uns scheint der Begriff der Gründung in seiner Wichtigkeit für die Sozialgeschichte auch seit Brochs Zeiten nichts eingebüßt zu haben.

53 Daß das Barock für Hofmannsthal in dieser Zeit überhaupt chancenreich erscheinen konnte, ist ohne die vorhin angesprochene Relevanz der Gründung nicht vorstellbar. Wo immer ein derartiges Konzept der Erneuerung des Barock auftaucht, ist aber Karl Kraus mit seiner Kritik nicht mehr fern. Siehe dazu beispielsweise Karl KRAUS, Barockhendl. In: Vor der Walpurgisnacht, 315, Berlin, aber auch die Schrift in demselben Band: Aus der Barockzeit, 21ff. *Da Karl Kraus eine zwar nicht explizite, nichtsdestoweniger aber lückenlose Konzeption der österreichischen Identität in sich trug und sie in letzter Instanz als Alternative zu jener Hofmannsthals aufgefaßt werden muß, kann diese Diskussion auch als ein Kampf zwischen zwei alternativen „Identitäten" angesehen werden.*

54 Karl KRAUS, Adolf Loos (Rede am Grab, 25. August 1933). In: Vor der Walpurgisnacht (zit. Anm. 53), 588.

55 Siehe dazu beispielsweise die Arbeit Kálmán BENDAs, A nemzeti ébredés kezdetei a Habsburg-monarchia országaiban, in der sich der Autor mit dem Vergleich der Reaktion der verschiedenen Nationalitäten auf die Herausforderung des Josephinismus auseinandersetzt. Dieser Aspekt erweist sich dahingehend als fruchtbar, indem er nachweist, *wie allgemein* (d. h. nicht nur für Ungarn charakteristisch) der Widerstand gegen die anti-national zentralisierenden Vorstellungen des Josephinismus war. Die genannte Arbeit findet sich im Band Emberbarát vagy hazafi? (zit. Anm. 49), 309–316.

56 Dasselbe Phänomen war übrigens bei allen Nationen zu beobachten, die

einen eigenen Adel hatten. Zu Ungarn siehe Gyula SZEKFŰ, A három nemzedék és ami utána következik (zit. Anm. 45).

57 Zsigmond KEMÉNY, Élet és irodalom. Budapest 1972, 63.

58 Egon FRIEDELL, Aufklärung und Revolution. Vom Siebenjährigen Krieg bis zum Wiener Kongreß. München 1961 (dritter Band aus: Kulturgeschichte der Neuzeit), 57. — Obwohl Friedell sein Porträt Josephs II. vom besonderen Standpunkt eines markanten Liberalismus aus konzipiert, trifft seine Bemerkung ins Schwarze, weil er die Profilierungsschwierigkeiten des aufgeklärten Absolutismus klar nachweist, d. h. auf die nicht in Einklang zu bringende Duplizität der verlangten Rolle hindeutet.

59 S. KEMÉNY, Élet és irodalom (zit. Anm. 57), 65.

60 Bis heute sind die Auswirkungen der josephinischen Einstellung noch nicht zu einem umfassendes *Gesamtbild* zusammengefügt. Die nicht erschlossenen Möglichkeiten zeigt eine „Zeitgenössische Darstellung zum Toleranzpatent Kaiser Josephs II. von 1781" (im Band Imago Austriae). Auf diesem, höchstwahrscheinlich in breiten Bevölkerungsschichten verbreiteten „Gemälde" tritt Joseph geradezu als Heiliger auf, der die verschiedenen Religionen vor Christus auf dem Kreuze „vereinigt", ganz wie ein verspäteter Johannes der Täufer. Im Hintergrund sehen wir Wien, von der Höhe aus beherrscht der Gekreuzigte die Komposition. Links unten stehen die zwölf (!) personifizierten unterschiedlichen Religionen vor ihm, die gleichzeitig zwölf Vertreter der Nationalitäten des Vielvölkerreichs sind. Rechts, ebenfalls unten, obzwar Christi näher, steht Joseph, der die zwölf Religionen (ist diese Zahl ein Zufall?) in einem toleranten Christentum, nichtsdestoweniger aber auch in der Idee Österreichs vereint. Faßt man nur dieses Bild ins Auge, so verlieren die anderen Darstellungen ihre alleinige Repräsentanz und Geltung. Joseph II. tritt hier wie auf einem Heiligenbild auf und figuriert selbst als säkularisierter Heiliger.

61 Es war keineswegs selten, daß die Auflösung des Jesuitenordens sowie weitere Merkmale der Toleranz den ungarischen Protestantismus für den Josephinismus einnahmen. Siehe z. B. Éva H. BALÁZS, Berzeviczy Gergely, a reformpolitikus (1763 – 1795). Budapest 1967, 42, 60. — Den auch von Friedell formulierten Gegensatz in Joseph hebt auch der junge Gergely Berzeviczy in einer seiner Arbeiten hervor, indem er die Diskrepanz zwischen Josephs Willen, alles mit eigener Kraft durchzuführen bzw. zu kontrollieren, und seiner Bestrebung, die Energien der Gesellschaft zu befreien, stark akzentuiert. (Ebenda, 148.) Ein Teil dieses (ursprünglich deutsch verfaßten) Textes lautet: „Militärische Ordnung und Pünctlichkeit verdient Hochachtung, aber es gibt Gegenstände, worauf sie sich nicht anwenden laßt, die durchaus keinen Befehl vertragen. Ein freies Volk, Handel, Industrie läßt sich nicht Commandieren, wie ein Regiment steifer Recruten — Wohlstand, Manufacturen, Aufklärung, Reichthum lassen sich durch keinen Befehl erzwingen. Engellands Blüte ist das Werck von Jahrhunderten." (Ebenda, 321.)

62 Siehe Ivo ANDRIĆ, Die Brücke über die Drina (deutsche Übersetzung 1959). Sehr viel Material über dieses Thema reflektiert Lajos HAJDU in seiner Monographie II. József igazgatási reformjai Magyarországon (zit. Anm. 49).

63 Zitiert bei Egon FRIEDELL, Aufklärung und Revolution (zit. Anm. 58, 57.) Friedells Einstellung entspricht, auf diese Formulierung Bahrs aufmerksam geworden, dem liberalen Selbstbewußtsein des unternehmerischen Bürgertums in Österreich-Ungarn, das, über seine existentielle Problematik nachsinnend, den zähen Widerstand zahlreicher anderer Gruppen zur Kenntnis nehmen muß. Ein ähnliches Räsonnieren findet man bei den hervorragendsten Vertretern desselben unternehmerischen Bürgertums in Ungarn, beispielsweise bei dem auch auf deutsch schreibenden József Diner-Dénes (Siehe u. a. E. KISS, A világnézet kora. Nietzsche abszolutumokat relativizáló hatása a századelőn. Budapest 1982). Er prägte den Satz: „Der ungarische Liberalismus ist kavalierhaft, aber nicht demokratisch."

64 Diese philosophiegeschichtliche Tatsache weist ihrerseits wieder auf das zähe Weiterleben der katholisch-barocken Tradition hin, ein Faktum, auf das kaum mehr näher eingegangen werden muß. Durch die Vermittlung dieses Universalismus des 19. Jahrhunderts kam also auch Leibniz in unmittelbare Berührung mit der modernen Philosophie...

65 Die Hervorhebung der Persönlichkeit Herbarts in diesem Zusammenhang gilt als ein bleibendes Verdienst der Monographie William M. JOHNSTONs, Österreichische Kultur- und Geistesgeschichte (zit. Anm. 44).

66 Den „Mangel", die „Abwesenheit" dieser beiden bedeutendsten Konzepte bürgerlicher Philosophie verstehen wir nicht nur als einfaches Fehlen großer gedanklicher Gebäude, sondern auch als Bedingung, an die (philosophischen) Probleme ohne die Resultate derselben herangehen zu müssen.

67 Wir denken daran, daß etwa der Kantianismus in Österreich eine dem historischen Materialismus der II. Internationale *folgende* Richtung oder daran, daß wir in der auf die Geschichte projizierten Bipolarität die Absicht erkennen, den Hegelianismus, die Tradition Hegels, (wenn gewiß auch oft unbewußt) zu ersetzen. Eine andere Möglichkeit wird beispielsweise durch Hermann Broch verkörpert, der als Universalist den Hegelianismus assimilierte.

68 Franz BRENTANO, Auguste Comte und die positive Philosophie. In: Die vier Phasen der Philosophie und ihr augenblicklicher Stand. Mit Anmerkungen herausgegeben von Oskar KRAUS. Neu eingeleitet von Franziska MAYER-HILLEBRAND. Hamburg 1968, 125.

69 Siehe zum Beispiel WINTER, Leben und geistige Entwicklung des Sozialethikers und Mathematikers Bernard Bolzano, Halle 1949; oder WINTER, Sozial-und Ethnoethik Bernard Bolzanos, Wien 1977.

70 „Die Gleichheit der Kreaturen vor Gott" — diese Einstellung des Katholizismus und des Barock war es, die sich so integrierend auswirkte. Man

findet unzählige Beispiele für Formulierungen wie etwa: ,,Die Tugend beabsichtigt nichts anderes, als die größtmöglichste Beförderung des allgemeinen Wohles, unter welchem das eigene von jedem Einzelnen gleichfalls enthalten ist." (Aus einer Erbauungsrede von Pfingsten 1812, zitiert bei WINTER, Sozial- und Ethnoethik [zit. Anm. 69, 41].)

71 Gemeint ist hier die Tatsache, daß der böhmische Reformkatholizismus ursprünglich auch im Interesse der Verteidigung der Religion gegen den angesprochenen spontanen Säkularisationsprozeß entstand bzw. gefördert wurde.

72 *,,Nicht Kants kategorischer Imperativ, sondern Beförderung des allgemeinen Wohls ist oberstes Sittengesetz."* (Aus einer Erbauungsrede vom Pfingsten 1819, zitiert bei WINTER, Sozial- und Ethnoethik Bernard Bolzanos [zit. Anm. 69], 44. (Hervorhebung im Original.) Wie hier ,,objektiv" und ,,subjektiv" ineinandergehen, bestätigt Winters folgende Interpretation: ,,Eine gefährliche Eigenschaft von Kants praktischer Vernunft besteht nach Bolzano in dem Versuch, ein Sittengesetz als oberstes Prinzip allen Handelns zu suchen, das in der subjektiven Vernunft allein begründet ist, das sich aber nicht auf das menschliche Leben in der Gemeinschaft selbst richtet. Diesem Subjektivismus gegenüber glaubt Bolzano ein objektives Sittengesetz gefunden und begründet zu haben: Die Rücksicht auf das allgemeine Wohl." (Ebenda 13.) Bei der Darstellung der Kantschen Maxime verschwindet der (ursprüngliche) Hinweis auf das Allgemeine, bei jener Bolzanos wird der tautologische Charakter nicht ins Bewußtsein erhoben. — Gleiches lesen wir in der Philosophiegeschichte von Johannes Hirschberger: ,,... unterlag er (Bolzano) auch nicht den Suggestionen der Zeitphilosophie... Wir schätzen heute an ihm die Verteidigung der Objektivität gegenüber dem Kantischen Subjektivismus..." (J. HIRSCHBERGER, Geschichte der Philosophie. Neuzeit und Gegenwart. 4. Auflage, Freiburg—Basel—Wien 1960, 405.) Daß dabei gerade der Kernpunkt der Lösung Kants bei der Lenkung der ethischen Tat ignoriert wird, liegt auf der Hand. Dieser ,,Subjektivismus" muß bei Kant zum Allgemeinen führen. Bei den Verteidigern des Bolzanoschen Universalismus ist diese Relation jedoch *nur* eine entgegengesetzte.

73 Zitiert bei WINTER, Sozial- und Ethnoethik (zit. Anm. 69), 12. Eine weitere Formulierung lautet: ,,Nicht Kants kategorischer Imperativ, sondern Beförderung des allgemeinen Wohles ist oberstes Sittengesetz." (Aus: Bolzanos Predigt vom letzten Sonntag nach Pfingsten, 1819; zitiert bei WINTER, Sozial- und Ethnoethik [zit. Anm. 69] 44.)

74 Dies läßt sich auch durch Texte belegen. Bei der Interpretation eröffnen sich aus zwei Aspekten günstige Möglichkeiten. Erstens erklärt Bolzanos eigene *historische* Stellung, warum er sich kein klares Bild von der sich erst im Laufe des 19. Jahrhunderts entfaltenden sozialen Dynamik dieses Problems machen konnte. Zweitens könnten wir jetzt jene Seite der christlichen Harmonistik in Erinnerung rufen, die eine Untersuchung der tatsächlichen historischen Kräfte durch ein Verfahren ersetzt, welches diese Kräfte gleich in die universale Ordnung einfügen will. — Im Ver-

gleich zur Romantik eines Friedrich Schlegel ist Bolzanos Ethnoethik selbstverständlich „rational"; diese Rationalität ist aber jene des Universalismus und vermag nicht die zukünftige soziale Dynamik aufzuheben.

75 Gemeint ist jenes umfassende Problem, welches u. a. unmittelbar nach dem Auftreten des Neukantianismus auch zur Stärkung, ja zur Hegemonie der logischen Forschung führte. Es geht um jene — gerade durch Kant bzw. den Neukantianismus signalisierte und breiten Kreisen bewußt werdende — tiefe Kluft zwischen Sinnlichem und Geistigem, die die Philosophie in fast allen ihren Möglichkeiten existentiell bedrohte, und die gleichzeitig auch eine Relation zwischen *Konkretem* und *Universalem* markierte. — Obwohl Bolzano gegen die Logik Hegels viel einzuwenden hat, können wir auch aus seinen Formulierungen Beispiele anführen, die in Richtung Ontologisierung weisen: „Auch Hegel... sagt, daß der Begriff der Wissenschaft und die wissenschaftliche Methode das letzte Resultat der Logik ausmachen." (B. BOLZANO, Wissenschaftslehre. Versuch einer ausführlichen und größtenteils neuen Darstellung der Logik mit steter Rücksicht auf deren bisherige Bearbeiter. Herausgegeben von mehreren seiner Freunde. Mit einer Vorrede des Dr. J. Ch. A. HEIMSOETH. Sulzbach 1837, 15.)

76 Es scheint, als suchte Bolzano die Unterscheidung Kants zwischen „Erscheinung" und „Ding an sich" durch die Aufstellung der *„Wahrheiten überhaupt"* „logisch wiedergutzumachen": „Wie also, wenn die Logik nicht bloß die Gesetze aufzustellen hätte, die für gedachte Wahrheiten..., sondern für Wahrheiten überhaupt gelten?" (B. BOLZANO, Wissenschaftslehre [zit. Anm. 75], 47.)

77 B. BOLZANO, Wissenschaftslehre (zit. Anm. 75), Bd. I., 113.

78 Franz BRENTANO, Auguste Comte (zit. Anm. 68), 23.

79 W. M. JOHNSTON, Österreichische Kultur- und Geistesgeschichte (zit. Anm. 44), 285 – 288.

80 Johann Friedrich HERBART, Sämtliche Werke. Herausgegeben von G. HARTENSTEIN. Erster Band. Schriften zur Einleitung in die Philosophie. Leipzig 1850, 195.

81 Ebenda 198.

82 Ebenda 201.

83 Ebenda 208.

84 Das „Wissenschaftliche" in Herbarts Argumentationsweise wird zum Teil durch seine betonte Anlehnung an die formale Logik und überhaupt an die formale Beweisführung demonstriert. Er gehört aber auch zu jenen, die „Wissenschaft" gegen „Spekulation" ausspielen, um damit zur absoluten Weltordnung zu gelangen. Herbarts komplizierte Systematisierungen verdecken jedoch die Gültigkeit dieser Grundabsicht.

85 Wie schon erwähnt, geht es im wesentlichen auch bei Brentano, aber auch bei den Neokantianern um dasselbe Verfahren. Bei Herbart wird die Beziehung zwischen dem Konkreten und dem Universalen ebenfalls neu geregelt. Die in der vorangehenden Anmerkung angedeutete verdeckende Wirkung der Systematisierungen gilt auch in diesem Zusammenhang.

86 A. TRENDELENBURG, Logische Untersuchungen. Zweite, ergänzte Auflage. Leipzig 1862. Band II, 475 – 476.

87 Kurze Enzyklopädie der Philosophie aus praktischen Gesichtspunkten. Halle 1841, 7.

88 Ebenda 7 – 8.

89 Ebenda 8.

90 Ebenda 10 – 11.

91 Ebenda 11.

92 Wenn wir bedenken, daß Herbart eine vollständige *Assozationspsychologie* aufbaute, und daß Freud die Assoziation der Vorstellungen bzw. *ihre „Fehlleistungen" an jeder wichtigen Stelle* seiner Theorie anwendet, so können wir die Bedeutung dieser Entsprechung würdigen. Somit kann Herbarts Einfluß auf die Psychologie überhaupt unterstrichen werden, auch in dem Sinne, daß er den Kantianismus in der Psychologie weiterentwickelte. Über diesen Einfluß schreibt Wundt: „Noch entsinne ich mich, wie ich mehrere Wochen lang früh um fünf meine Studierlampe entzündete, um mich in das Studium von Herbarts ‚Psychologie als Wissenschaft' zu vertiefen, die mir von allen Werken, die sonst die philosophische Literatur in psychologischen Dingen bot, am meisten imponierte und die zu jener Zeit am ehesten von den strengeren philosophischen Werken auf die Physiologie herübergewirkt hatte." (Zitiert bei A. ARNOLD, Wilhelm Wundt — sein philosophisches System. Berlin 1980, 39.)

93 „... Herbarts Meinung ist an manchen Stellen kaum anders zu verstehen, als daß das *Bewußtsein* der intelligible Raum sei... somit auch das wirkliche Geschehen etwas sei, was selbst als ‚objektiver Schein' nur ‚dem Zuschauer passiert'." WINDELBAND, Lehrbuch der Geschichte der Philosophie. Elfte, durchgesehene Auflage, besorgt von E. ROTHACKER. Tübingen 1924, 492.

94 Daß Herbart letztlich die Unterscheidung Kants zwischen „Ding an sich" und „Erscheinung" auf der Ebene der Realien aufrechterhält, modifiziert dieses Bild ohne Zweifel. Für uns wäre es jedoch erst entscheidend, wenn Kants Kritizismus die Strukturen der Harmonistik allgemein zu sprengen wüßte. Doch das Umgekehrte ist der Fall: *eine Neuformulierung der Kantschen Unterscheidung führt geradezu zu einer Neuformulierung des Universalismus.* Windelband faßt dies folgendermaßen zusammen: „... ist der Begriff der Substanz nur aufrechtzuerhalten, wenn man annimmt, daß die mehrfachen Eigenschaften und die wechselnden Zustände, welche sie vereinigen soll, nicht sie selbst, sondern nur die Beziehung treffen, worin sie zu anderen Substanzen abwechselnd steht. Die Dinge-an-sich müssen viele sein: aus einem einzigen wäre die Mannigfaltigkeit der Eigenschaften und Zustände nie begreiflich. Jedes einzelne aber dieser metaphysischen Dinge muß als durchaus *einfach und unveränderlich* gedacht werden: sie heißen bei Herbart *Reale.* Alle Eigenschaften nun, welche in der Erfahrung die Merkmale der Dinge bilden, sind relativ und lassen das einzige Ding immer nur im Verhältnis zu andern Din-

gen erscheinen: die *absoluten Qualitäten* also jener Realen sind *unerkennbar.*" (WINDELBAND, Geschichte der Philosophie [zit. Anm. 93], 491 — Hervorhebung im Original.)

95 KÖVES-ERÉNYI, Kunfi Zsigmond életutja, Budapest 1974, 250. Kunfis Einschätzung gibt auch den Unterschied zweier Generationen wieder. Es wäre trotzdem verfehlt, Jókai als Schlüsselfigur der ungarischen Geistesgeschichte der Zeit des Dualismus überhaupt anzusehen, wie dies beispielsweise bei Johnston der Fall ist, der viel mehr über Jókai allein als über Petőfi, Eötvös, Kemény, Arany, Madách, Vörösmarty oder Kölcsey *zusammen* schreibt. Er hebt vollkommen richtig die ,,Harmonistik" des Dichters heraus: ,,... in gewissem Ausmaß... in allen seinen ... Werken tauchte Jókai die Welt in *délibáb* und begeisterte damit die Jugend genauso, wie Schiller die jungen Deutschen gefesselt hatte." (W. M. JOHNSTON, Österreichische Kultur-und Geistesgeschichte [zit. Anm. 44], 350.) Jókai — so sehr er als Musterbeispiel der österreichisch-ungarischen Harmonistik des Alltags gelten kann — beherrscht das ungarische Geistesleben nicht in dem angedeuteten Ausmaß. In seinem Werk sind die Größe bzw. Tradition der Ereignisse 1848 – 1849 aufbewahrt. Er kann, wie uns scheint, nicht so sehr mit dem Idealismus Schillers verglichen werden, sondern — um nur ein Beispiel zu nennen — mit Verdi, über dessen Opern man etwa mit gleichem Recht sagen könnte, daß sie in ihrer ,,Unwahrheit" doch Wahrheit vermitteln...

96 Siehe Sándor VIDA, Leibniz élete és bölcsészete. Vorwort zum Band Leibniz, Értekezések. Budapest 1907, 7. — Diese Adaptation der Harmonistik Leibniz' verstärkt ihrerseits auch das charakteristisch österreichisch-ungarische Motiv der ideologisch gesetzten, aber auch in breiten Bevölkerungsschichten positiv aufgenommenen Einheit zwischen Individuum, Nation und Menschheit, die als etwas *Problemloses* erlebt wurde.

97 Gerő BÁRÁNY, Esztétikai elöadások, Budapest 1915, 143.

98 Über die Zukunft der Philosophie. Herausgegeben, eingeleitet und mit erläuternden Anmerkungen und Register versehen von Oskar KRAUS. Leipzig 1929, 16 – 17. — Dieses Eingeständnis Franz Brentanos darüber, daß die Literatur mit ihrem ethisch-philosophischen Anspruch die Fachphilosophie oft in den Schatten stellte und damit zu einem wichtigen Faktor der modernen Kulturentwicklung wurde, kann nicht nur auf Österreich, sondern *mutatis mutandis* auch auf den ganzen Kontinent bezogen werden.

99 Für geradezu paradigmatisch halten wir (in Übereinstimmung mit einem Großteil der sich mit dieser Periode der Auslöschung der Hegelschen Philosophie befassenden Literatur) die Einstellung Rudolf Hayms, der das Schicksal der Philosophie Hegels mit jenem der Revolution direkt identifiziert: ,,Aller Spiritualismus und Idealismus scheint verstummen zu müssen, weil die den Zwecken des Menschenlebens dienstbar gemachten Naturkräfte sich in einer neuen, nach Gestaltung ringenden Gärung befinden. Und gekreuzt ist diese Revolution durch den Aufruhr, in welchen

die moralischen Kräfte der Völker hineingeschleudert worden sind. Noch voll des Glaubens an eine ideelle Gestaltung der Dinge, an eine Welt konstruierter Möglichkeiten, so ergriff uns vor nunmehr neun Jahren eine verhängnisvolle politische Bewegung. Ihre Fluten verliefen, und wie die Leidenschaft sank, so erblickten wir uns von einer namenlosen Öde und Ratlosigkeit umgeben. *Hinweggespült war jene üppige und naive Zuversicht, womit wir uns in die Weltbewegung hineingestürzt hatten. Der allmächtig geglaubte Idealismus hatte sich ohnmächtig erwiesen.* Wir standen und wir stehen mitten in dem Gefühle einer großen Enttäuschung. Ohne Respekt vor den siegreichen Wirklichkeiten, vor der triumphierenden Misere der Reaktion, haben wir doch gleichzeitig den Glauben an die einst gehegten Ideale eingebüßt. Wie durch einen scharfgezogenen Strich ist die Empfindungs- und Ansichtswelt des vorigen Jahrzehnts von unserer gegenwärtigen getrennt. *Diejenige Philosophie, an welche unser deutscher Spiritualismus sich zuletzt anlehnte, hat die ihr gestellte Probe nicht bestanden.* Die Interessen, die Bedürfnisse der Gegenwart sind über sie mächtig geworden. Sie ist mehr als widerlegt: sie ist gerichtet worden. Sie ist nicht durch ein System — sie ist einstweilen durch den *Fortschritt der Welt* und durch *die lebendige Geschichte* beseitigt worden.'' (Rudolf HAYM, Hegel und seine Zeit. Vorlesungen über Entstehung und Entwicklung, Wesen und Wert der Hegelschen Philosophie. Zweite, um unbekannte Dokumente vermehrte Auflage, herausgegeben von Hans ROSENBERG. Leipzig 1927, 6 [die letzten beiden Hervorhebungen im Original].) — Dieser Text ist also nicht nur als zeitgeschichtlicher Beitrag von großem Interesse, sondern auch als parallele, alternative Motivation zu Brentanos ,,Ablehnung'' desselben Philosophen.

100 Die philosophische, doch auch die allgemein-historische Bedeutung der Geschichte des ,,naturwissenschaftlichen'' Materialismus war nicht nur für die spätere Gestaltung der philosophischen Szene von großer Bedeutung, sondern trug auch erheblich zur späteren Trennung zwischen ,,Wissenschaft'' und ,,Religion'' bei. Dieser Materialismus scheiterte ,,als Philosophie'' in einer Zeit, die die ,,Wissenschaft'' auf ihre Fahnen schreiben wollte, während man gerade ,,wissenschaftlich'' nichts gegen diese Richtung geltend machen konnte. Die Disqualifizierung dieser Schule (zum Teil auch noch später in den Augen der Klassiker des Marxismus) führte zu zahlreichen Konfusionen in Sachen ,,Philosophie'' und ,,Materialismus''. Obwohl dieser große Kampf der fünfziger Jahre Österreich-Ungarn im wesentlichen verschonte (abgesehen von dem nicht unbedeutenden Versuch Ferenc Mentovich', den naturwissenschaftlichen Materialismus in Ungarn zu adaptieren), ermöglichte es unter anderem auch der Ausgang dieser Kontroverse dem österreichischen Harmonismus, *sich als nicht allzu unzeitgemäß erleben zu können.*

101 Obwohl der Positivismus keineswegs mit jener Selbstverständlichkeit den Kontinent eroberte, von der in zahlreichen Geschichten der Philosophie so viel geschrieben wird, ist sein Vordringen in diesem Jahrzehnt dennoch eine unumgängliche Tatsache. Wir wollen im späteren die Eigentümlich-

keiten des österreichischen Positivismus hervorheben, in dem die Kraft, der Farbenreichtum, der Ethos der wissenschaftlichen Forschung und der Wahrheit sowie deutliche aufklärerische Züge als richtungsweisende Eigenschaften nachgewiesen werden konnten. Wir erklären diese Züge vor allem dadurch, daß dieser Positivismus nicht *gegen* die (hegelsche) *Spekulation,* sondern *gegen* die *Harmonistik* auftrat und selbstverständlich *durchaus mehr emanzipative* Velleitäten in sich trug als der Positivismus in anderen Ländern.

102 Diese Verschiebung der philosophischen Entwicklung, die Nähe bzw. Stärke der universalistischen Konzeption führt auch dazu, daß der Neukantianismus nicht zu jener führenden Richtung wie zum Beispiel in Deutschland wurde. Der größte Zusammenstoß bzw. die Ablösung der Harmonistik durch diesen farbenreichen Positivismus erfolgte in Österreich-Ungarn später, als der Neukantianismus das Vakuum in Deutschland füllte. Man könnte es vielleicht auch so formulieren, daß *der Neukantianismus für die Harmonistik zu „viel", für den Positivismus zu „wenig" war.*

103 Als Zusammenfassung eines längeren Gedankenganges lesen wir folgendes: *„Wir sahen, daß die positive Betrachtungs- und Forschungsweise nicht von vornherein sich gegen den Theismus abzuschließen berechtigt ist;* weder darum, weil sie die Erkenntnis der Ursachen überhaupt für unmöglich hält, — denn dies tut sie nicht in jedem Sinne, sondern nur insofern, als sie keine solche Einsicht in das Wesen der Ursache zu erlangen hofft, daß ihr daraus die Wirkung selbst begreiflich würde —; noch darum, weil sie die Annahme eines göttlichen Verstandes auf die Analogie mit dem eigenen Wirken stützt; noch endlich darum, weil die theistische Anschauung die Entdeckung der Naturgesetze unmöglich macht, sei es, weil sie die Ordnung der Natur selbst aufhebt, sei es, weil sie ihre Erforschung als unnütz verwirft, indem sie in Gott den Erklärungsgrund von allem gefunden habe." (F. BRENTANO, Auguste Comte [zit. Anm. 68], 125.) — Wir sehen hier, wie sorgfältig Brentano diese neue, bis dahin unvorstellbare „Koalition" der positivistischen Wissenschaft mit der Religion untermauert. Er unternimmt alles, um diese „Koalition" sicherzustellen: „Nun bleibt nur noch eine einzige Weise übrig, in welcher der Theismus ein Feind der positiven Naturerforschung werden könnte. Auch dann nämlich würde er das Ende und der Tod aller wissenschaftlichen Untersuchungen sein, wenn einer mit der Entdeckung, daß alles von Gott herrühre, sich aller Erforschung der sekundären Ursachen (!) und ihrer Gesetze entbunden glaubte, indem er mit Überspringung aller sekundären wirkenden Prinzipien immer sogleich auf Gott als den ersten und vollkommenen Erklärungsgrund hinüberweise." (Ebenda 123 – 124.)

104 Franz BRENTANO, Aristoteles und seine Weltanschauung, Leipzig 1911, 24 – 25. — Stark in die Richtung der traditionalistischen Harmonistik weisen Brentanos Bemerkungen über Leibniz, mehr noch vielleicht jene Geste, mit der er das Undifferenzierte des Seienden in Schutz nimmt:

„... so vielfach die Bedeutungen (der das Seiende bezeichnenden Worte — E. K.) sind, so stehen sie doch alle zu *einer* in Beziehung, und entfiele das, dem der Name in diesem Sinne zukommt, so würde auch alles, dem er in anderem Sinne zukommt, entfallen. Jede Wissenschaft geht zwar nur auf *eine* Gattung von Objekten, steht aber für all das, was ihr als solcher zukommt, fest. Und so wird denn auch die Weisheit, wenn sie das Seiende im eigentlichen Sinne zum Objekt hat, alles im uneigentlichen Sinne seiend Genannte einheitlich mit umfassen." (Ebenda 28.)

105 Aus den vielen diesbezüglichen Formulierungen sei die folgende zitiert: „Das philosophische Verfahren, das nach Kant und unter dem Einfluß Kants in Deutschland eingerissen ist, war denn auch von allem, was man common sense zu nennen sich versucht fühlten könnte, so weit entfernt als möglich. Herbart und Schopenhauer waren bereits sich darüber klar, daß es unter dem Einfluß Schellings und Hegels vielmehr zur Herrschaft eines ‚common non-sense' gekommen sei." (F. BRENTANO, Versuch über die Erkenntnis. Aus seinem Nachlaß herausgegeben von Alfred KASTIL. Leipzig 1925, 47.)

106 F. BRENTANO, Auguste Comte (zit. Anm. 68), 123 — Die Akzente dieser Argumentationsweise ließen sich aber unschwer für Brentano umkehren: nicht mehr der „Glaube" wird mit der Wissenschaft verträglich gefunden, sondern Comtes „Fehler" (in der Forschung) werden als Beweise für die „Göttlichkeit der Kirche" stehen: *„Comtes Irrtümer sind groß, aber sie sind Zeugen großer Wahrheiten.* Das Mißlingen seines Versuches ist vollständig, aber es ist in seiner Weise der gelungenste Beweis für die Göttlichkeit der Kirche." (Ebenda 101 — Hervorhebung E. K.)

107 Diese „ersten" Stadien sind auch aus dem Grunde die meistgeschätzten, weil das „lebendige und reine theoretische Interesse" in ihnen mit der „wesentlich naturgemäßen Methode" zusammengeht, d. h. die Empirie in ihnen optimal berücksichtigt wird.

108 Diese Tendenz ist bei Brentano klar zu verfolgen, auch wenn er diese Eigenschaften oft der klassischen deutschen Philosophie zur Last legt.

109 Ein gutes Beispiel dafür liefert die Tatsache, daß Brentano die Errichtung eines psychologischen Kabinetts in Wien sehr befürwortete. Siehe zum Beispiel Anhang zum Vortrag über die Zukunft der Philosophie. In: Über die Zukunft der Philosophie. Herausgegeben, eingeleitet und mit erläuternden Anmerkungen und Register versehen von Oskar KRAUS. Leipzig 1929.

110 Brentanos *historisch gewordene* Definition der Intentionalität lautet: „... haben schon Psychologen älterer Zeit auf eine besondere Verwandtschaft und Analogie aufmerksam gemacht, die zwischen allen psychischen Phänomenen bestehe, während die physischen nicht an ihr Teil haben. Jedes psychische Phänomen ist durch das charakterisiert, was die Scholastiker des Mittelalters die intentionale (auch wohl mentale) Inexistenz eines Gegenstandes genannt haben, und was wir ... die Beziehung auf einen Inhalt, die Richtung auf ein Objekt... oder die immanente Gegenständlichkeit nennen würden." (F. BRENTANO, Psychologie vom

empirischen Standpunkt. Mit ausführlicher Einleitung, Anmerkungen und Register herausgegeben von Oskar KRAUS, Erster Band, Leipzig 1924.)

111 Sehr charakteristisch formuliert im Vorwort zur dritten Auflage Margit ORNSTEIN, daß diese Biographie eigentlich eine Prinzipienerklärung der österreichischen ,,zweiten" Aufklärung war: ,,Turmhoch über allen rein biographischen und literaturwissenschaftlichen Büchern steht sein Werk dort, wo es sich den allgemeinen Fragen der Moral und Politik zuwendet (!). Wir lernen Voltaire als einen der ganz wenigen Schriftsteller kennen, die jeder, der sich im Chaos des Lebens zurechtfinden will, immer und immer wieder, sein ganzes Leben hindurch, studieren sollte... Wer ein Werk, wie Poppers ,Voltaire', *nur* von literaturwissenschaftlichem Standpunkt beurteilt, ... dem fehlt das Gefühl für den Ernst und die überragend menschliche Bedeutung der Sache." (Das Vorwort siehe in J. POPPER-LYNKEUS, Voltaire, dritte unveränderte Auflage, Wien und Leipzig 1925, V – VI.) Dasselbe Vorwort enthält aber noch einen wichtigen Hinweis auf die Bedeutung des Werkes im Rahmen der österreichischen ,,zweiten" Aufklärung. Es wird Ernst Machs Stellungnahme zum Werk zitiert: ,,Es ist eine erhabene Gerechtigkeit darin". (Ebenda.)

112 Die Konflikte zwischen Friedrich II. und Voltaire, noch mehr aber die Polemik gegen die preußische Apologie des ersteren und gegen die ,,preußische" Ablehnung des zweiten machen den überwiegenden Teil des Werkes aus. Diese Auffassung ist für uns ohne eine Reflexion auf Mehrings Werk kaum vorstellbar. Daß Popper-Lynkeus selbst sich dieser Relation eindeutig bewußt war, zeigt seine — ohne konkrete Hinweise geführte — Polemik *für* die historische Bedeutung der ,,großen" Männer: ,,Die Frage, ob es die *großen Männer* oder ob es die *großen Massen* sind, auf die bei der geschichtlichen Entwicklung alles ankommt, oder ob es beide sind, wird wohl jeder unvoreingenommene Beobachter der Dinge im letzteren Sinne, nämlich: *daß es beide sind,* beantworten" (ebenda 231). Denkt man an die Bedeutung dieser Frage oder gar an die sozialdemokratische Beantwortung derselben, so ist dieser Hinweis auch nicht zu mißdeuten. Aus diesem Zusammenhang wird klar, daß sich die österreichische ,,zweite" Aufklärung nicht mehr nur gegen die ,,dunklen Mächte der Vergangenheit", sondern zum Teil auch schon gegen die rivalisierende Weltanschauung der Sozialdemokratie richtet.

113 Siehe als Beispiel La Barre — Dózsa György. In: Endre ADY, Publicisztikai irásai. Band II. 1905 – 1907. Budapest 1977, 460 – 461. Das dem Ritter La Barre in Paris errichtete Denkmal war für Ady Anlaß, auch György Dózsa, dem Führer des Bauernaufstandes von 1514, ein historisches Denkmal herbeizuwünschen. Die Parallele weist auf die im Text genannte Entsprechung zwischen der ,,großen" und der ,,zweiten" Aufklärung hin, auch wenn dies eher ein plastisches Beispiel der *ungarischen* Fassung dieser Aufklärung abgab.

114 Ebenda 460 – 461.

115 Ebenda 6.

116 Der sich hier abzeichnende Gegensatz ist jener zwischen dem aufklärerischen radikalen und freidenkenden Bürger und dem idealtypischen Philister. Diese Zweiheit ist für Österreich soziologisch relevant, und ihre Bedeutung läßt Folgerungen sowohl auf die Sozialstruktur als auch auf den Stand sozialgeschichtlicher Prozesse zu.

117 Die Dynamik der den Liberalismus tragenden mittleren Schichten wurde also in dreifacher Weise gebremst: durch die Kontroverse mit den traditionell führenden und sich stets modernisierenden politischen Schichten, durch die vielen Nationalitäten des Staates sowie durch die weitere Teilung dieser Schichten aufgrund des „Judenproblems". Diese Faktoren wären geeignet, die Grundlage für ein Modell der Situation der Mittelklassen zu bilden.

118 Siehe Anmerkung 114.

119 Ebenda 20.

120 Ebenda 218.

121 Ebenda 176 — Nicht so sehr ein Ressentiment, vielmehr eine (im schlechteren Sinn des Wortes) präventive Strategie spricht aus Popper-Lynkeus, wenn er Tolstojs Religiosität disqualifizieren will (und dabei ein Zeugnis seiner eigenen Engstirnigkeit ablegt): „Daher ist für den intelligenten Leser die Lektüre seiner Schriften so unangenehm und alle seine Betrachtungen, soweit sie nicht bezüglich sozialer Übelstände polemischer und kritischer Natur sind, erscheinen gegenstandslos (!), ich erlaube mir sogar zu sagen: kindisch; der gebildete Westeuropäer empfängt daher von allen seinen positiven Argumentationen überhaupt gar keinen ernsten Eindruck." (Ebenda 176.)

122 Diese Einstellung Popper-Lynkeus' gegenüber Tolstoj zeugt von den mehr zeitgebundenen, jedenfalls aber beschränkten Zügen der „zweiten" Aufklärung. *Sein lautstarkes „ceterum censeo" jeder Art von Religiosität gegenüber scheitert bei der Rezeption eines Phänomens wie Lev Tolstoj,* obwohl er, wie unser Zitat nachweisen kann, den Versuch unternimmt, seine Position so vielgestaltig wie nur möglich zu schildern: „... woher Tolstoj überhaupt es weiß, daß ein Gott existiert, daß er einen Willen besitzt, daß der Mensch eine ‚Bestimmung' hat, die er begreifen soll, wann und wo ihm diese Bestimmung von ‚Gott' mitgeteilt wurde, und daß selber, wenn diese Bestimmung existiert, sie gerade einen *moralischen* Charakter haben muß — daß alles erfährt man nicht (!). Statt einfach die moralische Empfindung im Menschen zu erwecken, wie das Confucius mit so viel Erfolg getan hat, verquickt er seine Ethik mit Transzendenzen, die ihm noch aus seiner Jugendzeit anhängen, und spricht zu seinen Lesern, wie man zu Kindern und Bauern oder jungen Mädchen vom *‚lieben Gott'* und vom ‚Himmelvater' spricht. Für russische Verhältnisse (!) mag diese Art zu moralisieren sehr wirksam sein, bei Tolstojs Ehrlichkeit ist aber gar nicht daran zu zweifeln, daß er nicht aus Berechnung, sondern aus wirklicher Überzeugung so schreibt. (!)" (POPPER-LYNKEUS, Voltaire [zit. Anm. 111], 175 – 176). Seine *„strategische"* (wiederum im schlechten Sinne des Wortes) *Einstellung* erscheint

in seiner Anschauung nicht selten als desorientierender Faktor. Gerade weil wir diesen Zug im Gesamtbild der österreichischen ,,zweiten" Aufklärung für so wichtig halten, zitieren wir einen weiteren Gedanken Popper-Lynkeus' über Tolstoj, der mit dem vorhin angedeuteten, übrigens oft modifizierten Ergebnis nicht mehr übereinstimmt: ,,Unter die *nichtreligiösen* Schriftsteller ist Tolstoj aber darum zu zählen, weil er mit seinen religiös klingenden Worten (!) nur eben moralische, aber keinerlei unmoralische und keinerlei außer-moralische Vorschriften, namentlich keinerlei Absurdität, verbindet: das heißt: er ist Ethiker, allerdings mit eingesprengten religiösen Gewohnheitsphrasen." (Ebenda 175 – 176.)

123 Albert Fuchs zitiert Popper-Lynkeus zu diesem Thema: ,,Um ein brauchbares soziales Programm aufzustellen, also um die Menschen ökonomisch zu sichern, benötigen wir weder Nationalökonomie, mit oder ohne Psychologie, mit oder ohne Mathematik, noch Biologie, noch Psychologie, und auch keine Wirtschaftsgeschichte und keine Rechtsphilosphie..." Und ein weiteres Zitat: ,,Wenn möglich noch gefährlicher als Theorien sind Ideale." (A. FUCHS, Geistige Strömungen in Österreich [zit. Anm. 26], 159.)

124 Dieser Zusammenhang kann sowohl im *positiven* als auch im *negativen* Sinne weiter erschlossen werden. Popper-Lynkeus' Argumentation gegen die Religion bezieht sich keineswegs auf eine Kritik *der ideologischen Phänomene par excellence,* wie dies bei Nietzsche der Fall ist. Die Auseinandersetzung mit der christlichen Religion führt bei Nietzsche eigentlich bis zum allgemeinen Problem der Wertung bzw. der Umwertung überhaupt. Dies ließe sich positiv auch so formulieren: Popper-Lynkeus verschwendet keinen Gedanken daran, daß mit dem Untergang der christlichen Wertschätzung in jenem Sinne *,,neue Werte"* notwendig wären, wie dies bei Nietzsche geschieht. In diesem Zusammenhang erweist sich Popper-Lynkeus tatsächlich als ,,Aufklärer" — er geht mit keinem Schritt über die klassischen aufklärerischen Positionen hinaus.

125 Zitiert bei Albert FUCHS, Geistige Strömungen (zit. Anm. 26), 157 – 158.

126 Zur Geschichte der psychoanalytischen Bewegung (1914). In: S. FREUD, Selbstdarstellung (zit. Anm. 28), 155 – 156.

127 Josef POPPER-LYNKEUS, Träumen wie Wachen. In: Phantasien eines Realisten. Neunte verbesserte Auflage, Dresden und Leipzig 1920, 150.

128 Ebenda 157.

129 Ebenda 162.

130 Ebenda 162.

131 Zitiert in A. FUCHS, Geistige Strömungen (zit. Anm. 26), 157.

132 ,,Die Beweise der elenden wirtschaftlichen Verhältnisse in der heutigen Gesellschaft liegen offen zutage und machen alle statistischen Untersuchungen überflüssig; man muß sich nur nicht blind stellen. Das sind also zuerst die Bettler und die Arbeitslosen; dann diejenigen, die Armenunterstützung genießen; dann die Verbrecher aus Not; dann das sichtbarste Elend ganzer Stadtviertel in den großen Städten; dann das bekümmerte und sorgenvolle Leben, das man bei einiger Aufmerksamkeit in einem

großen Teile des Mittelstandes, namentlich des kleineren, bemerken kann, der selbst bei normalem Geschäftsgange sich stets unsicher fühlt; dann die zahllosen Züge von Gemeinheit und Schmutzerei, die man für nötig hält, ja die leider oft wirklich nötig sind, um wirtschaftlich vorwärts zu kommen..." (Nach dem Kriege! Ein Auszug aus: Die allgemeine Nährpflicht als Lösung der sozialen Frage. Eingehend bearbeitet und statistisch durchgerechnet von Josef POPPER-LYNKEUS. Zusammengestellt von Walther MARCUS, 3. Auflage. Dresden o. J., 14.) Diese Einstellung läßt sich übrigens auch in weiten Kreisen des unternehmerischen Bürgertums nachweisen und führt zur Identifizierung vieler spezifischer Eigenschaften der österreichischen Gesellschaft und Kultur, angefangen von gewissen „österreichischen" Zügen der Sozialdemokratie bis zu jenen Prä-Technokraten, die ihre Grundkonzeptionen *auf der Basis* dieser zweifachen Relation zum unternehmerischen Kapitalismus aufbauten. Hiezu gehört aber auch, daß dieses unternehmerische Bürgertum nicht nur eine verhältnismäßig *neue*, d. h. soziologisch gesehen *junge*, sondern auch eine vom Staate *beförderte* Klasse war. So kam es dazu, daß Dreieckkonflikte „Unternehmer—Arbeiter—Staat" sich nur selten wirklich zuspitzten.

133 Ein ins Detail gehender Vergleich zwischen Popper-Lynkeus und Carlyle bzw. Ruskin würde unter Beweis stellen, daß ihre gemeinsamen praktischen Bestrebungen durch unterschiedlich akzentuierte anthropologische Vorstellungen untermauert sind. Popper Lynkeus' aufklärerische Kreatürlichkeit war mit dem ästhetisierten Persönlichkeitsidealismus der letzteren nicht identisch, auch wenn diese beiden Vorstellungen einander nicht nur in letzter Instanz ähneln, sondern in der verschiedenen Konzepten genau die gleiche Funktion erfüllen.

134 „Das Prinzip des Mindestlohnes, das nunmehr in einem so großen Maßstabe in die Volkswirtschaft eingeführt wurde, wird für unser kapitalistisches Wirtschaftssystem von weittragenden Folgen sein und einen weiteren Schritt zum Ziele des Sozialismus (!): der Sicherung eines Existenz- nicht Lohn-Minimums bedeuten." (J. POPPER-LYNKEUS, Nach dem Kriege! [zit. Anm. 132], 23.)

135 Ebenda 5.

136 Friedrich ADLER, Ernst Machs Überwindung des mechanischen Materialismus, Wien 1918, 23 – 26.

137 Diese wissenssoziologisch überwiegend *eindimensionale* Darstellung des Positivismus ist auch für die neueren Zusammenfassungen charakteristisch geblieben. Ein Beispiel: L. KOLAKOWSKI, Positivist Philosophy. From Hume to the Vienna Circle (ursprünglich polnisch 1966).

138 Friedrich JODL, Geschichte der Ethik als philosophischer Wissenschaft. Zweite, vollständig durchgearbeitete und vermehrte Auflage. Stuttgart und Berlin 1912. Band II, 264.

139 Eine weitere Bemerkung Jodls über Feuerbach, ebenda 262.

140 Eine Ironie der philosophiegeschichtlichen Darstellung ist es, daß die hier gepriesene Einstellung Feuerbachs auf der Grundlage entstand, daß er die

hegelsche „Negation der Negation" nicht nur nicht anerkannte, sondern ihr auch keinerlei vernünftigen Sinn abzugewinnen wußte...

141 Die Hypothese scheint vertretbar zu sein, *daß die letzten Endes universalistischen Abarten des Positivismus „erhaltende" und die antiuniversalistischen Varianten desselben „revolutionär-dimensionsändernde" Eigenschaften werden können.*

142 Insbesondere in der zweiten, nachrevolutionären Hälfte des vorigen Jahrhunderts wächst die Bedeutung der soziologisch relevanten „tragenden" Gesellschaftsschichten für die Lebensfähigkeit einer Philosophie. Wir können in dieser Zeit dem Vorhandensein oder Nichtvorhandensein tragender sozialer Schichter im Hinblick auf einzelne Richtungen sogar oft die entscheidende Rolle bei der Entwicklung der Philosophie zuschreiben.

143 Es ist erwähnenswert, wie dieses Festhalten am Konkret-Sinnlichen bei Popper-Lynkeus in „Theoriefeindlichkeit" und bei Jodl in seiner ablehnenden Einstellung gegenüber allem Formalen zum Ausdruck kommt. Deutlich zeichnen sich in Jodls Attitüde die Eigenart der Ethik, aber auch jener stark genetisch orientierte und deshalb historisch-relative Grundzug des österreichischen Positivismus ab.

144 Fr. JODL, Geschichte der Ethik (zit. Anm. 138), 263.

145 Siehe zum Beispiel ebenda 319.

146 Obwohl Jodls anthropologischer Annäherungsversuch zweifellos an Voraussetzungen gebunden ist, ist die Anthropologisierung auch bei ihm ein Zeichen dafür, daß er hinter die Oberfläche der sozialen bzw. politischen Wirklichkeit schauen wollte.

147 Fr. JODL, Über das Wesen und die Aufgaben der Ethischen Gesellschaft, 3. Auflage, Wien 1909, 18; zitiert auch bei A. FUCHS, Geistige Strömungen (zit. Anm. 26), 154.

148 Ebenda 154.

149 Als Verfasser einer „materiellen", d. h. nicht „formalen" Ethik (siehe Anmerkung 146), ist Jodl gezwungen, auch wegen seiner Inbetrachtnahme der „materiellen" (d. h. eben *soziologischen)* Abweichungen auf anthropologisch Allgemeines (und gleichzeitig Integratives) zurückzugreifen.

150 A. SILBERSTEIN-ÖTVÖS, Im Strome der Zeit, Budapest 1885, Bd. I, 10.

151 Diese ganzheitlichen Strukturen entstehen freilich auf Grund unterschiedlicher Willensmotive. Das Ziel des *universalistischen* Ganzen ist die Bestätigung bzw. die Affirmation der göttlichen Weltordnung, während jenes des aufklärerischen Ganzen eher die Betonung dessen ist, daß „eigentlich" bei natürlichem Stand der Dinge keine schicksalhaften Gegensätze bestehen. Diese Auffassung bleibt gewiß hinter dem bei Hegel bereits erzielten Niveau der politischen Philosophie zurück, obwohl die tatsächlichen aktuellen Auswirkungen dieses Zurückbleibens sehr unterschiedlich sein können.

152 A. SILBERSTEIN-ÖTVÖS, Im Strome der Zeit, Bd. III [zit. Anm. 150], 170.

153 Zum Teil hing das freilich auch mit den konkreten Aufgaben der Organisation des modernen Schulwesens, mit dem Kampf zwischen Staat und Kirche, Religion und Naturwissenschaften, traditoneller klassischer und moderner technisch-praktischer Kultur zusammen. *All diese Faktoren können aber nicht vergessen machen, daß bestimmende geistig-ideologische Auseinandersetzungen auf dem Gebiet des Schulwesens ausgefochten wurden.* In Ungarn könnte man dazu die Namen József Eötvös, Csengery, Trefort und viele andere erwähnen.

154 J. J. ROUSSEAU, Emil. Ins Ungarische übersetzt von Ignác Führer, Budapest 1875, 7.

155 Ursprünglicher Titel: *Halálfiai* (1927). Der große Roman enthält zahlreiche auch im Dokumentarischen entscheidende Motive aus dem Leben eines Ungarn um die Jahrhundertwende, so auch aus der Entfaltung der „zweiten" Aufklärung. Seine Darstellung ist jedoch nicht ganz frei von Voreingenommenheit, so daß der große Roman — so prächtige Details er auch enthalten mag — als unüberprüfte unmittelbare Quelle für die Ideen- bzw. Mentalitätsgeschichte nicht in Anspruch genommen werden kann.

156 Für das Wichtigste halten wir die Isomorphie in ganzheitlichen Strukturen zwischen Universalismus und „zweiter" Aufklärung. Siehe auch Anmerkung 151.

157 Obwohl weder Alexander noch Szemere in ihren Philosophien als Aufklärer betrachtet werden können, liefert ihre Darstellung Spionozas ein Musterbeispiel für eine Einstellung, die nicht mehr den spekulativen Denker, sondern den Anti-Religiösen, den einsamen Kämpfer gegen seine Zeit, den Protagonisten eines prononciert a-religiösen Humanismus in den Vordergrund stellt. Diese Spinoza-Darstellung ist emblematisch für die „zweite" Aufklärung Österreich-Ungarns. Siehe dazu u. a. auch das Kapitel über Mauthner in diesem Buch.

158 Die für Kosztolányi gewiß entscheidende Besprechung des *Törleß* war jene Miksa FENYŐs in der Zeitschrift *Nyugat* (1908), um so mehr, weil auch Kosztolányi in seiner Eigenschaft als hervorragender Lyriker zu den Dichtern derselben Zeitschrift gehörte. Stärker auf die Essenz dieses Zusammenhanges weist die Tatsache hin, daß Kosztolányi schon eine ganze Tradition von in Schulen spielenden dramatischen Entwicklungsromanen miteinbeziehen konnte, deren Schauplätze in der Mehrheit Militäranstalten waren. Darauf deuten u. a. die wertvollen vergleichenden Forschungen von Robert Minder hin.

159 Dezső KOSZTOLÁNYI, Aranysárkány, Budapest 1961, 268.

160 Ebenda 275 – 276.

161 Ebenda 282.

162 Robert MUSIL, Die Verwirrungen des Zöglings Törleß. In: Gesammelte Werke, Bd. 6, Hamburg 1978, 74.

163 So einmalig die Darstellung dieses Prozesses in den beiden Romanen auch ist, liefern die Dichter *kein analytisches Bild* der Gründe und Motive. Die Wissenschaft hätte seitdem die Initiative mehrmals ergreifen kön-

nen, um dies zu gewährleisten. Paradigmatisch jedenfalls ist es in beiden Fällen, daß die ,,Welt der Rationalität" vor allem von Menschen offen attackiert wird, die ihren Platz in dieser Welt nicht finden können und deren ,,Irrationalität" eigentlich als ein Mittel zur Geltendmachung ihrer Wertvorstellungen aufgefaßt werden kann.

164 D. KOSZTOLÁNYI, Aranysárkány (zit. Anm. 159), 192.

165 Ebenda 273.

166 Hildas Gestalt trägt auch Züge, die auf die umwälzende Veränderung der weiblichen Attitüden in der besprochenen Periode hinweisen.

167 D. KOSZTOLÁNYI, Aranysárkány (zit. Anm. 159), 405 – 406.

168 Ebenda 471.

168a Ebenda 471 – 472.

169 R. MUSIL, Die Verwirrungen des Zöglings Törleß (zit. Anm. 162), 19.

170 Ebenda 20.

171 Ebenda 39 – 40.

172 Ebenda 41 – 42.

173 Eine eingehendere Analyse Kürnbergers könnte auch hinsichtlich der hochinteressanten Frage, in welchem Verhältnis die bürgerliche Radikalität des Vormärz zur ,,zweiten" Aufklärung der siebziger und achtziger Jahre stand, manches einbringen.

174 Ein Beispiel für seine Beurteilung der Französischen Revolution: ,,... die Männer der großen Revolution waren völlig frei von der Krankheit des Pessimismus. Hoffnung und Zuversicht erfüllte sie zum Überströmen. Sie hatten die feste Überzeugung, unfehlbare Mittel zur Sicherung des absoluten Menschenglücks zu besitzen, und mit dieser Überzeugung ist es unmöglich, nicht selbst glücklich zu sein... Diese Jugendlichkeit, ja Kindlichkeit der Hoffnungen und Illusionen, diese Freudigkeit beim Ausblick in die Zukunft ist vielleicht das allermerkwürdigste Phänomen an der großen Revolution." (Max NORDAU, Die conventionellen Lügen der Kulturmenschheit. Leipzig o. J., 23 – 68).

175 Das Erbrecht stellt für Nordau u. a. *auch einen Verstoß gegen die natürliche Weltordnung* dar: ,,Der Ahn hat Vermögen erworben, er will es seiner Familie hinterlassen, um sie womöglich für immer der Arbeit eigenen Erwerbs zu entheben. Das ist eine Auflehnung gegen alle Naturgesetze. Es ist eine schwere Störung der Naturgesetze, der Weltordnung, welche das ganze organische Leben beherrscht und die bestimmt, daß jedes Lebewesen sich selbst seinen Platz am großen Tische der Natur erzwingen oder untergehen muß." (Ebenda 246.)

176 Nordaus Bild vom Staat könnte dazu herangezogen werden, sein gesamtes, nicht allzu einfaches Verhalten in politischen Fragen zu rekonstruieren. Ein Großteil der ,,politischen" Lügen hängt direkt damit zusammen, in welcher Entfernung der Staat von seiner ursprünglichen Mission, als Vertreter der Volkssouveränität, steht (darin erkennt man unschwer die Position des Bürgerlichen inmitten eines ausgebauten Staatenkomplexes). Nordau hält jedoch denselben Staat, um nur ein Beispiel zu nennen, im Prinzip für geeignet, die Organisation der Gesellschaft voll und

ganz in die Hand zu nehmen: „Der Heimfall aller Güter an den Staat nach dem Tode ihrer Erwerber schafft ein nahezu unerschöpfliches gemeinsames Vermögen, ohne den individuellen Besitz aufzuheben." (Ebenda 253.) Charakteristisch ist auch, wie unzufrieden Nordau mit der Tatsache ist, daß der Staat die Aufgaben der „zweiten" Aufklärung nicht immer optimal löst: „... der Staat ernennt Professoren, ... und diese Professoren haben den direkten Auftrag, zu lehren und zu beweisen, daß die Weltvorgänge von natürlichen Gesetzen regiert werden... allein neben diesen Professoren der exakten Wissenschaft ernennt er auch Professoren der Theologie, welche den ebenso direkten Auftrag haben, zu lehren..." (Ebenda 64.)

177 Wird einmal die Geschichte der europäischen Kulturkritik geschrieben, so wird darin Österreich-Ungarn an führender Stelle vertreten sein. Für das Aufblühen dieser Gattung können wir hier nur jenes entscheidende Motiv hervorheben, welches bei unserer Analyse Popper-Lynkeus' und Nordaus sofort ins Auge sprang: es geht um die Bedeutung einer dynamischen Sozialschicht, welche umwälzende Veränderungen in vielen Sektoren durchführt, ohne an den Grundlagen der sozialen Einrichtungen irreversible Änderungen durchführen zu wollen.

178 Die Differenz zwischen Kultur und Politik in der Kulturkritik kann mehrfach erörtert werden. Das Wesentliche sehen wir nicht darin, daß Kulturkritik nur „Kulturelles" kritisiert, *sie kann auch das Politische „kulturkritisch" fassen.* Wichtiger ist, daß der Kulturkritiker seine Kritik *nicht in der Sphäre der Politik situiert,* d. h. weder in der theoretischen noch in der praktischen Sphäre der Politik zu einer bestimmten Zeit und in einem bestimmten Raum.

179 M. NORDAU, Die conventionellen Lügen (zit. Anm. 174), 19. Diese Definition Nordaus kann auch zusammenfassend für die kulturkritische Symptomatik Österreich-Ungarns stehen.

180 Gemeint ist die Verbreitung der kulturkritischen Publizistik, die — auf unterschiedlichstem Niveau — mit bisher nie gekannter Effektivität zur Modernisierung des geistigen Universums beitrug. Diese Umwälzung in den „Medien" war unerläßlich in jenem Prozeß, der die „Reflexion" in die zähen universalistisch-harmonistischen Komplexe einbrechen ließ.

181 Das Ziel der pragmatischen Einstellung Nordaus ist aber wiederum der mit sich selbst *identische* moderne Mensch: „Ein unüberbrückbarer Abgrund klafft zwischen unserer Erkenntnis, zwischen dem, was wir als Wahrheit empfinden, und den herkömmlichen Einrichtungen, unter denen wir zu leben und zu wirken gezwungen sind." (M. NORDAU, Die conventionellen Lügen [zit. Anm. 174], 25.)

182 Ebenda 182.

183 Diese kulturkritisch-positivistische Denkweise löste das Konkrete aus der Umklammerung durch das Universale heraus und stellte das Singuläre und Konkrete in die vorderste Linie jeder sinnvollen Untersuchung. Siehe dazu auch Anmerkung 151.

184 Die Grenzen zwischen „Deutschem" und „Österreichischem" waren

freilich auch in diesem Falle verschwimmend, so daß die Gravitationsrichtung dieser Kulturkritik in diesen ineinander übergehenden geistigen Räumen nur sehr schwer ganz rein festgestellt werden kann.

185 Nordau ist auch deshalb ein klassischer Vorläufer der österreichischen Kulturkritik, weil seine Symptomatik überwiegend *negativ* ist. Seine *positiven* Konzepte über eine Kultur der Zukunft können — wie übrigens auch bei Karl Kraus — erst durch langwierige Rekonstruktionen ermittelt werden.

185a Wir wollen hier nicht die Modifizierungen von Nordaus Nietzsche-Bild miteinbeziehen. Es genügt uns, *wenn die grundsätzliche Relation Nordau-Nietzsche bei der Entstehung der österreichischen Kulturkritik hinreichend beleuchtet wird.*

186 Ebenso paradigmatisch ist es, daß Nordau zwar in seinem Kapitel über „Die monarchisch-aristokratischen Lügen" die „große Revolution Frankreichs" voll und ganz würdigt (M. NORDAU, Die conventionellen Lügen [zit. Anm. 174], 80ff.), nicht viel später aber die „Gleichheit" als „ein Hirngespinst von Stubengelehrten und Träumern" abqualifiziert. (Ebenda 113.) Der Widerspruch ist jedoch nur ein scheinbarer: *er würdigte zuvor die große Revolution vor allem wegen ihres effektiven bedingungslosen Auftretens gegen die Monarchie.*

187 Seine Position scheint auch in diesem Zusammenhang zwischen zwei Extremen zu schwanken: einerseits sagt er explizit: „... je mehr der Proletarier arbeitet, um so mehr verschlimmert er seine Lage" (ebenda 226), andererseits nennt er den Kommunismus „die törichte Ausgeburt einer Phantasie, die sich ohne Rücksicht auf die Weltwirklichkeit und Menschennatur blauen Träumereien hingibt." (Ebenda 242.) — Hier kann doch gezeigt werden, daß seine *Analyse* vielen Versionen der sozialistischen Ideologen nahesteht, was damals zwischen positivistischen bzw. aufklärerischen und sozialistischen Richtungen häufig der Fall war.

188 Er bedient sich dessen, wie auch Popper-Lynkeus, als eines Motivs für seine modifizierenden Vorschläge.

189 Dieser Hang zur Kulturkritik fehlt bis heute im Bild des Austromarxismus (wie übrigens auch die Tatsache, daß durch ihn viele Gehalte der klassischen deutschen Philosophie ihren Weg nach Österreich gefunden haben).

190 Die reflexive Einstellung kann auch im Winzigen und Mikrokosmischen wirken bzw. Früchte tragen. Sieht man Nordaus Werk von diesem Gesichtspunkt aus, so steht außer Zweifel, daß er eine ganze Enzyklopädie des reflexiven Verhaltens lieferte.

191 M. NORDAU, Die conventionellen Lügen (zit. Anm. 174), VIII. — Es ist ferner auch von einem gewissen soziologischen Wert, wenn er 1909 sagt: „Seit dem Erscheinen dieses Buches hat sich der Anblick der Welt vielfach geändert, der sachliche wie der geistig-sittliche. Die Erkenntnis hat sich ausgebreitet und ist in die Tiefe gedrungen. Millionen Seelen haben sich aus den Finsternissen urzeitlichen Aberglaubens zur Helle wissenschaftlicher Weltanschauung emporgerungen. Der kritische Sinn hat sich

allgemein entwickelt und übt sich methodisch an allen dogmatischen Behauptungen." (Ebenda VIII.)

192 Es ist zweifellos ein Verdienst Johnstons, die Bedeutung dieser Methode erkannt und sie in ihrem Kampf gegen den Universalismus dargestellt zu haben.

193 Othmar SPANN, Der Schöpfungsgang des Geistes. Die Wiederherstellung des Idealismus auf allen Gebieten der Philosophie, I. Teil, Jena 1928, XVII. — Selbstverständlich erfolgt der Einbau der Bipolarität in einen so klassischen Universalismus viel seltener als daß dieselbe zur Grundlage positivistischer und genealogischer Untersuchungen genommen wird.

194 Victor ADLER, Briefwechsel mit August Bebel und Karl Kautsky, Wien 1955, 12.

195 Ebenda 459 – 460. — Es ist geradezu erschütternd, zu verfolgen, wie diese Problematik im Briefwechsel zu dem alles Entscheidenden wird.

196 L. GUMPLOWICZ, Der Rassenkampf. Sociologische (sic!) Untersuchungen, Innsbruck 1883, 260. — Das eine Naturgesetz ist das Beharren der Menschen auf ihrer (vor allem) nationalen Identität, während das andere gerade die grundlegende Formel seiner die Methodik und das Selbstbewußtsein der Naturwissenschaften in der Soziologie in Anspruch nehmenden Untersuchung ist: „Jedes mächtigere ethnische oder sociale (sic!) Element strebt darnach, das in seinem Machtbereiche befindliche oder dahin gelangende schwächere Element seinen Zwecken dienstbar zu machen." Gumplowicz unterstreicht deutlich die szientistische Bedeutung dieser Erkenntnis: „Diese These über das Verhältnis der heterogenen ethnischen und sozialen Elemente zu einander mit allen aus ihr sich ergebenden Consequenzen (sic!), enthält in sich den Schlüssel zur Lösung des ganzen Rätsels des Naturprocesses (sic!) der menschlichen Geschichte." (L. GUMPLOWICZ, Der Rassenkampf [zit. Anm. 196], 161.)

197 Zitiert in W. M. JOHNSTON, Österreichische Kultur- und Geistesgeschichte (zit. Anm. 44), 326.

198 Nebst vielen soziologischen Motiven läßt sich diese merkwürdige „Ideologisierung" wissenschaftlicher Thesen zunächst auf einen wohl rekonstruierbaren Weltanschauungshunger zurückführen, zum zweiten aber auch darauf, daß dieser positivistische Ansatz keinerlei Rücksicht auf die akzeptierten Grenzen der verschiedenen Objektivationen, so zum Beispiel auf jene zwischen „Wissenschaft" und „Weltanschauung", nahm. So ist es eigentlich kein Wunder, wenn diese Grenzübertretung auch seitens der methodisch bewußtesten Wissenschaftlichkeit geschah.

199 Dies weist wiederum auf die Notwendigkeit hin, den Positivismus auch aus komparativistischer Sicht zu untersuchen.

200 Arnold KEYSERLING, Der Wiener Denkstil (Mach, Carnap, Wittgenstein), Wien 1965, 5.

201 L. GUMPLOWICZ, Der Rassenkampf (zit. Anm. 196), III. — Ein unerwarteter Einblick in Gumplowicz' Werkstatt bietet sich uns, wenn wir diese Kombination eines rigorosen Positivismus mit der Verfahrensweise der Harmonistik durch das folgende Argument unterstützt sehen: „Hegel

und seine Schüler hatten die Geschichtsphilosophie gründlich in Miscredit (sic!) gebracht." (Ebenda 3.) Daraus geht nicht nur hervor, daß sich auch Gumplowicz Hegel gegenüber negativ verhielt, sondern auch, daß er der „Elemente" bedurfte, um mit „handgreiflichen" Ausgangsfaktoren an seine Untersuchungen herangehen zu können.

202 Wir sehen in diesem „als-ob-Verhalten" tatsächlich *den Schlüssel zur Beschreibung der nationalen Konflikte inmitten einer modernen Gesellschaft.*

203 Siehe Franz MEHRING, Über den historischen Materialismus. Berlin 1950. — Wegen der „materialistischen" Züge seiner Denkart setzt sich auch Kautsky mit Gumplowicz auseinander. Wie wir bei Popper-Lynkeus und Nordau bereits sehen konnten, steht der Positivismus oft in engster Nähe zum historischen Materialismus.

204 Siehe die entsprechenden Arbeiten in der Zeitschrift *Huszadik Század* vor 1914.

205 Eine eingehendere Analyse würde vermutlich zu dem Schluß kommen, daß die faktizistische Grundlage, wenn auch zweifellos nicht engstirnig oder tendenziös, so doch extensional keineswegs weitreichend genug war.

206 Karl RENNER, An der Wende zweier Zeiten, Wien 1946, 76 – 79.

207 Man könnte sogar sagen, daß Ratzenhofers Werk *historisch* und *wissenssoziologisch* am repräsentativsten für diese Art des Positivismus ist.

208 Siehe G. LUKÁCS, Die Zerstörung der Vernunft, Reinbek bei Hamburg o. J., 596.

209 Man könnte viele Hinweise auf diese Verbindung Gumplowicz—Ratzenhofer anführen. Das trivialste Beispiel dafür ist Ratzenhofers Darstellung der Entstehung des Staates (G. RATZENHOFER, Die soziologische Erkenntnis. Positive Philosophie des sozialen Lebens, Leipzig 1898, 156ff.). Interessanterweise taucht auch bei Ratzenhofer das Bedürfnis, das „Element" des sozialen Lebens exakt zu bestimmen, wieder auf. (Siehe Anmerkung 201.) Diese Überlegungen lassen den österreichischen Positivismus einerseits dem „Universalismus" und andererseits dem Neopositivismus ähnlich erscheinen, ganz zu schweigen von den Bestrebungen, die das „Konkrete" geradezu *neu definieren* wollten. Ein Motiv, das in fast jeder großen ideologischen und philosophischen Strömung unverändert bleibt! Diese Bedenken führen Ratzenhofer auch dazu, hinsichtlich des „Ich" einen ähnlichen Standpunkt wie Mach zu beziehen: „Dieser Begriff, der intellektuelle Mittelpunkt unseres Ich, ist doch das einzige Sichere, was wir von der Welt wissen; er ist unser *Bewußtsein.* Wir verlassen also bereits den sicheren Boden der Einsicht, wenn wir vom Ich sprechen; denn dasselbe ist eine Summe von Aggregatzuständen, die auf unseren Vorstellungen über die peripherischen Grenzen unserer Empfindung beruhen. *Das Ich dehnt sich so weit aus, als unserem Bewußtsein innerliche Empfindungen mitgeteilt werden.*" (Ebenda 21.)

210 Lukács interpretiert die Einheit in der *Zerstörung der Vernunft:* „(Ratzenhofer) geht von der absoluten Identität und qualitativen Ununterschiedenheit der Vorgänge in Natur und Gesellschaft aus." (G. LUKÁCS,

Die Zerstörung der Vernunft [zit. Anm. 208], 595.) — Gerade das aber meint Ratzenhofer nicht, wenn er eindeutig aussagt: ,,Diese Übereinstimmung des organischen Lebensprozesses mit dem sozialen Prozeß ist kein bildlicher Vergleich, sondern kausal.“ (G. RATZENHOFER, Die soziologische Erkenntnis [zit. Anm. 209], 221.) Ratzenhofer wollte — wie dieses Zitat beweist — keine ,,Analogie“ (oder ,,Erklärungsmuster“) für soziale Prozesse aufgrund der Naturwissenschaften liefern, er wollte *positiv, in der Erschließung der Kausalität der sozialen Prozesse* auf inhaltliche Determinanten hinweisen.

211 Diese Aussage ist ihrem Inhalt nach nicht nur anti-sozialdarwinistisch, sondern auch anti-darwinistisch! Siehe ebenda 135. — Interessanterweise verbindet Ratzenhofer dies mit einer kurzen Deutung Rousseaus: ,,Wenn Rousseau an eine friedliche Grundstimmung des Naturmenschen glaubte, so ist dies an sich richtig gewesen; irrtümlich war es nur, zu glauben, daß der Mensch mit dem Vorschreiten der sozialen Entwicklung diese Friedfertigkeit zu bewahren vermag...“ (Ebenda 134.) — So spricht kein überzeugter Sozialdarwinist...

212 Ratzenhofers Neudefinition des Konkreten rechnet aber mit der Philosophie und stellt sich seine Soziologie in völliger Übereinstimmung mit einer ,,Philosophie der Zukunft“ vor: ,,Das Wichtigste für das Emporkommen einer gereiften soziologischen Erkenntnis ist aber, daß die großen Errungenschaften der Naturwissenschaft eine philosophische Synthese nicht bloß erlauben, sondern geradezu verlangen.“ (Ebenda 9.) Neben dieser philosophischen Synthese der Zukunft sieht Ratzenhofer auch *innerhalb der Soziologie* wichtige Funktionen der Philosophie, womit er einen Bereich antizipiert, den wir heute ,,Wissenssoziologie“ nennen: ,,In den menschlichen Beziehungen spielen Faktoren mit, die sich nur philosophisch behandeln lassen. Gerade die mächtigsten Einflüsse im sozialen Leben, wie z. B. die der Religion, sind Angelegenheiten, die nie mit naturwissenschaftlichen Behelfen beurteilt werden können...“ (Ebenda 4–5.)

213 Einige mögliche Entsprechungen wären: die Behandlung der unorganischen Natur als ebenfalls von universalen Gesetzen regiert, die Beschreibung der Wechselbeziehungen zwischen Sozialem und Individuellem, die Sicht für das ,,Ganze“ und das Gefühl für das Historische, das Anti-Anthropomorphistische der Anschauungsweise, usw.

214 Abgesehen von wenigen, schwer identifizierbaren Aussagen dürfte Ratzenhofer sich kaum bewußt gewesen sein, wie nahe seine Grundeinsichten an jene Hegels herankommen. Ohne Zweifel ein Symptom für die Theorie der zweiten Hälfte des neunzehnten Jahrhunderts!

215 Ausführlich beschreibt Ratzenhofer den gewaltigen, den Gehalt seiner Bipolarität ausmachenden Gegensatz: ,,Die Individualisierung strebt, das Sozialgebilde in sich den Lebensbedingungen anzupassen und zu organisieren und gegenüber der Außenwelt in eine feste Gestalt zu bringen, so daß es unter anderen Gemeinschaften ein Besonderes bilde. Dieser Nachdruck auf die Eigenart, auf das Besondere, steht in Relation mit der Hef-

tigkeit der Gegensätze, welcher das Sozialgebilde bei seinem Daseinskampf begegnet. In dem individualistischen Drange sprechen sich alle jene Kräfte aus, welche die Gemeinschaft erhalten, vergrößern, kultivieren und politisch organisieren. Die Individualisierung beruht daher auf den Erscheinungsmodalitäten des physiologischen und des Individualinteresses. Dieser Individualisierung steht der sozialisierende Drang gegenüber, welcher innerhalb der Gemeinschaften die Übereinstimmung der Genossen herstellt und nach außen Anlehnung und übereinstimmende Momente sucht. Er wirkt daher anfangs kräftigend auf das Sozialgebilde und unterstützt die Individualisierung, soweit sie allseitige Befriedigung hervorruft; im weiteren Verlaufe der Entwicklung aber, sobald im Sozialgebilde Differenzen mit den Lebensbedingungen hervortreten, wirkt die Sozialisierung auf die individuelle Eigenart auflösend, auf die Organisation schwächend und auf die Schranken nach außen zerstörend... So ist der soziale Prozeß ein Produkt wechselweiser Individualisierung und Sozialisierung..." (Ebenda 201 – 202.)

216 Dieser *furor positivisticus,* der auch in den Sozialwissenschaften so grenzenlos akzeptiert wurde, wirft Fragen auf, die hier nicht beantwortet werden können. Dieses Phänomen bestätigt jedenfalls eher die These, daß es möglich ist, Österreich-Ungarn zu modernisieren.

217 Ebenda 235.

218 Ebenda 176.

219 Ganz im Sinne Gumplowicz' definiert Ratzenhofer zum Beispiel an einer Stelle den Staat: „... ein Herrschaftsverhältnis, welches den Gegensatz zwischen den Unterworfenen und den Herrschenden durch eine *Machtorganisation* in Ruhe erhält..." (Ebenda 157. — Hervorhebung im Original.)

220 Diese gemeinsame Einsicht zwischen (u. a.) Ratzenhofer und Menger beruht auf ihrem Bestreben, die von ihnen als *„soziale Notwendigkeiten"* erkannten Gehalte auch auf anderen Gebieten fruchtbar zu machen.

221 Ebenda 211.

222 Siehe zunächst Anmerkung 210. — Diese Konfrontation der beiden Bereiche zieht sich durch das ganze Werk. Die reiche Darstellung ließe sich vielleicht am besten so wiedergeben, daß einerseits behauptet wird, daß nach Ratzenhofer das „Soziale" eine (wie gesagt: nicht analoge, sondern *kausale)* Fortsetzung des Biologischen ist, während andererseits unterstrichen wird, daß dieses „Gemeinsame" zwischen den Bereichen nichts „Unwissenschaftliches", gegen die Ergebnisse der positiven Forschungen Gerichtetes mit sich bringt. Das folgende Zitat soll dazu dienen, die Annahme eines trivialen Sozialdarwinismus zurückzuweisen: „... abgesehen von dem sozialen Moment der Ernährung für die Entwicklung zum Menschen, streng genommen in der Frage nach der Abstammung des Menschen *nichts enthalten, was die soziologische Erkenntnis zu fördern vermöchte. Die Erforschung der Ursprungserscheinungen hat überhaupt nicht jene Bedeutung für die Soziologie, welche ihr vielfach beigelegt wird."* (Ebenda 131. — Hervorhebung: E. K.)

223 Überhaupt ist diese ,,Lehre von den menschlichen Wechselbeziehungen" jene gemeinsame Basis, auf welcher ,,Natur-" und ,,Sozialwissenschaften" zusammentreffen können. Siehe beispielsweise ebenda 3.

224 Ratzenhofers Argumentation zeigt, wie klar er die Möglichkeiten voraussah, die zu Mißverständnissen seiner Konzeptionen führten: ,,Ich vermeide es, Gesellschaftszelle zu sagen, weil die Sozialgebilde trotz ihrer realen Beziehung zum organischen Leben nur einen intellektuell organisierten Zusammenhang haben..." (Ebenda 229.)

225 Entscheidend ist hier, wie diese Motive exakt nachzuweisen sind.

226 Das Werk fängt bereits mit folgender Intonation an: ,,Den Charakter dieses Buches bedingt der Umstand, daß sein Verfasser ein ungelehrter Mann ist. Gerade in seiner Ungelehrtheit schöpfte er den Mut zu einem Unternehmen, vor welchem mancher bessere Mann erschrocken hätte zurückweichen müssen. Nur mußte natürlich der Verfasser selber hierüber Klarheit besitzen; sein Wollen mußte er nach seinem Können richten... Nicht einen Augenblick bildete er sich ein, seinem Buche komme wissenschaftlicher Wert zu. (!)" (H. St. CHAMBERLAIN, Die Grundlagen des neunzehnten Jahrhunderts, XI. Auflage, München 1915, VII.) — In einem 1902 verfaßten kleinen Aufsatz schreibt er: ,,Ich glaube, der echte Dilettant ist heute ein Kulturbedürfnis." (H. St. CHAMBERLAIN, Über Dilettantismus. In: Rasse und Persönlichkeit. 3. Ausgabe, München 1937, 98 – 101.)

227 Einige Beispiele aus vielen: ,,Jedes Fachwissen ist an und für sich vollkommen gleichgültig (!); erst durch die Beziehung auf Anderes erhält es Bedeutung." (H. St. CHAMBERLAIN, Die Grundlagen des neunzehnten Jahrhunderts [zit. Anm. 226], VIII.); oder: ,,Sollte nun ein aufrichtiger, offen eingestandener Dilettantismus nicht gewisse Vorzüge vor dem versteckten (d. h. der Wissenschaft — E. K.) haben?" (Ebenda X.)

228 Dieses Hin und Her zwischen Dilettantismus und Wissenschaft hat bei Chamberlain bereits etwas Faschistisches an sich. Der in jener Zeit darauf gewiß nicht vorbereitete Leser verlor bald den Faden bei der ständigen Oszillation zwischen der zielsicheren Destruktion der Wissenschaftlichkeit bzw. der unermüdlichen pseudo-wissenschaftlichen (und dabei sich noch stets auf Autoritäten berufenden) Begründung der eigenen Thesen. Diese Manipulation der Grundorientierung dürfte wohl auch mit dazu geführt haben, daß die echte Gefahr dieser Denkweise so lange nicht erkannt wurde. Ein kaum zu überbietendes, klassisches Musterbeispiel für dieses Verfahren zitiert auch Georg Lukács aus Chamberlain: ,,Ich folge dem großen Naturforscher (gemeint ist Charles Darwin) in den Pferdestall und in den Hühnerhof und zum Kunstgärtner und sage: daß es hier etwas gibt, das dem Wort ,Rasse' Inhalt verleiht, ist unstreitig und jedem Menschen offenbar." (Siehe G. LUKÁCS, Die Zerstörung der Vernunft [zit. Anm. 208], 609.) — Welche interessante und zum Teil kaum erforschte Möglichkeiten dieses Übersehen der gefährlichen Tendenzen in Chamberlains Denkweise immer noch enthält, zeigt nicht nur das Beispiel Karl Kraus', der ihn in seiner Zeitschrift zu Worte kommen ließ,

auch nicht das Beispiel Rudolf Kassners, sondern auch die Tatsache, daß Chamberlain eine Reihe seiner Schriften gerade in der *Jugend* veröffentlichte, einem Forum, das dem „Jugendstil" seinen Namen gab. Es ging sogar um Artikel, die „von dem Gedankengut der *Grundlagen*" durchdrungen waren. Siehe dazu Linda KORESKA-HARTMANN, Jugendstil. Stil der Jugend, München 1969, 83. Gerade dieses „Hin und Her" der Chamberlainschen „Argumentation" täuscht auch Ernst Nolte, der in seinem bedeutenden und weitverbreiteten Werk über den Faschismus Chamberlain folgendermaßen charakterisiert: „In seinen politischen Überzeugungen ... war er ein guter Bürger und Liberaler, der erbittert den Absolutismus der Könige und die Despotie der Kirche angriff. Er erhebt das Banner der individuellen Freiheit und der nationalen Individualität gegen das finstere Mittelalter und den rassetötenden Universalismus der römischen Kirche, er verteidigt die empirischen Wissenschaften gegen Dogmatismus und Aberglauben." (E. NOLTE, Der Faschismus in seiner Epoche, München 1963, 351.)

229 Diese fast parodistisch anmutende Verzerrung des Neokantianismus weist auch auf andere, zum Teil verwirklichte Möglichkeiten hin, in denen der Kritizismus gegen die „Wissenschaftlichkeit" bloß notwendig war, um dann später jeder Metaphysik Tür und Tor zu öffnen.

230 Über die in der Politik relevante positive Metaphysik siehe Endre KISS, Nietzsche, Bäumler oder die Möglichkeit einer positiven faschistischen Metaphysik. In: Annales Universitatis Scientiarum Budapestiensis de Rolando Eötvös Nominatae, Sectio Philosophica et Sociologica, Tomus XVI, Budapest 1982; und derselbe, Történelem és társadalomlélektan. Bibó István fasizmus-magyarázata, *Valóság*, 1984/9.

231 H. St. CHAMBERLAIN, Immanuel Kant, 2. Aufl., München 1909, S. 11.

232 Ebenda 11.

233 H. St. CHAMBERLAIN, Die Grundlagen des neunzehnten Jahrhunderts, München 1941, Bd. II., 1099, 1150.

234 Chamberlain ist damit auch ein moderner Ideologe *par excellence*. Man könnte auch sagen, daß er der erste ist, der die bipolare Methode des österreichischen Positivismus rein und zynisch im schlechten Sinne des Wortes „ideologisch" in Anspruch nimmt. Seine Darstellung als profaschistischer Ideologe geht über den Rahmen dieser Arbeit hinaus. Es ist trotzdem vielleicht nicht überflüssig, die Aufmerksamkeit wieder darauf zu lenken, wie er die Sphäre der „Weltanschauung" von der Kontrolle anderer Instanzen freihalten möchte: „Daß ein Mensch sich bewußt sei, eine Weltanschauung zu besitzen, wird nur in den verhältnismäßig seltenen Fällen höherer Bildung und geübter Selbstbesinnung zutreffen; dies macht aber weder für den Reichtum noch namentlich für die Selbsthaftigkeit und damit auch für den Lebenswert einer Weltanschauung den Prüfstein aus. *Darum täten wir nicht gut daran, wollten wir — um die deutsche Weltanschauung kennenzulernen — uns in erster Linie an die Berufsdenker wenden.*" (H. St. CHAMBERLAIN, Deutsche Weltanschauung. In: Rasse und Persönlichkeit [zit. Anm. 226], 7 — Herv.: E. K.)

235 Arthur ROSENBERG, Der Mythus des zwanzigsten Jahrhunderts, München 1939, 81 – 82.

236 Siehe zum Beispiel H. St. CHAMBERLAIN, Immanuel Kant (zit. Anm. 231), 749.

237 H. St. CHAMBERLAIN, *Die Grundlagen des neunzehnten Jahrhunderts* (zit. Anm. 226), 30 – 33.

238 Ebenda 35. — Jedenfalls ist das neunzehnte Jahrhundert auch „ein Jahrhundert des Anhäufens von Material, des Durchgangsstadiums, des Provisorischen..." Wir sehen bald, wie dankbar Rosenberg für diese Anregungen war. (Ebenda 35.)

239 Daß diese Konzeption in Form der „suchenden" Wiener Intelligenz sehr anziehend sein konnte, liegt auf der Hand.

240 Wenn wir auch mit dieser Einschätzung seiner unmittelbaren geistigen Umgebung keineswegs einverstanden sind, wollten wir dieses Kapitel doch nicht darauf verwenden, Chamberlains *Psychologie* klarzumachen. Den Weg in diese Richtung weist uns Kassner, der in seinem Rückblick das umfassend *Pragmatische* im Wesen Chamberlains betont.

241 „... unwahr ist, daß unsere Kultur eine Wiedergeburt der hellenischen und der römischen ist: erst durch die Geburt der Germanen wurde die Wiedergeburt vergangener Großtaten möglich, nicht umgekehrt; und diesem *rinascimento,* dem wir ohne Frage für die Bereicherung unseres Lebens ewigen Dank schuldig sind, wirkte dennoch mindestens ebenso hemmend wie fördernd und warf uns auf lange Zeit aus unserer gesunden Bahn heraus. " (H. St. CHAMBERLAIN, Die Grundlagen des neunzehnten Jahrhunderts [zit. Anm. 226], 9.) Kassner signalisiert Chamberlains kalten Pragmatismus, auch wenn er seine Einstellung nicht zu interpretieren weiß: „Houston Stewart Chamberlain hatte die Gewohnheit angenommen, Persönlichkeit mit großer Persönlichkeit zu verwechseln und zum Teil darauf, auf etwas also, das wie ein Trick aussehen konnte, seine politischen Anschauungen aufgebaut. Ich habe einmal versucht, ihm das klarzumachen. Als Deutscher. Dann brach aber plötzlich der Engländer bei ihm durch, der das nicht wahrhaben wollte, und zwar aus einer gewissen natürlichen Anlage zum politischen Denken. Es sei eben richtig und gut, den Menschen ein Bild, ein vergrößertes, vorzuhalten, sie damit anzuspornen, zu locken. *In Chamberlain war ein Pragmatist versteckt.* Pragmatismus, von England und Amerika geliefert, ist im besten Fall die Philosophie von Politikern. Ich war aus Instinkt... gegen jede Art von Pragmatismus, von als ob." (Rudolf KASSNER, Buch der Erinnerung, MCMXXXVIII Leipzig, 92. — Hervorhebung: E. K. [zit. Anm. 226], 9.)

242 Ebenda 9.

243 Chamberlains „Rassismus" zeigt kein Geringerer als Arthur Rosenberg am vollständigsten auf: „... erscheint ein heutiger Baugedanke von H. St. Chamberlains Weltauffassung heute neben der Betonung der neuen Weltgründung durch das Germanentum von ausschlaggebender Bedeutung: daß sich zwischen das alte nordisch bestimmte Rom und das neue

germanisch bestimmte Abendland eine Epoche einschiebt, die gekennzeichnet wird durch hemmungslose Rassenvermischung, d. h. Bastardierung... durch übersteigerte sinnliche Ekstasen, durch aufgeblähten syrischen Afterglauben und durch das Fiebern aller Menschenseelen mit einer Prägung, die den echten, Geschichte gestaltenden Künstler verrät, das Völkerchaos. Diese Bezeichnung eines bestimmten Zustandes, wenn dieser sich zeitlich auch weder rückwärts noch vorwärts genau abgrenzen läßt, *ist heute Allgemeinbewußtsein, selbstverständliches Gut aller tiefer Schauenden geworden.*" (A. ROSENBERG, Der Mythus des zwanzigsten Jahrhunderts [zit. Anm. 235], 82. H. V. außer bei „Völkerchaos" — E. K.).

244 Beinahe offen ironisch klingen seine folgenden Worte: „Ein typischer Kelte in der düsteren Leidenschaftlichkeit seines Wesens, ein neuer Tristan in seinem Liebesleben, ist er doch Fleisch von unserem Fleisch und Blut von unserem teutonischen Blut; er ist ein Germane." Er zeigt sich sogar auch bereit, in den Slawen den „jüngeren Bruder" zu sehen. (Ebenda 560.) Wie von selbst stellt sich die Frage, was dann von der rassistischen Grundlage seiner Konzeption übrig bleibt?

245 Ein krasses Beispiel ist H. St. CHAMBERLAINs, Ein Brief über Heinrich Heine. In: Rasse und Persönlichkeit (zit. Anm. 226), 87 – 91. Von nicht geringerer Bedeutung ist auch, das er nach dem Weltkrieg den äußeren wie auch den inneren Feind als Sündenbock der Niederlage nennt (Vorwort zur vierzehnten Auflage zu H. St. CHAMBERLAIN, Die Grundlagen des neunzehnten Jahrhunderts [zit. Anm. 226], 150, 152.)

246 Am lehrreichsten ist, wie er das „Wesen der Germanen" zur Gänze aus anti-jüdischen Eigenschaften aufbaut. (Siehe zum Beispiel H. St. CHAMBERLAIN, Grundlagen, 600ff.)

247 Dieser Unterscheidung kommt eine sowohl historische als auch typologische Relevanz zu, vor allem deshalb, weil sie „in statu nascendi" die Krise des Universalismus thematisiert, während die Entstehung des „Individualismus" auf das unmittelbarste mit den tragenden sozialen Bewegungen in Verbindung gesetzt wird.

248 Zitiert auch bei W. M. JOHNSTON, Österreichische Kultur- und Geistesgeschichte (zit. Anm. 44), 91 – 92. Das Zitat könnte dahingehend ergänzt werden, daß die historische Entwicklungslinie in jener Epoche noch andere, weitere „Vorposten" nominalistischen Denkens auf diesem Gebiet errichtete. Wien war also, wie in so vielen anderen Bereichen, auch in diesem Zusammenhang, abgesehen von seiner Eigenbedeutung, als *Antizipation der Zukunft anderer Kulturen* wichtig.

249 Wir wollten damit vor allem andeuten, daß die Entwicklung Österreich-Ungarns einen klassischen Gegenstand solch „lokaler", in ihrem Allgemeinheitsgrad „mittlerer" Theoriebildungen abgibt. Als ein Schritt in diese Richtung will auch diese Arbeit verstanden werden, auch wenn die methodische Grundlegung in diesem Rahmen selbstverständlich nicht einmal in Ansätzen in Angriff genommen werden kann. Wir wollen dadurch die Aufmerksamkeit auch auf diese Sphäre lenken, *die gewöhnlich von Sozialtheorien universalistischen Anspruchs nicht eingefangen,*

durch empirische Verallgemeinerungen aber ebenfalls kaum in Griff bekommen werden kann.

250 Diese Gegenüberstellung macht anschaulich, welch enorme Unterschiede in der Handhabung derselben *bipolaren* Methode des Positivismus auftreten können. Die beiden ihrem Gehalt nach entgegengesetzten, ihrer Einheit nach jedoch auf eine ganzheitliche Erklärung gerichteten Prinzipien können nämlich einerseits (wie bei Pribram) als günstig ausgewählte Verallgemeinerungen des positiven Materials fungieren, sie können sich aber auch — und das ist bei Chamberlain der Fall — von dem konkreten Material vollständig loslösen und verselbständigen, und so im schlechten Sinne des Wortes „metaphysisch" werden.

251 Damit ist auch gesagt, daß Pribram diese Entwicklung eben durch die Bipolarität „ganzheitlich" zu erfassen suchte. So wird die Lebensberechtigung diese Methode unter einem neuen Aspekte sichtbar: um die Realität Österreich-Ungarns interpretieren zu können, in der Altes und Neues gleich stark vertreten war, erwies sich diese Methode des Positivismus als eine solche, die *gerade durch ihre Dualität ein ganzheitliches, und dadurch das Ganze konzipierendes Bild zu entwerfen wußte.* — Zur Koexistenz bzw. Rivalität der beiden großen Denksysteme (mit Bipolarität operierender Positivismus bzw. ausgehende Harmonistik) sei noch hinzugefügt, daß diese vermutlich auch für eine wissenssoziologische bzw. ideengeschichtliche Gesetzmäßigkeit ein Beispiel abgeben kann. Der von uns gemeinte und jetzt als Hypothese ausgesagte Zusammenhang würde beinhalten, daß wirkliche Blütezeiten dann entstehen, wenn *zwei* sowohl intellektuell-gegenständlich wie auch soziologisch gleicherweise relevante Richtungen in unmittelbarer Nähe voneinander gedeihen können. Neben dieser soeben geschilderten Situation in Österreich-Ungarn würde diese These die Entwicklung der klassischen deutschen Philosophie auch erstaunlich klar unter Beweis stellen, in der der *Kritizismus* Kants in unmittelbarster Berührung mit früheren und neueren ontologisch orientierten *Metaphysiken* existierte.

252 A. FUCHS, Geistige Strömungen in Österreich (zit. Anm. 26), 227. — Zu diesem Bild gehört selbstverständlich auch, daß Freud selbst die Psychoanalyse für sein eigenes, „persönliches" geistiges Produkt hielt: „Denn die Psychoanalyse ist meine Schöpfung, ich war durch zehn Jahre der einzige, der sich mit ihr beschäftigte, und alles Mißvergnügen, welches die neue Erscheinung bei den Zeitgenossen hervorrief, hat sich als Kritik auf mein Haupt entladen." (S. FREUD, Gesammelte Werke, Zehnter Band, London 1946, 44.)

253 Ebenda 80 – 81. — Es ist erwähnenswert, daß diese Erklärung über die „Wiener" Herkunft der Psychoanalyse eigentlich eine Reaktion auf eine herabsetzende Kritik war: „Janet hat es noch 1913 nicht verschmäht, sich seiner (dieses „Einwandes" gegen die Psychoanalyse) zu bedienen, obwohl er gewiß stolz darauf ist, Pariser zu sein und Paris kaum den Anspruch erheben kann, eine sittenstrengere Stadt zu sein als Wien." (Ebenda 80 – 81.)

254 Ebenda 80 – 81.

255 Zitiert in W. M. JOHNSTON, Österreichische Kultur- und Geistesgeschichte (zit. Anm. 44), 245.

256 Diese ebenfalls aus Freuds Gesprächen mit Ernst Lothar stammende zusammenfassende Äußerung wird auch von Johnston zitiert. (Ebenda 245.) Daß diese Entscheidung Freuds für Wien und Österreich nicht ohne jegliche Konsequenz blieb, mögen die Worte Ernst Jones' über seine erste Begegnung mit Freund in Österreich kurz nach Kriegsende bestätigen: „Wir brauchten nicht lange, um Freuds Hinweise auf die verzweifelte Lage seines Landes bestätigt zu finden. Schon die ausgehungerten Gesichter und die zerlumpten Uniformen der Beamten legten beredtes Zeugnis davon ab..." (E. JONES, Das Leben und Werk von Sigmund Freud, Bd. III, Bern und Stuttgart 1962, 30.)

257 Diese Beschränkung des Aufklärertums Freuds bis 1918 – 1919 sucht nur die Verschiebung zu markieren, die in den (politisch nicht artikulierten) geistigen Positionen eintreten. Wir verstehen darunter, daß Freuds Einstellung, die vor 1914 in Österreich-Ungarn noch unschwer mit Liberalismus zu identifizieren war, nach 1918/19 schon so manche konservative Züge annimmt, ohne daß sie als Liberalismus aufgehört hätte zu existieren. Es ist also nicht so sehr eine Verschiebung in der Gedankenwelt Freuds selbst, vielmehr sind es die grundsätzlich geänderten Zeitumstände, die hier in den Vordergrund treten und die sich — rückwirkend — auch auf die aufklärerischen Züge in Freuds Konzeption auswirken.

258 In Freuds Äußerungen ist eine umfassende Wissenschaftstheorie enthalten. Um so äußerlicher wirken jene Angriffe (vor allem seitens K. R. Poppers), die eben die *Wissenschaftlichkeit* der Psychoanalyse in Frage stellen. Aus den vielen Materialien führen wir hier nur einige Beispiele an. Zusammenfassend äußerte er sich einmal über den wissenschaftstheoretischen Status der Psychoanalyse folgendermaßen: „Ich habe wiederholt die geringschätzige Äußerung gehört, man könne nichts von einer Wissenschaft halten, deren oberste Begriffe so unscharf wären wie die der Libido und des Triebes in der Psychoanalyse. Aber diesem Vorwurf liegt eine völlige Verkennung des Sachverhaltes zugrunde. Klare Grundbegriffe und scharf umrissene Definitionen sind nur in den Geisteswissenschaften möglich, soweit diese ein Tatsachengebiet in den Rahmen einer intellektuellen Systembildung fassen wollen. In den Naturwissenschaften, zu denen die Psychologie gehört, ist solche Klarheit der Oberbegriffe überflüssig, ja unmöglich. Zoologie und Botanik haben nicht mit korrekten und zureichenden Definitionen von Tier und Pflanze begonnen, die Biologie weiß noch heute den Begriff des Lebenden nicht mit sicherem Inhalt zu erfüllen. Ja selbst die Physik hätte ihre ganze Entwicklung versäumt, wenn sie hätte abwarten müssen, bis ihre Begriffe von Stoff, Kraft... und andere die wünschenswerte Klarheit und Präzision erreichten." (S. FREUD, Gesammelte Werke, Vierzehnter Band, London 1950, 85.) — Bei voller Anerkennung der Relativität unserer Erkenntnis verteidigt er die Wissenschaft oft sehr eindeutig (ein Beispiel: S. FREUD, Ge-

sammelte Werke, Bd. X, 103). Daher seine Anstrengungen, kein ,,System" aus der Psychoanalyse zu machen bzw. machen zu lassen (S. FREUD, Gesammelte Werke, Zehnter Band, 96, sowie ein wichtiger Brief an Lou Andreas-Salomé [Siehe S. FREUD, Briefe 1873 – 1933. Frankfurt am Main 1960. — Gemeint ist der Brief vom 13. Juli 1917!]). — Freuds ,,Wissenschaftstheorie" ist stets auf die Eigentümlichkeiten ihres Gegenstandes bedacht und das eben fehlt vielen modernen Wissenschaftstheoretikern! Ein Beispiel dafür liefert sein Brief an Heinrich Löwy (30. März 1930. In: S. FREUD, Briefe 1873 – 1933, 392 – 393 [Er wird von Löwy aufgefordert, einen Beitrag zu Löwys Beispielsammlung von Problemlösungen in der Wissenschaft aufgrund der Psychoanalyse zu liefern — E. K.] ,,Ich bin bei dem Versuch... auf merkwürdige und schwer zu bewältigende Widerstände gestoßen, so als ob gewisse von anderswoher geholte Erwartungen auf mein Stoffgebiet nicht anwendbar wären. Vielleicht hängt dies damit zusammen, daß unter unseren Arbeitsmethoden das Experiment, wie es dem Physiker und dem Physiologen dient, keinen Platz hat."

259 Eine eingehendere Untersuchung würde nachweisen, daß Freuds Forschungen über die Religion in ihren tieferen Voraussetzungen den Traditionen der Aufklärung treu blieben. Seine Stellung zur ,,zweiten" Aufklärung Österreich-Ungarns dokumentiert übrigens seine Schrift ,,Meine Berührung mit Josef Popper-Lynkeus", S. FREUD, Gesammelte Werke, Bd. 16, 265.

260 Selbstdarstellung (1925). In: Sigmund FREUD, Selbstdarstellung (zit. Anm. 28), 78.

261 S. FREUD, Briefe 1873 – 1933 (zit. Anm. 258), 339. Bereits vor diesem 1922 verfaßten Brief schrieb Freud 1906 (!) an Schnitzler: ,,Seit vielen Jahren bin ich mir der weitreichenden Übereinstimmung bewußt, die zwischen Ihren und meinen Auffassungen ... psychologischer und erotischer Probleme besteht..." (Ebenda 249.)

262 W. M. JOHNSTON, Österreichische Kultur- und Geistesgeschichte (zit. Anm. 44), 246. Ebenfalls Johnston: ,,Als er seinen Begriff des Unbewußten formulierte, schöpfte Freud aus Gemeinplätzen der Habsburgerbürokratie." (Ebenda 246.) Auch in den Psychoanalyse-Diskussionen der zwanziger Jahre war Freuds Verhältnis zum Habsburgerstaat interessanterweise die Basis der Beurteilung. S. W. JURINETZ, Psychoanalyse und Marxismus (1925). In: BERNFELD, REICH, JURINETZ, SAPIR, STOWAROW, Psychoanalyse und Marxismus. Dokumentation einer Kontroverse. Einleitung von Hans Jörg SANDKÜHLER, Frankfurt am Main 1970.

263 István HERMANN, Sigmund Freud avagy a pszichológia kalandja, Budapest 1964, 163.

264 Die Analyse der Verdrängungslehre zeugt für uns wieder von der überdurchschnittlichen Sensibilität Freuds für wissenschaftstheoretische Grundprobleme: ,,Die Verdrängungslehre ist nun der Grundpfeiler, auf dem das Gebäude der Psychoanalyse ruht, so recht das wesentlichste Stück derselben und selbst nichts anderes als der theoretische Ausdruck

einer Erfahrung, die sich beliebig oft wiederholen läßt, wenn man ohne Zuhilfenahme der Hypnose an die Analyse eines Neurotikers geht... Die theoretische Würdigung des Umstandes, daß dieser Widerstand mit einer Amnesie zusammentrifft, führt dann unvermeidlich zu jener Auffassung der unbewußten Seelentätigkeit, welche der Psychoanalyse eigentümlich ist und sich von den philosophischen Spekulationen über das Unbewußte immerhin merklich unterscheidet." (S. FREUD, Zur Geschichte der psychoanalytischen Bewegung, Gesammelte Werke, Vierzehnter Band, 54.)

265 S. FREUD, Gesammelte Werke, Vierzehnter Band, 84. — Die „Spekulation" Freuds ist freilich nicht ausschließlich identisch mit seiner bipolaren Methode, obwohl diese einen grundsätzlichen Bestandteil der konzeptionellen Schemata Freuds ausmacht. Stark im Irrtum befindet sich D. Riesman, wenn er in der Bipolarität Freuds nicht heuristische Konzepte, sondern „vereinfachende Dichotomien" sieht. Er mag das aus dem Grunde so beurteilt haben, weil er Freud eben als einen Wissenschaftler im Sinn hatte, der „auf die Errichtung von Systemen" abzielte. Wir haben gesehen, wie sehr sich Freud jedem Versuch gegenüber verwahrte, der aus der Psychoanalyse ein „System" machen wollte. (D. RIESMANN, Freud und die Psychoanalyse, Frankfurt am Main 1965, 11.) Zur Ablehnung des „Systems" siehe auch die unter Anm. 258 angeführten Hinweise auf seine wissenschaftstheoretischen Reflexionen.

266 S. FREUD, Gesammelte Werke, Bd. 14, 11.

267 Hermann BROCH, Werttheoretische Bemerkungen zur Psychoanalyse (1936). In: H. BROCH, Philosophische Schriften 2. Theorie. (Kommentierte Werkausgabe, 10/2, Frankfurt am Main 1977. Herausgegeben von Paul Michael LÜTZELER, 177.)

268 Ebenda 177.

269 Georg LUKÁCS, Die Seele und die Formen. Essays, Berlin 1911, 233 – 234. — An diesem Text läßt sich übrigens auch die Bipolarität Lukacs'scher Provenienz studieren.

270 Robert MUSIL, Der Mann ohne Eigenschaften (zit. Anm. 21), 55.

271 A. JANIK, St. TOULMIN, Wittgenstein's Vienna (zit. Anm. 37), 92.

272 „Auch in Wien beherrschte das Wert-Vakuum die Jahre von 1870 bis 1890, aber die waren hier eben die Backhendl- und nicht wie in Deutschland die Gründerzeit, und sie wurden daher so leicht genommen, wie es sich für ein Vakuum geziemt." (H. BROCH, Hofmannsthal und seine Zeit" [1947 – 48]. In: Schriften zur Literatur 1. Kritik [zit. Anm. 8], 145) — Dieser Text enthält im Kern auch die leitende Idee der Brochschen Darstellung der Geschichte Österreich-Ungarns, und zwar den auch in jener Zeit sehr lebendigen Vergleich mit Deutschland!

273 Zweifellos war *die impressionistische Denkweise* im Alltag, in der Kunst und in der Wissenschaft eines der wichtigsten Motive dieser Vermischung der verschiedenen Objektivationen. Es induzierte nicht nur neokantianische Versuche, die Grenzen der einzelnen Objektivation im Angesicht dieses Ineinanders immer wieder klar zu bestimmen, sondern u. a. auch den sehr wertvollen Versuch des Ungarn Béla Zalai, der die Eigengesetz-

lichkeit der einzelnen Objektivationen als ,,System" in den Mittelpunkt seiner Forschungen gestellt hat. Siehe dazu: E. KISS, A világnézet kora (zit. Anm. 63), 106 – 114. Wir arbeiten in diesem Werk mit dem Begriff ,,impressionistisches Denken" wie mit einer zwar sehr schwer definierbaren, nichtsdestoweniger aber eigenständigen Weltanschauung. Es ist interessant, daß die Kategorie ,,impressionistische Philosophie" in einer wichtigen Arbeit der Zeit tatsächlich artikuliert wird, und zwar in der vielgelesenen Heine-Monographie von H. Lichtenberger. Die mit Recht anzunehmenden Verbindungen zwischen Heine, Lichtenberger und dem Wiener Impressionismus können wir an dieser Stelle nicht rekonstruieren. Jedenfalls lassen sich die Bestimmungen Lichtenbergers über impressionistische Philosophie sehr effektiv auch auf den Wiener Impressionismus anwenden, und zwar in dem von diesem Werk intendierten Sinne. Lichtenberger beschreibt Heines ,,Impressionismus" folgendermaßen: ,,La ,philosophie' de Heine est ... essentiellement *impressioniste*. Elle n'a pas son origine dans les principes ,éternels' et ,immuables' de la raison, ni dans les décisions fermes et constantes d'une volonté clairement consciente d'elle-même et orientée une fois pour toutes vers un but fix et nettement perçu. Elle est le reflet capricieux et changeant de la vie, avec son éternelle mobilité, dans une âme de poète mobile et variable elle-même, impressionable à l'excès, peut-être troublée dès le début par un élément morbide qu'elle apporte avec elle de naissance. Ne cherchons donc pas ... une vaste synthèse, une image d'ensemble de l'univers bien cohérente dans toutes ses parties, un idéal clairement défini et poursuivi systèmatiquement, des principes de conduite nettement arrêtés et fidèlement suivis en toutes circonstances. Attendons-nous plutôt à constater chez lui une multitude d'impressions instabiles, qui se modifient sans cesse, qui ne se laissent pas ramener à l'unité, qui se contredisent souvent les unes les autres, mais qui n'en sont pas moins toutes sincères, étant chacune l'expression exacte, fidèle, originale d'un état d'âme transitoire. La grande affaire de sa vie est ainsi de laisser les événements du dehors impressioner librement sa sensibilité, de laisser ces impressions se coordonner spontanément dans son esprit, se cristalliser en image artistique... son âme toujours jeune et fraîche, ouverte à toutes les joies et toutes les douleurs de l'humantité, et, avec ses expériences heureuses ou tristes, crées de la beauté, ce fut là ce qu'il regarda comme sa formation essentielle sur la terre." (H. LICHTENBERGER, Henri Heine Penseur. Paris 1905, 6—7.)

274 Dies war nicht ohne weiteres einzusehen, weil die unter anderen von Bahr konzipierte modern-österreichische Identität den damals bekannten, mehr oder weniger ,,offiziellen" Konzepten über nationale Identität so fern stand. Es wurde vielmehr das allgemein Menschliche der Moderne und kaum der Österreicher wahrgenommen bzw. akzeptiert.

275 A. FUCHS, Geistige Strömungen in Österreich (zit. Anm. 26), 10.

276 Obwohl dieses Bild der allumfassenden und legendären ,,Sicherheit" zweifelsohne in den dreißiger und vierziger Jahren aus verständlichen Gründen vorherrschte, heißt das nicht, daß die gesamte Konzeption

nichts anderes als eine nach hinten projizierte Vorstellung war. Stefan Zweigs folgender Satz drückt die Grundbestimmung auch der historischen Mentalität aus: ,,Alles in unserer fast tausendjährigen österreichischen Monarchie schien auf Dauer gegründet und der Staat selbst der oberste Garant dieser Geständigkeit.'' (St. ZWEIG, Die Welt von Gestern. Erinnerungen eines Europäers, Frankfurt am Main 1978, 13 – 16.)

277 Zitiert in: W. M. JOHNSTON, Österreichische Kultur- und Geistesgeschichte (zit. Anm. 44), 46.

278 Mihály BABITS, Halálfiai, Budapest o. J., 45.

279 Dabei handelt es sich eher eine Revolution im ,,sozialen'' denn im ,,rein künstlerischen'' Sinne. Die Impressionisten schufen letztlich keine neue Alternative zum mimetischen Prinzip der europäischen Malerei, sie veränderten den *Bildgegenstand,* und zwar, wie bekannt, in einer Richtung, die mit der Negation der Repräsentanz der bürgerlichen Gesellschaft gleichbedeutend war. Mit anderen Worten: die impressionistische Malerei radikalisierte zwar das mimetische Prinzip, suspendierte es aber keineswegs.

280 Die ,,Weltanschauung'' wird, wie wir noch sehen werden, auch für die österreichische Positivisten von zentraler Bedeutung. *Der auf diesem Wege entstehende und bald auch auf die Gegenwart übergreifende Begriff der Weltanschauung* erreicht eine typologische Wichtigkeit, die bei Denkern wie Chamberlain oder Weininger bereits zu einer reflektierten Auseinandersetzung mit dieser Problematik führt. Diese immer selbständiger werdende Sphäre wird *der allernatürlichste Bewegungsraum* des Wiener Impressionismus. Chamberlains, Weiningers und Lukács' Definitionen der Weltanschauung wurden in dieser Arbeit bereits eingehend analysiert. Nun soll ein erstaunlich frühes Beispiel angeführt werden, wo die ,,Weltanschauung'' im klaren Unterschied zur ,,Religion'', ,,Philosophie'' und ,,Wissenschaft'' als anti-autoritäre und dialektische Sphäre bestimmt ist. (A. SILBERSTEIN-ÖTVÖS, Im Strome der Zeit [zit. Anm. 150], Bd. IV, 149.) Der voll ausgereifte Begriff der Weltanschauung geht mehr oder weniger immer Hand in Hand mit dem Impressionismus, auch wenn die Weltanschauung als reflektiertes Phänomen dem Impressionismus voranging und seinen Sieg gewissermaßen vorbereitete. Dieselbe Auffassung von Weltanschauung finden wir übrigens auch bei Schnitzler: ,,Jedenfalls hat Philosophie mit Weltanschauung nicht das geringste zu tun. Von den Philosophen hat gewiß jeder bei sich gewußt, daß er nichts anderes vorstellt, als eine Art von Dichter.'' (A. SCHNITZLER, Der Weg ins Freie. In: Die Erzählerischen Schriften. Erster Band, Frankfurt am Main, 1961, 889.)

281 Die Dynamik, das Bewußtsein des Nacheinanders der Generationen und das ebenso ausgeprägte Bewußtsein der gravierenden Konflikte zwischen diesen war damals tatsächlich eines der verbreitetesten Motive der Literatur und des Denkens. Angefangen von Kafkas Brief an den Vater bis zu Joseph Roths Radetzkymarsch, von Krležas Romanen bis Oszkár Jászis Werk Uj Magyarország felé (wo das ideologische Material in einem offe-

nen Dialog zwischen Vater und Sohn aufgehoben ist), von dem Mann ohne Eigenschaften Musils bis P. A.'s Hinwendung zu seinem Vater.

282 Während bei den Impressionisten, bei den Überwindern des Impressionismus, aber auch bei Vertretern der Neudefinition des Konkreten die Frage nach dem *Ganzen,* nach der, und sei es auch noch so unterschiedlich verstandenen, ,,allgemeinen Weltordnung" aktualisiert wird, ist dieser Tatbestand den anderen wichtigen Kulturen der Epoche so gut wie unbekannt. Auch das ist ein Zug, der die hier untersuchte Periode der österreichisch-ungarischen Kulturgeschichte auszeichnet.

283 Das Wesentliche *dieser impressionistischen Überwindung des Politischen besteht darin, daß die impressionistische Lebenserweiterung* sich in Richtung einer intensiven Verfeinerung und Selbstverwirklichung bewegt und das Politische *per definitionem* ausschließt. Musil, der unter keinen Umständen als Impressionist genannt werden wollte, erlebte dies ebenso und prägte für diese Einstellung den klassischen Ausspruch: ,,Der politisierende Mensch, Abgeordneter oder Minister, erschien mir wie ein Dienstbote in meinem Haus, der für die gleichgültigen Dinge des Lebens zu sorgen hat... (R. MUSIL, Politisches Bekenntnis eines jungen Mannes. In: Gesammelte Werke [zit. Anm. 4], Bd. 8, 1010.) Schnitzlers Gestalt des Heinrich (Der Weg ins Freie) stellt die für die impressionistische Denkweise in Österreich so charakteristische Frage: ,,Und was bedeuten überhaupt politische Ansichten bei Menschen, denen die Politik nicht zugleich Beruf oder Geschäft ist? Nehmen sie den geringten Einfluß auf die Lebensführung, auf die Gestaltung des Daseins?" (A. SCHNITZLER, Der Weg ins Freie [zit. Anm. 280], 723.)

284 Diese Generation, den Pflichten und Mühen der Gründung größtenteils enthoben, richtete ihre Bestrebungen auf eine intensive, existentielle Ausdehnung der sozialen Möglichkeiten. Daraus folgt, daß dieser existentiale Zug weder in der Wissenschaft (Weininger) noch in der Philosophie (Wittgenstein) fehlen kann. Diese intensive existentielle Daseinsausdehnung schafft einen neuen geistigen Raum, der bald zum Maßstab der Beurteilung anderer Gegenstandsbereiche wird. Das *,,Leben"* wird somit als Maßstab für andere Objektivationen gesetzt. Sehr charakteristisch sagt dies Lukács so aus: ,,Das Leben hat niemals Platz in einem logischen Gedankensystem." (G. LUKÁCS, Die Seele und die Formen [zit. Anm. 269], 70.)

285 R. KASSNER, Sören Kierkegaard (1906). In: Sämtliche Werke. Zweiter Band, o. J., 44 — Es ist merkwürdig, daß Kassner diesen Zug des Kierkegaardschen Denkens auch mit der historischen Konstellation der Auflösung der hegelianischen Schule in Verbindung bringt, das ,,gelebte Denken" Kierkegaards hat also auch innerhalb des hegelianischen Systems der Kategorien einen deutlichen Sinn. Es findet bei der existentialen Aufnahme Kierkegaards in Wien kaum Beachtung.

286 Es ist kaum verwunderlich, daß auch in diesem religiösen Zusammenhang die *existentiale* Dimension Kierkegaards die größte Wirkung erzielt. Im achten Band des *Brenner* (März bis August 1914) finden wir Th.

Haeckers „Vorbemerkung zur Kierkegaard“ sowie C. Dallagos „Über eine Schrift ‚Sören Kierkegaard‘ und die Philosophie der Innerlichkeit“, nebst nicht wenigen Orginaltexten Kierkegaards. Eine traurige Aktualität gewinnt die eben genannte existentiale Dimension, als 1915 Kierkegaards Meditation „Vom Tode“ ins *Brenner*-Jahrbuch aufgenommen wird (Innsbruck, 1915).

287 S. KIERKEGAARD, Entweder — Oder. Köln und Olten MXMLX, 177.

288 Schnitzler war also jener Autor, der die auch für breitere Leserschichten verfolgbaren „*Riten*“ des Wiener Impressionismus in einem sich stets wandelnden Dialog mit der gleichzeitig auch als Objekt fungierenden Gesellschaft zu schaffen wußte. Er beschrieb nicht nur einen Impressionismus des Alltags, sondern auch einen Impressionismus für jedermann! Die große Breitenwirkung der Romane erklärt sich zum Teil durch seine spezifische „Demokratisierung“ impressionistischer Lebenshaltungen.

289 Uns scheint, als könnte Schnitzler seine Position als „am meisten“ wienerischer Autor bis heute verteidigen. Er war es doch schließlich, der die meisten Einzelheiten über diese Welt mit einer heute noch verblüffenden Genauigkeit aufzeichnete.

290 Es bedarf hoffentlich keiner eigenen Definition, wie hier „Oberfläche“ verstanden wird. Der impressionistische Kult der Oberfläche (den wir auch bei P. Altenberg beobachten können) führt tatsächlich zu Paradoxien: der wirkliche Wiener Impressionist (ob Künstler oder nicht) will die Tiefe gerade in Phänomenen der Oberfläche erblicken, *seine gesamte Kultur besteht in dieser Kunst.* Nicht gegen Schnitzlers psychologische Kenntnisse oder gar gegen seine analytischen Fähigkeiten richtet sich unser Einwand, der Bestrebungen, viele spezifisch moderne Probleme der Persönlichkeit in seinem Werk um jeden Preis ausweisen zu wollen, für überstrapaziert hält.

291 Gerade die Dichtkunst und die Esti-Erzählungen Dezső Kosztolányis zeigen eine Möglichkeit auf, den am Anfang angedeuteten übernationalen Entwicklungsgang des Wiener Impressionismus zu demonstrieren. Es wäre auch eine vielversprechende Aufgabe, das Eindringen desselben in die Lebenswirklichkeit, ins Alltagsbewußtsein, nachzuweisen. Ohne sie bestätigen zu können, stellen wir bereits die These auf: *ohne den (Wiener) Impressionismus ist die osteuropäische Moderne unvorstellbar.*

292 G. LUKÁCS, Die Seele und die Formen (zit. Anm. 169), 235. Siehe auch Anm. 372.

293 Brandes erfaßte zweifelsohne richtig, daß diese beiden Bereiche des Romans auffallend lose nebeneinander stehen. *Was er aber kritisiert, ist in unseren Augen eben das Authentische in der Reproduktion des Wiener Impressionismus.*

294 Dabei ist auch die Einsicht unerläßlich, daß die Einheit des impressionistischen Weltbildes *definitionsgemäß* meist eher eine angedeutete, *erlebbar gemachte* denn eben eine logisch-diskursive sein kann. Das impressionistische Weltbild ergibt zweifelsohne eine Einheit, es wird auch so erlebt, obwohl dieses Denken definitionsgemäß „asystematisch“, „spon-

tan" und einer Ontologie des „Augenblicks" verhaftet ist. Siehe dazu H. BAHR, Selbstbildnis, Berlin 1923, 3 oder die unter Anm. 273 zitierte Definition der impressionistischen Philosophie bei Lichtenberger.

295 A. SCHNITZLER, Der Weg ins Freie (zit. Anm. 280), 892.

296 Siehe Anm. 316, 317, 318.

297 Siehe Anm. 290.

298 A. SCHNITZLER, Der Weg ins Freie (zit. Anm. 280), 932.

299 Ebenda 895. Oder ein anderes Beispiel: „Weder Sie, noch ich, wissen es, wo in diesem Augenblick ein Faden zu unserem Schicksal gesponnen wird." (Ebenda 933.)

300 Ebenda 888 – 889. — Als *Summa* des Gedankenmaterials im Roman über „Weltanschauung" gilt folgende Überlegung, die ihrem Gehalt entsprechend am Ende ausgesagt wird: „Glauben Sie mir..., es gibt Momente, in denen ich die Menschen mit der sogenannten Weltanschauung beneide. Ich, wenn ich eine wohlgeordnete Welt haben will, ich muß mir immer selber erst eine schaffen. Das ist anstrengend für jemanden, der nicht der liebe Gott ist." (Ebenda 958.)

301 Diese jederzeit *vital* notwendige Selbstkonstitution der impressionistischen Persönlichkeit machte Wiens impressionistische Literatur so anziehend und relevant für die moderne Psychologie bzw. für die Forschung nach den Quellen derselben. Daraus ergibt sich die Grundlage der tatsächlichen Gemeinsamkeiten zwischen Freud und Schnitzler, auch wenn — wie Anm. 290 besagt — die Ebenen der Annäherungsweise noch verschieden blieben. Zu dieser steten Selbstkonstituierung der Persönlichkeit siehe Bahrs folgendes Bekenntnis: „... durch diesen inneren Zwang meiner Natur... bin ich über meine Zeit empor zu mir selbst gekommen." (Stelle wird in Anm. 306 angegeben.)

302 Wir wollen die Frage, welche Motive hinter Kraus' Hochschätzung für Altenberg stehen mochten, nicht erschöpfend beantworten. Aus den vielen Gründen sei nur ein einziger herausgegriffen: wir glauben, daß das *Kreatürliche* des Wiener Impressionismus, sein Menschenbild der Kreatur, Kraus am meisten zu einer Identifizierung mit Peter Altenberg veranlaßte. Siehe dazu auch Anm. 401.

303 P. ALTENBERG, Selbstbiographie. In: Ausgewählte Werke in zwei Bänden, Band I., München 1979, 83 – 85. (Hervorhebung nicht im Original.)

304 Karl KRAUS, Peter Altenberg (1909). In: Die chinesische Mauer, München—Wien, 1964, 188 — In der Weiterführung dieses Gedankens gibt Kraus dem Terminus „Leben" eine neue, nicht mehr impressionistische, sondern „rein-kreatürliche" Bedeutung: „Unter den zahllosen, die ihre Stoffe aus der Literatur geholt haben und Migräne bekamen, als es an die Prüfung durchs Leben ging, ist einer, der im schmutzigsten Winkel des Lebens Literatur geschaffen hat..." (Ebenda 188.)

305 Ebenda 188.

306 Es war — um die Geschichte getreu wiederzugeben — nicht Bismarck persönlich, sondern einer seiner Räte, der Bahr diesen Ratschlag gab, als dieser eine Botschaft der österreichischen Studenten an Bismarck überge-

ben wollte. Siehe H. BAHR, Selbstbildnis (zit. Anm. 294), 185. Über den Impressionismus seiner Persönlichkeit gibt er wahrscheinlich das vollständigste Bild: „... in meiner überstürzten Hingebung an das Leben lagen meine Fehler, ich bin im Grunde doch wesentlich ein Impressionist... Deshalb muß ich auch, mein Leben überblickend, eigentlich gestehen: ich habe mich die längste Zeit gar nicht an ihm gebildet, ich ließ mich nur von ihm bilden, ich überließ mich ihm. Dies war meine Schwäche; es war die Schwäche meiner Generation, so furchtbar als fruchtbar (!!). Aber dadurch, daß ich in dieser Schwäche bis ins Äußerste, bis an ihr Ende ging, daß ich mich dem Leben ganz überließ, mich ganz dem ganzen Leben, nicht bloß irgendeinem Teil davon, sondern allem über mich losstürzenden, auf mich einwirkenden, mich von allen Seiten durchdringenden Leben mit allen seinen Widersprüchen überließ, ja daß ich selbst jedem Nein noch auch wieder Ja zu sagen durch das tyrannisch Bejahende meines ganzen Wesens unwiderstehlich genötigt, mich gerade Widersprüchen, besonders aber den Widersprüchen meines eigenen Wesens am liebsten überließ, von irgendeiner anonymen Macht in mir verführt, immer wieder auch meinen Freund zu lieben als mich selbst, durch diesen inneren Zwang meiner Natur, den ich bald als meinen guten, bald als meinen bösen Dämon empfand, durch den Zwang meiner Natur... auch zum anderen Pol, ja besonders zum Gegenpol meines Wesens, durch ihn ist jene Schwäche des Impressionisten zu meiner höchsten Kraft, dadurch bin ich meiner erst Herr geworden, dadurch bin ich über meine Zeit empor zu mir selbst gekommen.“ (H. BAHR, Selbstbildnis [zit. Anm. 294], 4 – 5.)

307 Wie ernst diese Lebensmöglichkeit für Bahr war, zeigt Victor Adlers Brief an Karl Kautsky (Wien, 21. August, 1886): „Nun brauche ich einen Redacteur und einen Administrator. Für den ersten Posten wollte ich Hermann Bahr gewinnen, der eine glänzende journalistische Kraft ist... sein Brief aber, in dem er sich durchaus als Parteigenosse gibt und der Partei seine Lebensarbeit widmen zu wollen erklärt, teilt mir mit, daß er zu jung ist — um ein Jahr — und daß er noch sein Militärjahr wird abdienen müssen — also vorläufig nur externer Mitarbeiter...“ (V. ADLER, Briefwechsel mit August Bebel und Karl Kautsky, Wien 1954, 15 – 16.)

308 Ebenda 16. — Bahr gebraucht im übrigen später oft den Terminus „marxistisch“, um seinen damaligen Standpunkt zu charakterisieren. Damit mag er wohl einer der ersten gewesen sein, der diesen Terminus in der Öffentlichkeit einführte.

309 R. MUSIL, Essaybücher (1913). In: Gesammelte Werke (zit. Anm. 4), Bd. 9., 1451.

310 H. BAHR, Um Goethe, Wien, 1917, 1.

311 Bahr hatte, das wollen wir nicht bezweifeln, ein erstaunlich tiefes und immerwährendes Verhältnis zu Goethe. Das ändert aber nichts daran, daß er — und dies darzulegen ist unser Ziel — auch über Goethe *auf seine idealtypisch impressionistische Art* nachdachte.

312 H. BAHR, Um Goethe (zit. Anm. 310), 6.
313 Ebenda 9.
314 H. BAHR, Der veränderte Freund. In: Das Hermann-Bahr-Buch, Berlin 1913, 57.
315 Nietzsche war dadurch einer der wichtigsten Initiatoren und Stützen auch der Wiener impressionistischen Denkweise. Darin erschöpft sich die Relation Bahr-Nietzsche jedoch noch keineswegs. Wir denken an so grundlegende Anregungen wie, daß Bahr seine prinzipiellen Selbstoffenbarung („Die Moderne", 1890) im poetischen Stil Nietzsches Zarathustra verfaßte oder an sein Essay über Stifter, wo er seine ganze tatsächlich praktizierte Kunstphilosophie nicht so sehr auf die Kulturkritik Nietzsches als vielmehr auf die kunstphilosophisch-ästhetischen Konsequenzen derselben bezieht.
316 Die folgenden Ausführungen machen klar, daß die Kluft zwischen „Psychologie" und Physiologie" bei Bahr nicht überbrückt wird, wenn er sich auf Mach beruft: „(Machs „Analyse der Empfindungen")... ist wohl das Buch, das unser Gefühl der Welt, die Lebensstimmung der neuen Generation auf das größte ausspricht. Alle Trennungen sind hier aufgehoben, das Physikalische und das Psychologische rinnt zusammen, Element und Empfindung sind eins, das Ich löst sich auf, und alles ist nur eine ewige Flut, die hier zu stocken scheint, dort eiliger fließt, alles ist nur Bewegung von Farben, Tönen, Wärmen, Drücken, Räumen und Zeiten, die auf der anderen Seite, bei uns... als Stimmungen, Gefühle und Willen erscheinen." (Das Hermann-Bahr-Buch [zit. Anm. 314], 103.)
317 H. BAHR, Mach. In: Bilderbuch, Wien 1921, 36. — Das Bild wird dadurch noch komplizierter, daß Mach selbst den Wiener Impressionismus als seine „Bestätigung" erlebte, was sicherlich nicht im eigentlichen Sinn fundiert war: „Für einen Philosophen gibt es keine herzlichere Bestätigung seines Glaubensbekenntnisses als diese Gleichzeitigkeit und das Bewußtsein, daß, was bei mir Erkenntnis ist, dem Dichter die Macht der Gestaltung verleiht." (Bertha ZUCKERKANDL, Literatur und Philosophie. Hermann Bahr, Ernst Mach und Emil Zuckerkandl im Gespräch, Wien 1908. In: Die Wiener Moderne, Stuttgart 1981, 172.) Dies zeugt von der Inkonsequenz Machs auch in jener Hinsicht, daß er sich jetzt einen „Philosophen" nennt, während er sich nicht selten dagegen wehrt, ein Philosoph genannt zu werden...
318 Ebenda 37.
319 Ebenda 37.
320 H. BAHR, Um Goethe (zit. Anm. 310), 63 – 64.
321 Ebenda 22.
322 Ebenda 23.
323 Ebenda 24.
324 Ebenda 43.
325 Ebenda 48.
326 Dazu siehe E. KISS, Szecesszió egykor és most, Budapest 1984 — Treffend summiert Josef Hoffmann die Lage: „Die Zeit ist (beim Auftritt

Wagners) romantisch geworden. Das Studium verschiedener Stile, die Sehnsucht nach der Größe vergangener Kunstepochen, der momentane große Bedarf zwingt die Künstler, alte Bauwerke zu kopieren ... Amerika entwickelt sich frei, da gibt's keine Bauvorschriften." (J. HOFFMANN, Rede über Otto Wagner. In: Die Wiener Moderne [zit. Anm. 317], 540.)

327 Vielsagend ist zum Beispiel der folgende Text: „Sollte es den philosophischen Leser peinlich berühren, daß *die Behandlung der höchsten und letzten Fragen* hier gleichsam in den *Dienst* eines Spezialproblems von nicht übergroßer Dignität gestellt: so teile ich mit ihm das Unangenehme dieser Empfindung. Doch darf ich sagen, daß durchaus das Einzelproblem des Geschlechtsgegensatzes hier mehr den Ausgangspunkt als das Ziel des tieferen Eindringens bildet. So erfloß reicher Gewinn aus seiner Behandlung auch für die logischen Kardinalfragen nach Urteil und Begriff und deren Verhältnis zu den Axiomen des Denkens, für die Theorie des Komischen, der Liebe, des Schönen und des Wertes und Probleme wie Einsamkeit und Ethik und die Beziehungen der beiden untereinander, für das Phänomen der Genialität, des Unsterblichkeitsbedürfnisses und des Judentums." (Otto WEININGER, Geschlecht und Charakter. Eine prinzipielle Untersuchung. Neunzehnte, unveränderte Auflage. Wien und Leipzig 1920, IX. Erste Hervorhebung: E. K.) — Die Ambition des Verfassers geht auch aus seinen folgenden Worten hervor: „Es sind nur Keime einer ... Gesamtauffassung, die in diesem Buche sichtbar werden, einer Auffassung die den Weltanschauungen *Platos, Kantens* und des *Christentums* am nächsten steht. Aber die wissenschaftliche, psychologisch-philosophische, logisch-ethische Grundlegung mußte ich mir zu einem großen Teile selbst schaffen." (Ebenda VIII.) Aus diesen und ähnlichen Zitaten ließe sich jenes Bild rekonstruieren, das Weininger selbst von seinem Werke hatte. Dieses Bild würde unsere These über eine Vereinigung der existentiellen Problematik mit den härtesten methodischen und systematischen Forderungen bestätigen.

328 Ebenda 131. — Typisch wienerisch ist, daß diese Auffassung des „Augenblicks" eben bei der Beschreibung des „Genies" aktualisiert wird. Löst man Weiningers Denken einerseits aus seinem wienerischen und andererseits aus seinem impressionistischen Kontext, so kommt man zu zeitlos-idealtypisierten Schemata, wie etwa dem folgenden: „Without a national identity, he (Weininger) is the victim of his own sarge towards progress caught in the toils of reaction." (Julius CARLEBACH, Karl Marx and the Radical Critiques of Judaism. London, Henley and Boston 1978, 336.)

329 Ebenda VII – VIII.

330 Eine Formulierung dieser Annahme lautet: „Der Nachweis, daß *jedes* einzelne Organ und weiter *jede einzelne Zelle* eine Sexualität besitzt, die auf irgend einem Punkte im Arrhenoplasma und Thelyplasma anzutreffen sein wird, daß also jeder Elementarteil ursprünglich in bestimmter Weise und bestimmtem Ausmaß sexuell charakterisiert ist, dieser Nachweis läßt sich auch durch die Tatsache leicht führen, daß selbst im *glei-*

chen Organismus die verschiedenen Zellen nicht immer die gleiche und sehr oft nicht eine gleich *starke* sexuelle Charakteristik besitzen." (Ebenda 19. Hervorhebung im Original.) Weininger behandelt diese These im weiteren als wissenschaftlich unangefochten und unanfechtbar.

331 Ebenda 108. (Hervorhebung im Original.)

332 Ebenda 110.

333 Ebenda 128. — Dieser Zusammenhang übrigens verrät auch, wie stark sich der Persönlichkeitsidealismus Carlylescher Prägung in Weiningers Konzept auswirkte.

334 Hannah ARENDT, Die verborgene Tradition, Frankfurt am Main 1976, 80.

335 Weininger dehnt die Geltung dieses Gegensatzes praktisch ohne weitere Vermittlung auf diese Gebiete aus und bezieht von dort zahlreiche kulturhistorische Beispiele. Für dieses Verfahren ist charakteristisch, was er bei der Darstellung der „emanzipierten Frauen" erwähnt: „Wo alle Angaben über die Menschen fehlen, zu welchen eine sexuelle Beziehung bestand, oder solche Personen überhaupt nicht genannt werden, da ist oft reichlich Ersatz in kleinen Mitteilungen, die über das Äußere berühmter Frauen auf uns gelangt sind..." (Ebenda 80.)

336 Siehe Anm. 234.

337 In Die Theorie des Romans situiert der junge Lukács die Kunst zum Beispiel dergestalt, daß sie die zwischen „Erkennen" und „Tun", „Seele" und „Gebilde", „Ich" und „Welt" existente „Entfremdung" beseitigt und der Künstler somit selbstverständlich auch eine „Weltanschauung" schafft.

338 O. WEININGER, Geschlecht und Charakter (zit. Anm. 327), VII.

339 Deutlich sichtbar ist hier, daß Husserl in dieser Feststellung eher von den Voraussetzungen seines eigenen *phänomenologischen* Ansatzes, als von einer gerechten Betrachtung der Weltanschauungsbegriffe seiner Zeit geleitet wird.

340 Vielleicht am deutlichsten wird diese bereits in Anm. 327 akzentuierte Ambition des Werkes durch das folgende Zitat belegt: „Die normativen Disziplinen, die psychische Tatsache der inneren Forderung, die viel mehr verlangt, als alle bürgerliche Gesittung je haben will — das ist es, was kein Empirismus je wird ausreichend erklären können. Seinen wahren Gegensatz findet er in einer kritisch-transzendentalen, nicht in einer metaphysisch-transzendenten *Methode,* da alle Metaphysik nur hypostasierende Psychologie, Transzendentalphilosophie aber Logik der Wertungen ist. Aller Empirismus und Skeptizismus, Positivismus und Relativismus, aller Psychologismus und alle rein immenente Betrachtungsweise fühlen instinktiv sehr wohl, daß aus Ethik und Logik ihnen die Hauptschwierigkeit erwächst." (Ebenda 199.) Zur explosiven Kollision von Methoden und Gehalten gehört wohl die im Zitat offenbar gewordene *Gleichzeitigkeit von Empirismus, Kritizismus und (impressionistischer) Transzendenz!* Durchaus wesentlich ist, daß Weininger die *existentielle* Bedeutung seines Philosophierens durch die „Logik und Ethik" versinn-

bildlicht, d. h. nicht einmal unmittelbar ausspricht. Ebenfalls von Bedeutung ist, daß Weininger das *Systematische* seines Unterfangens bereits ganz zu Beginn des Werkes unterstreicht: „... es häuft nicht Beobachtung auf Beobachtung, sondern bringt die geistigen Differenzen der Geschlechter in ein *System*..." (Ebenda V.)

341 Dadurch wollten wir nur in Erinnerung rufen, daß seine unmittelbare Umgebung bzw. die Nachwelt Weininger vor allem als in jenem Sinne „vielversprechenden" Philosophen aufnahm. Kelsen war nicht der einzige, der später einen Beitrag auf dem Gebiet der Theorie leistete und seine ersten *philosophischen* Anregungen von Weininger erhielt.

342 Ebenda 459. — An einer Stelle sagt Weininger sogar: „... alles, was den Weibern vorgeworfen werden kann, ist Schuld des Mannes." (Ebenda 397.)

343 Ebenda 455.

344 Ebenda 135.

345 Ebenda 135.

345a Es ist gewiß nicht notwendig, hier auch nur die wichtigsten und bestimmendsten „europäischen" Anregungen, Quellen beim Namen zu nennen, die sich auf Hofmannsthal, Rilke oder Kassner so prägend auswirkten. Diese Prozesse brachten jene Identität der gesamteuropäischen Moderne hervor, die so charakteristisch für die „zweite" Welle der Moderne war und später auch ein zutiefst konstituierender Zug des Avantgardismus wurde.

346 Für eine eingehendere Untersuchung dieser „zweiten" Welle der europäischen Moderne siehe Endre KISS, Szecesszió egykor és most (zit. Anm. 326). — Der soziale Hintergrund dieser „zweiten" Welle erschöpft sich selbstverständlich nicht in der Entwicklung in Richtung einer Identität der gesamteuropäischen Moderne, sondern hängt sowohl mit der Entstehung einer von historischen und lokalen Gebundenheiten immer mehr emanzipierten neuen Intellektuellenschicht, als auch mit einer äußerst hart ausgefochtenen Rivalität zwischen den Schichten des modernen Unternehmerbürgertums bzw. der traditionell geistig oder politisch führenden Schichten zusammen. All diese Faktoren schufen eine Situation, in der die eigentliche Entstehung der *österreichischen* Moderne mit der Geburt der „zweiten" Welle überhaupt zusammenfiel, was dieser Moderne eine typologisch selten deutliche Relevanz verleiht.

347 Rilke an Lou Salomé, am 15. August 1903, zitiert von Hans Egon HOLTHUSEN, Rainer Maria Rilke, Hamburg 1958, 42.

348 Zitiert von Käte HAMBURGER, Rilke. Eine Einführung, Stuttgart 1976 — Daß das „Leben" nicht mehr mit der eigenen (und sei es, verallgemeinerten) Existenz zu tun hat, zeigen jene zahlreichen Hypostasierungen, durch welche „das Leben" als selbständiges, eigengesetzliches Subjekt angesprochen wird: „Das Leben geht, und es geht an vielen vorbei in der Ferne, und um die Wartenden macht es einen Umweg." (Rainer Maria Rilke — Lou Andreas Salomé, Briefwechsel, herausgegeben von Ernst PFEIFFER, Frankfurt am Main, 1975, 79.)

349 Rainer Maria Rilke — Lou Andreas Salomé Briefwechsel (zit. Anm. 348), 94. — Damit in Zusammenhang steht, daß Rilkes ,,Dingbeschreibungen" *ab ovo* mit der beschreibenden Methode der Phänomenologie viel Gemeinsames haben. Diese Parallele ist in der Literatur nicht selten schon erwähnt worden (zum Beispiel, Käte HAMBURGER, Rilke [zit. Anm. 348], 89). Auch Jost-Hermand legt — sogar kritisch — den Tatbestand folgendermaßen fest: ,,Überhaupt stößt man in den *Neuen Gedichten* neben rein bildlichen Partien ständig auf merkwürdige Abstraktionen, in denen sich Rilke bemüht, alles Dingliche im ,Wesenhaften' zu verdichten, was streckenweise zu einer phänomenologisch verquälten (!) Ausdrucksweise führt." (JOST-HERMAND, Rilkes ,,Gesang der Frauen an den Dichter". In: Der Schein des schönen Lebens. Studien zur Jahrhundertwende, Frankfurt am Main 1972, 22.) — Im Vergleich zu dieser Methode Rilkes der dichterischen ,,Phänomenologie" wird deutlich, daß bei Hofmannsthal die *allegorische Verailgemeinerung* eine ähnliche Schlüsselrolle spielt. Beide Verfahrensweisen bringen das Konkrete und das Allgemeine in neue Synthesen, wobei Rilkes Phänomenologie auf tiefere Ebenen der dichterischen Schöpfung hinabgreift. Hier müssen wir anmerken, daß, was hier als *dichterische ,,Verallgemeinerung" des menschlichen Geschehens* umschrieben wird, Hermann Broch in seiner Hofmannsthal-Studie als ,,Wille zum Stil" zu identifizieren suchte.

350 Rainer Maria Rilke — Lou Andreas Salomé, Briefwechsel. Zürich—Wiesbaden 1952, 262 – 263.

351 Diese selbständige, dem ebenso selbständig gewordenen ,,Leben" ebenbürtig entsprechende Kunst erhielt ihre ,,organische" Eigendimension auch in dem folgenden Text Rilkes über Rodin: ,,Dieses Werk ist gewachsen seit Jahren und wächst an jedem Tage wie ein Wald und verliert keine Stunde. Man geht unter seinen tausend Dingen umher..." (R. M. RILKE, Auguste Rodin (1902). In: Rainer Maria RILKE, Sämtliche Werke, Fünfter Band, Frankfurt am Main 1965, 141.) — Exemplarisch faßt er an anderer Stelle zusammen, durch welche Überlegungen die künstlerische Arbeit ihre unvergleichliche Bedeutung erlangt: sie führt zur ,,Gnade der großen Dinge" (Ebenda 143.) — Ein weiteres vielsagendes Beispiel über die Kunst als selbständigen Bereich menschlicher Existenz lautet: ,,Denn die Kunst ist ein Ding viel zu groß und zu schwer und zu lang für ein Leben und die, welche ein großes Alter haben, sind erst Anfänger in ihr." (Rainer Maria Rilke — Lou Andreas Salomé, Briefwechsel [zit. Anm. 348], 108.)

352 Die Auflehnung Oskar Wildes gegen die ,,Moral", d. h. den Persönlichkeitsidealismus in der Kunst, die eigentlich die Verkündigung der Dekadenz im Sinne Wildes nachvollzog, wurde von Kassner kaum verstanden, so daß er in jeder ,,Unfolgerichtigkeit" und in jedem Kompromiß ein Vergehen gegen die ,,Logik" des Gegenstandes erblickte, unabhängig davon, welche (zum Beispiel ,,humanistischen") Überlegungen zu diesem Kompromiß führten. Es ist lehrreich zu sehen, wie schwer Rilke, aber auch Kassner selbst diese Attitüde, die im Ästhetischen jedenfalls defi-

niert werden kann, in den Kategorien der Zeitgeschichte beschreiben können. Rilke versucht Kassner Lou Salomé gegenüber so vorzustellen: „Er ist gewiß — was er auch zugeben würde —, ein geistiges Kind Kierkegaards. Kierkegaard geht in ihm aus und in die Runde und weiter. Ich denke mir, was für Kierkegaard seine ‚Schwermut' war, das ist für Kassner sein Gebrechen. Und wie es für Kierkegaard eine Art Vorsprung war, statt so vieler unabsehbarer Hemmungen immer nur diese eine immense, überlebensgroße Schwermut zu haben, vor der er sich in immer neuen Schlachtordnungen aufstellte, so überwiegt Kassner auch irgendwie dadurch, daß alle Widerstände bei ihm in *einer* Hemmung zusammentreffen: das verschafft ihm eine Konzentration und eine Beruhigtheit, es kann ihn, sozusagen, nichts vom Rücken anfallen." (Rainer Maria Rilke — Lou Andreas Salomé, Briefwechsel [zit. Anm. 350], 256 – 257). — Ebenso enttäuschend in der Identifizierung der Kassnerschen Attitüde wirkt Kassner selbst, als er in seinem Buch der Erinnerung (1938) die Zeit seiner Jugend als einen Kampf zwischen „Individualismus" und „Sozialismus" beschreibt und *diesen Begriffen kaum einen historisch verifizierbaren Sinn gibt* (Ebenda 84 – 85.) — Wie in der Folge der junge Georg Lukács diese Attitüde ebenfalls mißversteht, d. h. auf seine eigene Art interpretiert, ist im Kapitel über den jungen Lukács zu lesen.

353 Das Philosophisch-Werden des Impressionismus bzw. der Überwindung desselben geschieht bei Kassner freilich anders als bei Weininger oder dem jungen Lukács. Am liebsten würde man dies als *einen im Bereich der künstlerischen Objektivationen entstandenen umgekehrten Persönlichkeitsidealismus* bezeichnen, bei dem jedoch die Dualität von existentieller Problematik und harter philosophischer Methodik ebenso qualifizerend konstatierbar ist. Sehr zielführend versuchten Hamann und Hermand Kassner zu deuten, ohne die Konzeption des impressionistischen *Denkens* in Anspruch zu nehmen: „Man wollte ein ‚reines', aber gegenstandsloses (!) Denken verwirklichen, das sich aus einer Reihe unendlicher Motivationen zusammensetzt, ohne zu einem sinnfälligen Abschluß zu kommen. Am deutlichsten zeigt sich diese Tendenz in Rudolf Kassners ‚Moral der Musik' (1905), in der ein Musiker [‚der] das Kompositorisch-Berechenbare mit dem Seelisch-Intuitiven zu verbinden sucht..." (HAMANN, HERMAND, Stilkunst um 1900, Berlin 1960, 239.)

354 Eine ganz andere Frage ist, warum dieser Tatbestand dem jungen Ästheten nicht jederzeit als selbstverständliches Problem bewußt war. Es geht darum, daß österreichische Phänomene für ihn praktisch kaum *als solche* wichtig werden. Es gibt immer entsprechend breitere Aspekte, innerhalb welcher sie *neben anderen* Erscheinungen bedeutend werden. Mit ruhigem Gewissen kann man hier auf psychologische Erklärungen zugreifen, wie etwa, daß der junge Lukács das Habsburgerreich *zum Teil* auch als *seine Heimat* ansah und aller Wahrscheinlichkeit nach nicht immer klar aus seinen Erlebnissen und seiner kulturellen Umwelt herausgefiltert haben dürfte, was in diesem Sinne „österreichisch" war. Die *soziologische* Bedeutung liegt in diesem Zusammenhang darin, daß dies absolut kein

Einzelfall war. Aus der „Moderne" wie aus der eigenen „Modernität" genau herauszufinden, was daran „österreichisch", was „ungarisch" oder „europäisch" war, dürfte auch anderen nicht leicht gefallen sein.

355 Diese Eigenschaft ist für die Struktur dieser Kulturen tatsächlich charakteristisch. Zur Untermauerung dieser These wären auch „empirische" Forschungen erforderlich. Uns würde es jedoch nicht überraschen, würden Hofmannsthal oder Rilke auch heute noch als „moderner" empfunden denn H. C. Artmann oder Handke... Eine fundamentale kulturhistorische Frage (und als solche noch weiter zu erforschende Problematik) ist, *warum* diese Moderne in diesen Kulturen ohne Ausnahme noch heute als „klassische Moderne" erlebt wird.

356 Es sei erlaubt, hier auf mein Buch A világnézet kora (zit. Anm. 63) hinzuweisen, welches die Wirkung Nietzsches in Ungarn bis 1918 – 1919 aufarbeitet und *paradigmatisch* jenen Prozeß darstellt, wie diese neue Kultur zu einer politischen Frage wurde. Dadurch wird wiederum aus einer anderen Richtung bestätigt, daß sich der junge Lukács nicht mehr mit diesen Prozessen identifizieren konnte; in jener Zeit konnte und wollte er keine Brücke von seiner existentiellen Problematik zur Politik schlagen.

357 Nur indirekt können wir Rückschlüsse auf seine äußerst gründliche Kenntnis Nietzsches ziehen. Auch andere Vertreter dieser „Moderne" waren ihm gewiß fast bis zur Perfektion bekannt. Am ehesten wird diese Tatsache aus LUKÁCS' Buch Entwicklungsgeschichte des modernen Dramas sowie aus der Liste der zu diesem Werk aufgearbeiteten Literatur ersichtlich.

358 Dies gilt nicht so sehr für stilistische und andere Merkmale, die sich ihrerseits wiederum deutlich von den avantgardistischen unterscheiden. Viel wichtiger bei dieser Unterscheidung ist, daß der Avantgardismus in dem hier gemeinten Sinn von völlig anderen weltanschaulichen, sogar anthropologischen, sozialen oder politischen Voraussetzungen ausging und diese Voraussetzungen für die Generation des jungen Lukács noch keineswegs absehbar waren. Da wir in der Existenz dieser Voraussetzungen das Kriterium des Avantgardismus erblicken, können wir eindeutig unterstreichen, daß Lukács und die anderen der *Präavantgarde* angehörten.

359 György LUKÁCS, Ifjukori müvek, Budapest, 1977, 26. Daß dieses Zitat 1902 (!) geschrieben wurde, bestätigt die erwähnte These über den Zeitpunkt des Aufbruchs der jungen Generation zwischen der „klassischen" und der „avantgardistischen" Moderne.

360 Diese Stellungnahme bringt Kassner entweder sprachlich zum Ausdruck, oder er betreibt eine bewußt anti-plebejische, anti-alltägliche *Wertung* der Phänomene. In den meisten Fällen läßt er sich auf keine explizite Polemik ein. *Er lobt und tadelt aber „gegenspielerisch"*. Bei dem Lehrbuch-Plebejer Diderot hebt er dessen dem verbreiteten Bild widersprechende Eigenschaften hervor. In Lukács' Freundeskreis vertrat der verstorbene Leó Popper eine ähnliche geistige Einstellung. So kann man in gewisser Vereinfachung sagen, daß Kassners geistige und Poppers persönliche Faszination in dieselbe Richtung wirkten.

361 Der Impressionist fühlte sich als Exponent der gesamten Menschheit, *er hielt seine eigene Persönlichkeit stets für exemplarisch, seine eigene Individualität stets für allgemein.* Bei Kassner ist davon nicht mehr die Rede. Daß im Prinzip jeder Mensch eine exemplarische Persönlichkeit besitzt, wäre für ihn akzeptierbar gewesen.

362 Dies hat zur Folge, daß die rein impressionistische Periode und deren Überwindung in gewisser Hinsicht ähnliche wichtige Eigenschaften aufweisen. Auch stehen die beiden Attitüden einander nicht allzu fern. Der Impressionist strebt von allein stets zur Überwindung — der Überwinder versteht den Impressionisten manchmal noch allzu gut...

363 G. LUKÁCS, Platonismus, Poesie und die Formen. Rudolf Kassner. In: Die Seele und die Formen, Neuwied und Berlin (1971, 32 – 33; Hervorhebung: E. K.)

364 Ebenda 42.

365 ,,Eine der Hauptkräfte Kassners liegt darin, daß er so vieles nicht sieht. Die Kategorien des täglichen Lebens und der schablonenhaftigen Geschichtsschreibung existieren für ihn einfach nicht.'' (Ebenda 33.)

366 Ebenda 37.

367 Sehr wichtig ist in diesem Zusammenhang u. a., daß bereits Kassner bei Kierkegaard stets ,,die beispiellose Einheit'' von Leben und Form hervorhebt, sowie daß bei ihm auch schon *die existentielle Relevanz der Form* ausgesagt wird: ,,Alles menschliche Leben ist Ausdruck und Form. Die Menschen verstehen sich untereinander, indem sie sich Form und Ausdruck geben, indem sie das Große groß, das Kleine klein, das Einsam einsam, das Glückliche glücklich sein lassen.'' (R. KASSNER, Sören Kierkegaard. In: Rudolf KASSNER, Sämtliche Werke, Zweiter Band, Pfullingen, o. J., 89.)

368 G. LUKÁCS, Platonismus, Poesie und die Formen. In: Die Seele und die Formen (zit. Anm. 363.), 37. (Hervorhebung: E. K.)

369 Ebenda 37 – 38. (Hervorhebung: E. K.) — Kurz muß auch noch erwähnt werden, daß hinter dem Impressionismus bzw. dessen Überwindung die ewige philosophische Frage vom ,,Zufall'' und der ,,Notwendigkeit'' verborgen liegt. Dieses Motiv ist eines von vielen, bei denen ein gewisser Methoden- oder ideologischer Pluralismus daraus folgt, daß wichtige Fragen gleichzeitig innerhalb mehrerer philosophischer Schemata gestellt werden konnten. Nur so kann man verstehen, warum der ,,Impressionist'' Lukács sich gleichzeitig für Neukantianismus, frühe Lebensphilosophie, Hegelianismus, Soziologie u. a. interessierte.

370 G. LUKÁCS, Der Weg ins Freie. Arthur Schnitzler regénye. In: Ifjukori müvek (zit. Anm. 359), 176.

371 Ebenda 178.

372 G. LUKÁCS, Der Augenblick und die Formen. Richard Beer-Hofmann. In: Die Seele und die Formen (zit. Anm. 359), 157.

373 Zur Metaphysik kann der Impressionismus dann werden, wenn seine Grundvoraussetzungen als ewige Bedingungen der menschlichen Existenz gelten. In diesem Falle werden sie in einen metaphysischen Rang erho-

ben, obwohl sich der Impressionismus *gegenüber* jeder früheren bzw. anderen Metaphysik als antimetaphysisch profilierte.

374 Als Zusammenfassung sei der folgende Abschnitt aus dem Essay zitiert: „... was kann dann in dieser Welt der eine Mensch im Leben des andern bedeuten? Unendlich viel und doch unendlich wenig. Schicksal, Umformer, Lenker, Neuschöpfer und Vernichter kann einer dem andern sein, und doch ist alles vergebens, doch kann er niemals wahrhaft zu ihm gelangen. Das ist nicht die Trägödie des Unverstandenseins; nicht die des rohen Nicht-fassen-könnens und auch nicht die Tragödie der feinen Egoisten, die alles zu ihrem Ebenbilde schaffen. Hier ist das Verstehen selbst, das schönste und das tiefste, das zärtlichste und nur den Andern liebende Verstehen, unter den Rädern des Schicksals zermalmt." (G. LUKÁCS, Der Augenblick und die Formen [zit. Anm. 372], 162, 163.)

375 Siehe den Briefwechsel Georg Lukács': Lukács György levelezése (1902 – 1917), Budapest 1981.

376 Siehe Lukács' Brief an Paul Ernst vom 2. September 1910. Ebenda 244.

377 Popper berichtet über sein „triumphierendes" Treffen mit Kraus in seinem Brief an Lukács vom 6. Mai 1911. Ebenda 380.

378 Sehr informativ in dieser Hinsicht ist Lukács' am 29. Oktober 1909 geschriebener Brief an Popper. Ebenda 167.

379 BABITS, Esszék, tanulmányok, Budapest 1978, I. Band, 159.

380 Lukács an Babits, um den 18. November 1910. In: Lukács György levelezése (1902 – 1917) (zit. Anm. 375), 277.

381 Merkwürdigerweise hängt dieser vielversprechende ungarische Hegelianismus kaum mit dem Universalismus zusammen. In seinem Keim baute er auf der Denktradition der ungarischen protestantischen (!) Schulen auf, in seiner ausgereiften Form lieferte er bei János Erdélyi sogar einen sonderbaren Beitrag zur Entwicklung der europäischen Philosophie. Erdélyi wollte Hegel nämlich gerade in den fünfziger und sechziger Jahren zu neuem Leben erwecken, als ein derartiger Versuch in Deutschland überhaupt nicht mehr vorstellbar war.

381a Unser Versuch bestätigt dies — auch wenn wir mit Analysen (wie etwa jenen R. Verdenals) einverstanden sind, die bei einer allgemeinen Charakterisierung des Comteschen Positivismus diese „Furcht" in den Mittelpunkt stellen. Siehe Geschichte der Philosophie, Band V, hg. von François Chatelet, Frankfurt am Main 1974, 193.

382 Uns scheint es daher am wesentlichsten, daß er mit dem Kantschen „Ding an sich" kaum etwas anzufangen wußte. Ein Beispiel: „Es scheint mir, daß man bei Auslegung Kants auf dessen so natürliche und psychologisch verständliche Scheu, für einen Phantasten gehalten zu werden, wenig Rücksicht genommen hat. Nur aus diesem Gesichtspunkt kann man verstehen, daß der Mann, für den nur auf mögliche Erfahrung anwendbare Begriffe Sinn und Wert hatten, ein Ding an sich statuieren konnte, über welches keine Erfahrung denkbar ist." (E. MACH, Die Analyse der Empfindungen und das Verhältnis des Physischen zum Psychischen. Neunte Auflage, Jena 1922, 295.)

383 Die Verbindung Mach-Hume ist in diesem Raum philosophiegeschichtlich ebenso wichtig wie etwa jene zwischen Jodl und Feuerbach oder zwischen Brentano/Bolzano und Leibniz, auch wenn die Betonung nicht so sehr auf Humes Kritizismus, sondern *auf seinem Prinzip der Denkökonomie* liegt (mit dem er die gewöhnliche Annahme der Kausalität erklärt). Da wir eben nicht die Denkökonomie als Machs hervorragende Leistung ansehen, ist uns diese Relation auch nicht so wichtig, als wenn wir sie auf der Ebene des Kritizismus sehen würden.

384 Wir können nicht näher darauf eingehen, welche Züge Mach in den bisherigen Darstellungen der positivistischen Philosophie zugeschrieben wurden. Unser Eindruck ist jedoch, daß die Geschichtsschreibung des Positivismus in ihm ebenfalls eher *den Kritiker der Metaphysik* als den Vorläufer der Wissenschaftstheorie unserer Tage sah. Deutlich weisen darauf auch die Gehalte der Mach-Rezeption des Wiener Neopositivismus hin. So gehen aber auch andere seiner Eigenschaften verloren (Aufklärismus, Ethos der Wissenschaftlichkeit).

385 Diese grundlegende prä-wissenschaftstheoretische Einstellung Machs können wir mit einem Text A. Meinongs illustrieren, den jener über seineeigene Gegenstandstheorie verfaßte, dadurch jedoch auch Machs Attitüde zu charakterisieren wußte: „Die Wissenschaften, deren das Menschengeschlecht sich rühmen darf, sind ja doch nicht erst erfunden und ausgedacht, und dann sozusagen über Anweisung hergestellt worden. Sie haben sich von selber entwickelt, und recht spät hat sich das Beobachten und Nachdenken ihrem Wissen und ihrer Eigenart zugewendet und daraufhin etwa auch ihre Gesamtheit in ein mehr oder minder unvollkommenes wissenschaftstheoretisches System zu vereinigen versucht. Ist es demgegenüber nicht Vermessenheit, nun einmal den entgegengesetzten Weg einschlagen, dem freien wissenschaftlichen Tun gleichsam eine Richtung aufdekretieren zu wollen?" (A. MEINONG, Über die Stellung der Gegenstandstheorie im System der Wissenschaften, Leipzig 1907, 1.)

386 E. MACH, Die Mechanik in ihrer Entwicklung. Historisch-kritisch dargestellt, 9. Auflage, Leipzig 1936, 226 – 227. (Hervorhebungen im Original.)

387 Ludwig Mach schreibt im Vorwort der zitierten Auflage des Buches Mechanik darüber folgendes: „Zweifellos war der Begründer der ‚Kritischen Physik'... in der Herausarbeitung der Grundlinien, auf denen die Relativitätstheorie später aufgebaut wurde, hervorragend beteiligt..." (E. MACH, Mechanik [zit. Anm. 386], XIX.)

388 "This is an interesting example of the fact that even scholars of audacious spirit and fine instinct can be obstructed in the interpretation of facts by philosophical prejudices. The prejudice — which has by no means died out in the meantime — consists in the faith that facts by themselves can and should yield scientific knowledge without free conceptual construction." (Zitiert von O. HAGSTRØM, The Scientific Community, New York/London 1965, 287.)

389 Rudolf CARNAP, Einführung in die Philosophie der Naturwissenschaft, herausgegeben von Martin GARDNER, München 1969, 20. — Wir müssen wohl kaum betonen, wie sehr auch in der Beurteilung Carnaps die schon oft erwähnte *anti-metaphysische Einstellung* Machs vorherrscht... So richtig diese auch sein mag, fühlte sich die wissenschaftliche Kritik dadurch oft von der Pflicht befreit, das „Positive" in Machs Positivismus herauszuarbeiten.

390 E. MACH, Die Analyse der Empfindungen (zit. Anm. 382), 4. — Es bedarf wohl kaum eines eigenen Beweises, daß der grundsätzliche Wille, das Konkrete neu zu definieren, um so etwas Universales aufbauen (oder nicht aufbauen) zu können, in dem vorliegenden Gedanken Machs enthalten ist.

391 Ebenda 5.

392 Wir wollen an dieser Stelle die kritischen Meinungen über Machs Neubestimmung des Konkreten nicht im einzelnen anführen. Diese Kritiken, gleichgültig, von welcher Seite sie kommen, unterstreichen nur die Absicht Machs, das Konkrete neu zu definieren.

393 Gerade in dieser Hinsicht fällt Mauthners Sprachkritik mit der Aufklärung, insbesondere aber mit der „zweiten" Aufklärung Österreich-Ungarns zusammen. In der Einleitung seines Werkes Fritz MAUTHNER, Wörterbuch der Philosophie. Neue Beiträge zu einer Kritik der Sprache, Neudruck Zürich 1980, äußert sich Mauthner über diese Verbindung: „... (der) Kampf gegen jede Form des Aberglaubens und Dogmatismus, der mich immer wieder in die Nachbarschaft der Aufklärer bringt..." (XII.) (Über Mauthners „zweite" Aufklärung siehe auch Anm. 398.) — Zur Grundlage dieser Sprachkritik gehört natürlich auch der vielzitierte Satz Fritz Mauthners: „... ich verstehe es gar nicht, wenn ein Jude, der in einer slawischen Gegend Österreichs geboren ist, zur Sprachforschung *nicht* gedrängt wird." (F. MAUTHNER, Erinnerungen. Erste Prager Jugendjahre, München 1918, 32.)

394 Mauthners äußerst komplexes Verhältnis zu Darwin würde eine besondere Untersuchung verdienen. In vielen konkreten Einzelfragen, die mit Sprachwissenschaft, Sprachentwicklung, Sprachverwandtschaft zusammenhängen, führt Mauthner einen Streit gegen ihn, wohingegen Darwins genetisch-historisch positive Methode seiner eigenen ähnlich ist. Etwas eingehender betrachtet, kämpft Mauthner immer dann gegen Darwin, wenn er in dessen Gedankengängen Teleologie zu entdecken meint (ein Beispiel: F. MAUTHNER, Beiträge zu einer Kritik der Sprache [zit. Anm. 393], Bd. III, 522: „Darwin ist sich niemals bewußt, daß er den Begriff der Endursache nicht überwunden hat."). Darwins *Entwicklungsgedanke* und überhaupt die Darwinschen Konsequenzen für jegliche Harmonistik machen ihn aber Darwin gegenüber auch wohlgesinnt. Sollten wir diese vielschichtige Relation in einer einzigen These zusammenfassen, so wählten wir den folgenden Satz Mauthners: „(Darwin ist)... ein Kepler, der auf seinen Newton wartet." (F. MAUTHNER, Beiträge zu einer Kritik der Sprache [zit. Anm. 393], Bd. II, 292.)

395 Eine zusammenfassende Formulierung dieses Nominalismus könnte beispielsweise lauten: „... die Sprache (ist) das einzige Werkzeug zur Erkenntnis der Natur..., das wir besitzen, und... diese Sprache (ist) ein untaugliches Mittel..." (F. MAUTHNER, Spinoza. Ein Umriß seines Lebens und Wirkens, Dresden 1922, 13.) — Obwohl wir Mauthners extremen Nominalismus keineswegs psychologisch interpretieren, geschweige denn „ableiten" wollen, können wir nicht umhin, seinen Rückblick auf die Kindheit anzuführen: „So hatte ich als Kind das Zeug, mit dem mir beim Waschen die Hände getrocknet wurden, in meinem Kuchelböhmisch *hantuch* genannt, das Wort in meine deutsche Sprache mit hinübergenommen und kam in meinem fünften Jahre auf den gelehrten Einfall: *hantuch* bedeute ein Tuch für die Hand, wäre also ein deutsches Wort." (F. MAUTHNER, Erinnerungen [zit. Anm. 393], 34.)

396 Diese Identifizierung erinnert nicht nur an Mach, sondern spielt bei Mauthner auch dieselbe Rolle wie bei dem Verfasser des Werkes Mechanik, nämlich jene *der Neudefinition des Konkreten.* Kein Wunder, daß Mauthner in seiner Sprachkritik Machs Grundthesen auch wortwörtlich übernimmt: „...frei von jeder Mystik hat uns Mach (Anal. de Empf.) gelehrt: die Beständigkeit des Ichs besteht nur in der Kontinuität, das Ich sei eine denkökonomische Einheit, habe nur praktische Bedeutung, sei nicht das Primäre." (F. MAUTHNER, Beiträge zu einer Kritik der Sprache [zit. Anm. 393], Bd. I, 661.) — Auch den „Verlust des Ich" entlehnt Mauthner von Mach, nur daß er das Ich vor allem in sprachphilosophisch bestimmten Einheiten aufgehen läßt. Mauthner erkennt übrigens Machs persönliche Wirkung auf ihn bereitwillig an und zieht folgenden Schluß: „Machs erkenntnistheoretischer Positivismus — der die metaphysischen Worte nicht, wie Auguste Comte, haßt, sondern psychologisch beschreibt, also erklärt — hatte in meinem Unterbewußtsein nachgewirkt." (F. MAUTHNER, [zit. Anm. 393], 210.) — Daß sich auch Mauthner diese Neubestimmung des Konkreten als *Ausgangspunkt* weiterer theoretischer oder praktischer Tätigkeit vorstellt, beweisen seine folgenden Worte: „Die Volkshochschule der Zukunft soll oder wird überall die erkenntniskritische (Sie wissen, ich meine die sprachkritische) Grundlage schaffen helfen, sie wird in der geschichtlichen Darstellung auf offiziöse Schönfärberei verzichten und nur für wahrhaft vorbildliche Menschen bewundern lehren." (F. MAUTHNER, Spinoza [zit. Anm. 395], 11.) — Sprachkritik (d. h. Neudefinition des Konkreten), Theorie und Praxis werden in diesen beiden Sätzen exemplarisch miteinander in Beziehung gesetzt.

397 Mauthners Verbindungen zum späteren Impressionismus sind ebenfalls sehr vielschichtig. Das für uns Wesentlichste ist, daß eben das *Nominalistische* der Sprache sie schicksalhaft „impressionistisch" macht: „... die Sprache ist immer impressionistisch gewesen." (F. MAUTHNER, Erinnerungen [zit. Anm. 393], 217.)

398 Elemente dieser österreichischen „zweiten" Aufklärung sind aus den Schriften Mauthners in großer Zahl zu entnehmen. Hier sei nur ein besonders typisches Beispiel angeführt: „Wer unter ‚Religion', entgegen al-

lem gegenwärtigen Denken und Dichten, nach wie vor irgendeine Form der Furcht und Knechtschaft unter übermenschlich offenbarten Gesetzen verstehen will, der wird der Meinung zustimmen müssen, Spinoza sei der erste ... Gottesleugner gewesen; wer aber mit dem schaffenden Worte ‚Religion' — mit mir — nichts ausdrücken will, als tiefen Ernst in der Besinnung über das Menschenleben, der wird erkennen müssen, daß Spinoza eine durchaus und wesentlich religiöse Natur war, der erste ... Bekenner der neuen Religiösität." (F. MAUTHNER, Spinoza [zit. Anm. 395], 12.) — Diese Zeilen könnten sogar als Definition der religiösen Grundeinstellung der „zweiten" Aufklärung gelten.

399 Bei Mauthner wird dieses Grundschema so abgewandelt, daß sein Aufklärertum sich auch stark gegen die Nationalitätenkämpfe in Österreich-Ungarn richtet, wie dies auch beim Prager Professor Mach der Fall war.

400 Daß zwischen Kraus und dem Wiener Impressionismus hinsichtlich Einstellung, Identität, Authentizität viele Unterschiede nachzuweisen sind, wird in unserem Text nur kurz angedeutet. Nun wollen wir einen Text des ganz jungen Kraus vorstellen, in dem *seine einmalige Zwischenposition zwischen der „ersten" und der „zweiten" Generation der europäischen Moderne* klassisch zu erkennen ist: „An dem neuesten Werk der in letzter Zeit (Kraus schrieb diese Arbeit 1892!) viel genannten belgischen Symbolisten kann man schaudernd erkennen, welch sonderbare Blasen die krankhaft überreizte Phantasie unserer allermodernsten Dekadenzheiligen aufwirft. Die geebnete Literaturstraße scheint den gleichen Leuten, die da den Nihilismus überwunden zu haben glauben, kein geeignetes Terrain für den fin-de-siècle-Sport, den sie üben, sie ziehen es vor, auf möglichst unwegsamen Seitenpfaden herumzuklettern, auf denen man nicht nur Hals und Bein brechen kann, sondern die auch in das leere Nichts führen." (Zitiert in H. KOSLER, „Karl Kraus und die Wiener Moderne". In: Karl Kraus. Sonderband von Text und Kritik. Herausgegeben von Heinz Ludwig Arnold, München 1975.) Es ist kein Zufall, daß Kraus' erste Schrift gegen Bahr ebenfalls in dieser Zeit entsteht („Zur Überwindung des Hermann Bahr"). Diese Einstellung läßt sich so identifizieren, daß ein junger Vertreter der „ersten" Welle auf charakteristische Phänomene der „zweiten" reagiert. Dieselbe Zwischenstellung gilt auch für seine Einschätzung des Wiener Impressionismus, die anderenfalls unverständlich wäre.

401 Es ist die Ehrfurcht Kraus' vor jeder Kreatur bzw. vor allem Kreatürlichen, die uns in diesem Zusammenhang so stark an Rousseau erinnerte. Ohne diese Einstellung wäre seine starke Identifizierung mit seiner Stadt, mit seiner Sprache, aber auch seiner Auffassung der Frau kaum vorstellbar, und dieser Zug ist in jeder seiner wesentlichen Stellungnahme ganz deutlich vorhanden. Es ist keineswegs verwunderlich, wenn Walter Benjamin diesen Zug auch im Verhältnis zu den Tieren hervorhebt: „Die Kreatur ist es, in deren Namen Kraus immer wieder dem Tier... sich zuneigt... (Walter BENJAMIN, Gesammelte Schriften, Band II/1. 1. Herausgegeben von Rolf TIEDEMANN und Hermann SCHWEPPENHÄUSER,

Frankfurt am Main 1983.) — Interessanterweise unterscheidet sich Kraus dadurch auch von Weininger, der das Kreatürliche an den Frauen überhaupt nicht mitreflektiert.

402 Die Verschleierung des Wirklichen führt zur Entlarvung dessen, der dies „verübt". *Die Jagd nach den Tätern, die die Sprache mißbrauchen, führt bei Kraus unmittelbar zum Anspruch, das Konkrete neu zu definieren.* Uns scheint, als suchte auch Benjamin mit der folgenden Bemerkung diesen Zusammenhang zu erfassen: „Man versteht nichts von diesem Mann, solange man nicht erkennt, daß mit Notwendigkeit alles, ausnahmslos alles, Sprache und Sache, für ihn sich in der Sphäre des Rechtes abspielt... Man begreift seine sprachlichen Untersuchungen nicht, erkennt man sie nicht als Beitrag zur Strafprozeßordnung, begreift das Wort des Anderen in seinem Munde nur als ‚corpus delicti', ein Heft der ‚Fackel' nur als Taten. Um ihn türmen sich die Prozesse." (W. BENJAMIN, Karl Kraus. Fragment. In: Gesammelte Schriften, Band II/2 [zit. Anm. 401], 624—625.)

402a Wir glauben, daß Kraus' Engagement für so profilierte Moderne im wesentlichen nicht so sehr von seiner kritischen Position, als vielmehr von einer gemeinsamen Logik abhängig war, die seine Sprachkritik mit diesen Bestrebungen vereinte. Dieses Gemeinsame liegt ebenfalls in der Neudefinierung des Konkreten. Der Schönberg-Schüler Ernst Krenek erinnert sich an Kraus: „Karl Kraus war nun der Urheber einer konkreten allgemeinen künstlerischen Lehre (!), die wie keine andere geeignet war, unseren besonderen musikalischen Weg zu erleuchten und unser Produzieren geistig zu durchdringen(...). Die Analogie des Kraus'schen Sprachdenkens und dem musikalischen Denken besteht hauptsächlich darin, daß er den rein stofflichen Sachgehalt des Sprachwerks genau abtrennte von seinem gedanklichen Inhalt (...). Das Überraschende an dieser Sprachtheorie ist aber, daß sie eine musikalische Theorie antizipiert, die eigentlich die Voraussetzung jener hätte gewesen sein müssen — *denn die Musik, die keinen außermusikalischen Sachgehalt aufzuweisen hat, hätte nie anders aufgefaßt werden dürfen.*" (Zitiert von Friedrich PFÄFFLIN, Karl Kraus und Arnold Schönberg. In: Karl Kraus [zit. Anm. 400], 144. — Hervorhebung: E. K.) — Dieses Gemeinsame sucht auch Theodor W. Adorno in seiner folgenden Ausführung zu erfassen, jedoch eher im Negativen: „... die kompositorischen Neuerungen Schönbergs, der literarische Kampf von Karl Kraus gegen die Zeitungsphrase und die Denunziation des Ornaments durch Loos stehen keineswegs in vager geistesgeschichtlicher Analogie, sondern sind unmittelbar desselben Sinnes. Das veranlaßt zu einer Korrektur der Loos'schen These, der der Generöse nicht sich verweigert hätte: daß die Frage des Funktionalismus nicht zusammenfällt mit der nach der praktischen Funktion. Der Unterschied zwischen Notwendigem und Überflüssigem wohnt den Gebilden inne, erschöpft sich nicht in ihrer Bezogenheit auf ein ihnen Auswendiges..." (Theodor W. ADORNO, Ohne Leitbild. Parva Aesthetica, Frankfurt am Main, 1967, 106.)

403 Siehe das Kapitel Über Schriftstellerei und Stil. In: Parerga und Paralipomena. Schopenhauers Sämtliche Werke. Eingeleitet und mit Sachregister versehen von Max FRISCHEISEN-KÖHLER, Berlin o. J., siebenter und achter Band. — Diese Wendung, vielmehr aber ihre Wirkung lassen sich unschwer wiederum mit dem großen Bruch in der Philosophie in Verbindung bringen, zu dem es nach 1848/49 kam. Von Schopenhauers sprachkritischem Denken gibt uns das folgende Zitat ein Bild: „Die Sprache ist ein Kunstwerk und soll als solches, als *objektiv* genommen werden, und demgemäß soll alles in ihr Ausgedrückte regelrecht und seiner Absicht entsprechend sein, und in jedem Satz muß das, was er besagen soll, wirklich nachgewiesen sein, als objektiv darin liegend: nicht aber soll man die Sprache bloß *subjektiv* nehmen und sich notdürftig ausdrücken, in der Hoffnung, der andere werde erraten, was man meine..." (Ebenda 505.)

404 Nietzsches Sprachkritik, aber auch seine kritische Einstellung gegenüber zahlreichen anderen Objektivationen berühren sich an so breiter Fläche mit dem Kraus'schen Werke, daß hier von „Wirkung" zu sprechen ein äußerst schwacher Ausdruck für diesen Tatbestand wäre. Zunächst identifiziert sich Kraus mit Nietzsche und wehrt sich gegen den Schein, daß dieser nur ein „Artist" gewesen wäre — ein Vorwurf, der ihn noch oft treffen sollte. Dann wird auch er durch die Kriegsliteraten des Ersten Weltkrieges ein wenig in der Beurteilung Nietzsches *verunsichert*, um sich dann später eben in *Die dritte Walpurgisnacht* Nietzsches Kritik am Deutschtum zu eigen zu machen.

405 Grillparzers Lebensmaske (1872). In: Ferdinand KÜRNBERGER, Feuilletons. Ausgewählt und eingeleitet von Karl RIHA, Frankfurt am Main 1967, 112 – 113.

406 F. KÜRNBERGER, Die Blumen des Zeitungsstils (1872 – 1876), ebenda 157 – 160. Eingehende Einzelforschungen versuchen unter Beweis zu stellen, daß Kraus' Sprachauffassung in vieler konkreter Hinsicht jener Kürnbergers sehr nahe stand. Hier wie dort stößt man freilich auf eine jeweils andere zusammenhängende ideologische Vorstellung.

407 Es geht jedoch nicht allein um die Sprachsoziologie im engeren Sinn, sondern auch um die Soziologie der Kultur im weiteren. Als vielsagendes Beispiel könnten die Arbeiten Leo Loewenthals genannt werden, in denen dieser *genetische* Zusammenhang deutlich wird.

408 Für die Beziehung Kraus' zur Frankfurter Schule gilt eigentlich dasselbe wie für die zwischen Nietzsche und Kraus: Es geht um so viele Berührungspunkte bzw. Gemeinsamkeiten, daß jede Simplifizierung *ab ovo* zum Scheitern verurteilt wäre. Als einziges, vielleicht auch überraschendes Beispiel wollen wir hier festhalten, daß der Schlüsselsatz der Kritik Adornos am „Jargon der Eigentlichkeit", d. h. also auch an Heidegger, problemlos mit der Kraus'schen Sprachkritik in Verbindung gebracht werden kann: „Der Jargon der Eigentlichkeit ist Ideologie als Sprache, unter Absehung von allem besonderen Inhalt." (W. ADORNO, Jargon der Eigentlichkeit. Zur deutschen Ideologie. Frankfurt am Main 1964, 132.)

409 György BÁLINT, A toronyőr visszapillant, Budapest 1961, 687.

410 Ebenda 687.

411 R. MUSIL, Gesammelte Werke (zit. Anm. 4), Bd. 8, 1341.

412 W. Benjamin — an Scholem, zitiert in: W. BENJAMIN, Gesammelte Schriften (zit. Anm. 401), Bd. II/3, 1086.

413 Uns ist, als würde die folgende Beschreibung der „Deformation" auch den Schlüssel zur *Kunst* Franz Kafkas liefern: „Šklovskijs Theorie der ‚Verfremdung' des dargestellten Gegenstandes verschob den Akzent vom poetischen Gebrauch des Bildes auf die Funktion der Dichtkunst. Die Trope wurde hier lediglich als *eines* der dem Dichter zur Verfügung stehenden Mittel gesehen, das beispielhaft für die allgemeine Tendenz der Dichtung, ja aller Kunst steht. Die Verlegung des Objektes in die ‚Sphäre neuer Wahrnehmung', das heißt eine durch die Trope bewirkte ‚semantische Verschiebung', wurde nun als das Hauptziel, als *raison d'être* der Dichtung verkündet... Indem er das Objekt aus seinem gewohnten Zusammenhang reißt, indem er disparate Ideen zusammenbringt, gibt der Dichter den Wortklischees und abgedroschenen Redensarten den Gnadenstoß und zwingt uns, die Dinge und ihr sinnliches Gewebe mit einem wacheren Bewußtsein aufzunehmen. Der Akt schöpferischer Deformation verschafft unserer Wahrnehmung wieder die Schärfe, gibt der Welt um uns ‚Dichte'." (Victor EHRLICH, Russischer Formalismus, München 1964, S. 195.)

414 Selbstverständlich vergrößert der innere Monolog die Möglichkeiten der modernen Epik in unerhörtem Maße, er führt namentlich zur Polyphonie bzw. zur Polyhistorisierung des Romans. Der Weg Kafkas, die Vereinfachung bzw. Beseitigung der schriftstellerischen Reflexion, erwies sich aber als ebenso relevant für die Entwicklung der modernen Epik.

415 In welchem Ausmaß es um den „Kampf" der Protagonisten Kafkas *gegen* eine von allen als Weltordnung akzeptierte Totalität der Verhältnisse geht, zeigen wohl Max Brods Erinnerungen an das geplante Ende des Romans Das Schloß: „Der angebliche Landvermesser erhält wenigstens teilweise Genugtuung. Er läßt in seinem Kampfe nicht nach, stirbt aber vor Entkräftung. Um sein Sterbebett versammelt sich die Gemeinde und vom Schloß langt eben die Entscheidung herab, daß zwar ein Rechtsanspruch K'.s, im Dorfe zu wohnen, nicht bestand, daß man ihm aber doch mit Rücksicht auf gewisse Nebenumstände gestatte, hier zu leben und zu arbeiten." (Franz Kafka. Herausgegeben von Erich HELLER und Joachim BEUG, Heimerau o. J., 102.) *Der Kampf der Protagonisten Kafkas macht die Universalität der Weltordnung erlebbar, die Universalität der Weltordnung setzt sich auch durch den Kampf der Protagonisten durch.* Diese beiden, voneinander untrennbaren Aspekte derselben Lebenswirklichkeit, wie gesagt, reflexionslos und künstlerisch deformierend dargestellt zu haben, machen Kafkas dichterische Größe aus.

416 Die wahrscheinliche Antwort auf diese Frage lautet wohl, daß Kafka das eine ohne das andere überhaupt nicht zur Kenntnis nehmen konnte. Für ihn existierte nichts Universales ohne Konkretes, aber auch nichts Kon-

kretes ohne Universales. Schön deutet im folgenden Aphorismus einen Aspekt desselben an: „Was in der Vorstellung des Ewigen bedrückend ist: die uns unbegreifliche Rechtfertigung, welche die Zeit in der Ewigkeit erfahren muß und die daraus folgende Rechtfertigung unserer selbst, so wie wir sind." (Zitiert in Werner HOFFMANN, Kafkas Aphorismen, Bern und München 1975, S. 63.) — Hier wollen wir kurz erwähnen, daß Kafkas Beziehung zur Philosophie Franz Brentanos auf dieser Grundlage ebenfalls sinnvoll zu untersuchen wäre. Wir wollen hier zu den Fragen der bisherigen Versuche nicht Stellung nehmen, die von der auffallend langen, ausdauernden und wiederkehrenden Beschäftigung Kafkas mit der Philosophie Franz Brentanos fasziniert, diese auch zu interpretieren suchten. Uns scheint diese gleichzeitige Verfolgung des Konkreten bzw. des Universalen Kafka für die Philosophie Brentanos geöffnet zu haben.

417 Einen Gedanken Max Benses aufnehmend, können wir ganz genau festlegen, daß *die Relation des Konkreten und des Universalen bei Kafka nicht eine solche der Substantialität, sondern eine solche der Funktionalität ist.* Hier treffen wieder „philosophische" und „künstlerische" Momente zusammen. *Weil* das Konkrete eine *Funktion* und kein substantielles Element des Universalen ist, ist die Methode der künstlerischen „Vereinfachung" (im Sinne der vorhin beschriebenen Deformation) das geeignetste Mittel, dieses Universum darzustellen. (Benses Gedanke lautet — komprimiert — so: „An der Stelle der Realitätsthese schob sich die Funktionsthese." (Max BENSE, Die Theorie Kafkas, Köln—Berlin 1952, 99.)

418 Wir wollen damit nur andeuten, daß die großen Sprünge in der Kafka-Deutung stets mit historischen Ereignissen bzw. mit deren Reflexion verbunden waren, die das Verhältnis des Konkreten und des Universalen grundsätzlich neu regelten bzw. in Frage stellten.

419 Dieser Tatbestand resultiert aus der kafkaschen Sicht der Dinge, hat also quasi-theoretischen Wert. Seine authentische Darstellung verlangt aber wiederum nach noch nie erprobten künstlerischen Mitteln, u. a. der Methode der künstlerischen Reflexionslosigkeit, die die beabsichtigte Darstellung dieses Zusammenfallens der verschiedenen Erscheinungsformen des Gesetzes zur Geltung bringt.

420 Franz KAFKA, Hochzeitsvorbereitungen auf dem Lande und andere Prosa aus dem Nachlaß, New York, 1953, 78 – 80.

421 Der Tractatus, jenes Werk Wittgensteins, das ein Produkt aus der von uns behandelten Periode (d. h. bis 1918) ist, verhält sich zum Positivismus etwa so, wie dies Paul Engelmann auseinandersetzt: „Eine ganze erste Schülergeneration konnte ihn für einen Positivisten halten, weil er mit diesen wirklich etwas enorm Wichtiges gemein hat: Er zieht die Grenzlinie zwischen dem, worüber man sprechen kann, und dem, worüber man schweigen muß, genauso wie sie. Der Unterschied ist nur, daß die nichts zu verschweigen haben. Der Positivismus meint, daß, worüber man sprechen kann, sei das allein Wichtige im Leben... *Während Wittgenstein davon durchdrungen ist, daß es für das Leben des Menschen allein auf das ankommt, worüber man, nach seiner Meinung, schweigen muß."*

(Paul ENGELMANN, Ludwig Wittgenstein. Briefe und Begegnungen. Herausgegeben von B. F. McGUINESS, Wien und München 1970, 77. Hervorhebung im Original.)

422 Im Sinne der in der vorigen Anmerkung angeführten Argumentation könnte im Prinzip auch Wittgenstein zu den Positivisten gezählt werden, jedoch zu jenen, die bei den von den Positivisten gesetzten Grenzen nicht stehenbleiben. Dies könnte auch ein Beitrag zu einem differenzierteren Bild des Positivismus werden.

423 Ludwig WITTGENSTEIN, Tractatus logico-philosophicus. Logisch-philosophische Abhandlung, Frankfurt am Main 1963, 114. (Hervorhebung im Original.) — Der Gedanke setzt sich so fort: ,,Freilich bleibt dann eben keine Frage mehr: und eben dies ist die Antwort.'' (Ebenda 114.) — Siehe dazu einen Gedanken Kafkas: ,,Früher begriff ich nicht, warum ich auf meine Frage keine Antwort bekam, heute begreife ich nicht, wie ich glauben konnte, fragen zu können.'' (In: Werner HOFFMANN, Kafkas Aphorismen [zit. Anm. 416], 21.)

424 Zitiert bei P. ENGELMANN, Wittgenstein (zit. Anm. 421), 121. — Hervorhebung im Original.

425 Ebenda 121.

426 Daß Wittgenstein Konkretes und Universales ebenfalls neu definieren will, kann nicht bezweifelt werden. Er definiert die ,,Elementarsätze'' als ,,Bausteine'' einer möglichen zukünftigen Philosophie. Auf ihn bezieht sich exemplarisch und vollgültig unsere These einer Neubestimmung des Konkreten. Eine andere Frage ist, wie das Weitere interpretiert wird. Im Gegensatz zu Engelmann, der über das ,,Nicht-Konkrete'' bereits Inhaltliches bei Wittgenstein voraussetzt, sind wir der Meinung, daß der Tractatus einen Prozeß, ein *work in progress* darstellt, dessen Endergebnisse nicht im voraus festgesetzt, sondern eben ,,in statu nascendi'' aus den Konfrontationen bzw. den Möglichkeiten der Konstitution des Weltganzen stammen. Dieser Prozeßcharakter des Werkes erinnert uns wieder stark an Franz Kafka: auch seine Welt läßt auf ihre Gesetzmäßigkeiten durch ihre wichtigsten Prozesse folgern, auch seine Welt ,,zeigt sich'' eigentlich in den Prozessen selbst.

427 Dies stößt auch an jene breitere Problematik, daß die geistig äußerst anspruchsvolle Romanliteratur der zwanziger und dreißiger Jahre im ideengeschichtlichen Universum unseres Jahrhunderts nicht genügend vertreten ist. Wir denken nicht nur daran, daß, was, sagen wir, in Joyces Ulysses aufgearbeitet wird, in der ,,Philosophie'' kaum eine Entsprechung hat. Es geht letzten Endes nicht nur um Inhaltliches, sondern auch um Philosophisches (wie im Falle Brochs, der dieselbe Aussage sowohl belletristisch als auch philosophisch artikulierte, er tat dies sogar beides in einem Werk, in der Schlafwandler-Trilogie), nicht selten auch um *Methodisches.* Musils beschreibende Methode der Bewußtseinsgehalte seiner Personen im Roman Der Mann ohne Eigenschaften kann wissenschaftlich einwandfrei mit der Wissenssoziologie Karl Mannheims in Verbindung gesetzt werden, um nur eine Möglichkeit zu nennen. Siehe dazu

Endre KISS, Probleme und Aspekte des philosophischen Lebenswerkes von Hermann Broch. In: Philosophischer Literaturanzeiger, Bd. 33. Heft 4, Oktober—Dezember 1980, 397 – 403.

428 Logik einer zerfallenen Welt (1931). In: H. BROCH, Philosophische Schriften. 2. Theorie. Herausgegeben von Paul Michael LÜTZELER, Frankfurt am Main 1977, 168 – 169. — Zur Brochschen Neudefinition des Konkreten auf dem Gebiet der Werte gehört u. a. auch folgendes: „Eine Verständigung zwischen den autonomen Wertgebieten ist nicht mehr möglich; sie sind für einander stumm geworden, und wenn es noch ein Medium des Begreifens — nicht der Verständigung — gibt, das ihnen allen gemeinsam ist, so ist es das der Zahl. Feindlich in ihrem Anspruch auf Totalitätsgeltung stehen sie einander gegenüber... (Ebenda 168 – 169.)

429 Obwohl Broch diese Verdrängung der ethischen Werte durch die ästhetischen sowohl chronologisch als auch inhaltlich in einem breiteren Zusammenhang konzipiert, ist seine Kritik gegenüber dem Wiener Impressionismus nicht zu überhören: „Als er (Hofmannsthal), kaum siebzehnjährig, ins Café Griensteidl, d. h. in den daselbst unter dem Präsidium Hermann Bahrs residierenden (!), damals führenden Wiener literarischen Kreis eingeführt wurde, da fand er einen Äthetizismus vor, von dem er sich mit der Ethik seines neugefundenen Dichterberufes genau so unterschied, wie es sich in seiner ästhetisierenden Traumhaftigkeit vordem vom Schulbetrieb und den dortigen Kameraden unterschieden hatte. Mit Ausnahme Beer-Hoffmanns, der ihm vielleicht am ähnlichsten, und Schnitzlers, der ihm am unähnlichsten war, sprachen die alle hier eine ihm fremde Sprache, und *es war die der bloßen Literatur, also eine, besonders in Wien, sittlichkeits-ferne Sprache.*" (Hofmannsthal und seine Zeit. In: H.. BROCH, Schriften zur Literatur. 1. Kritik, Herausgegeben von Paul Michael LÜTZELER, Frankfurt am Main 1975, 193 – 194. Hervorhebung: E. K.)

430 Ebenda 146 – 148 bzw. 175.

431 Broch spricht von einem „Realitätsvokabular", „das für bestimmte Situationen bestimmte allgemeingültige Ausdrücke verwendet. Wenn ich sage: ‚Ein Mann geht über die Straße', so ist dies eine derartige allgemein verständliche Realitätsvokabel, und solche festen Realitätsvokabeln müssen, solange der Sprachgebrauch selber sie nicht verändert, bei jeder Mitteilung, die die Welt schildert, wie sie ist, verwendet werden. Aber die Verwendung der Realitätsvokabeln gibt... noch lange nicht die Gewähr, daß die Welt so geschildert wird, wie sie ist. Auch der Wahnsinnige verwendet richtige Vokabeln. Es kommt auf die Syntax an, auf die satzmäßige Verbindung, auf die sprachliche Logik, innerhalb welche die Vokabeln verwendet werden." (H. BROCH, Das Weltbild des Romans. Ein Vortrag (1933). In: Schriften zur Literatur. 2. Theorie. Herausgegeben von Paul Michael LÜTZELER, 105. — Siehe dazu Endre KISS, Totalitätskunstwerk und Exil. Über Hermann Brochs anthropologische Wendung. In: Österreicher im Exil 1934 bis 1945, Wien 1977, 334 – 343, sowie E.

KISS, Hermann Broch elmélete a polihisztorikus regényről, Budapest 1980.)

432 Über Lukács' Die Theorie des Romans als Vorläufer der polyhistorischen Romanschreibung siehe u. a. E. KISS, Hermann Broch elmélete a polihisztorikus regényről (zit. Anm. 431).

433 Es geht nicht nur darum, daß Broch Hegel in seine eigene Sprache übersetzte und sich seiner methodischen Kunstgriffe bediente, sondern auch darum, daß er versuchte, die klassischen Ansätze Hegels im Kontext mit der Philosophie seiner Zeit anzuwenden. Diese Gleichzeitigkeit einer neu definierten Harmonistik und eines mit lebendigen Inhalten erfüllten Hegelianismus ist qualifizierend für Brochs Denken. Canetti schildert Brochs „Universalismus" sehr anschaulich: „... man kann sagen, daß sein dichterischer Wille sich an der Forderung nach Universalität recht eigentlich entzündet hat. Ursprünglich und für lange Jahre ein Mann der strengen Philosophie, gestattet er sich nicht, das, was ein Dichter leistet, besonders ernst zu nehmen. Zu viel Konkretes und Abgesondertes schien ihm darin zu stecken, Stück- und Winkelwerk, nie war das Ganze da." (E. CANETTI, Das Gewissen der Worte, München 1978, 13)

434 Und dies war keineswegs so selbstverständlich. Es gehörte echter Mut dazu, den Nietzscheschen „unmittelbaren" Begriff der Werte und des Wertens zu einer Zeit so in den Mittelpunkt zu stellen, in der neokantianische Vermittlungen den unmittelbaren Wahrheitsgehalt und die ebenso unmittelbare Lebensnotwendigkeit dieses Begriffs — zumindest in der „wissenschaftlichen" Philosophie — stark in den Hintergrund drängten. Siehe dazu Endre KISS, Brochs Stellung zu Nietzsche. In: Hermann Broch und seine Zeit. Verlag Peter Lang, 1980, 88 – 96.

435 Zum Verhältnis des Brochschen philosophischen Diskurses zur poststrukturalistischen französischen Philosophie siehe E. KISS, Über Hermann Brochs Ehrgeiz, ganzheitliche Strukturen ganzheitlich darzustellen. In: Hermann Broch. Werk und Dichtung. Herausgegeben von E. KISS, Bonn 1985.

Register

BIOGRAPHIEN BEI BÖHLAU

Ernst R. Ernst
NOSTRADAMUS
Vom Mythos zur Wahrheit.
1986. 374 S., 16 Taf., Karten auf Vor- und Nachsatz. Leinen.
ISBN 3-205-07259-6.

István Hermann
GEORG LUKAĆS
Sein Leben und Wirken.
1986. 236 S. Broschiert. ISBN 3-205-00557-0.

Gert Wendelborn
MARTIN LUTHER
Leben und reformatorisches Werk.
1983. 499 S. Leinen. ISBN 3-205-00542-2.

István Benedek
IGNAZ PHILIPP SEMMELWEIS 1818–1865
1983. 399 S. und 16 Taf. m. 24 SW-Abb. Leinen.
ISBN 3-205-00537-6.

Ernst Hilmar
FRANZ SCHUBERT IN SEINER ZEIT
1985. 143 S., 4 SW-Abb. Pappbd. ISBN 3-205-06400-3.

VERLAG BÖHLAU WIEN · KÖLN · GRAZ

MONOGRAPHIEN ZUR ÖSTERREICHISCHEN KULTUR- UND GEISTESGESCHICHTE

Herausgeber: Peter Kampits

Band 1:
Klaus Dethloff (Hg.)
THEODOR HERZL
oder Der Moses des Fin de siècle.
300 S. Pappbd. ISBN 3-205-06710-X.

Band 2:
Hanna Bubeniček (Hg.)
ROSA MAYREDER
oder Wider die Tyrannei der Norm.
228 S. Pappbd. ISBN 3-205-06711-8.

Band 3:
Emil Brix (Hg.)
LUDWIG GUMPLOWICZ
oder Die Gesellschaft als Natur.
365 S. Pappbd. ISBN 3-205-06712-6.

A-1014 Wien, Dr. Karl Lueger-Ring 12, Tel. (0222) 63 87 35 -0*
D-5000 Köln 60, Niehler Straße 272–274, Tel. (0221) 76 53 68/76 73 31